ЛАБИРИНТ

ЗВЕЗДАНЫЙ

Сергей
ЛУКЬЯНЕНКО

АТОМНЫЙ
СОН

ИЗДАТЕЛЬСТВО аст 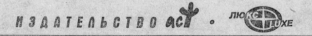 люкс ЛЮХЕ

МОСКВА 2005

УДК 821.161.1-312.9
ББК 84 (2Рос=Рус)6-44
Л84

Серия «Звездный лабиринт» основана в 1997 году

Серийное оформление А.А. Кудрявцева

Художник В.О. Бондарь

Подписано в печать 03.02.05. Формат 84х108 1/32.
Усл. печ. л. 23,52. Доп.тираж 15000 экз. Заказ № 3044.

Лукьяненко, С.В.

Л84   Атомный сон : [повести и рассказы] / Сергей Лукьяненко. — М.:
АСТ: ЛЮКС, 2005. — 443, [5] с. — (Звездный лабиринт).

ISBN 5-17-012405-8 (ООО «Издательство АСТ»)
ISBN 5-9660-0232-0 (ОАО «ЛЮКС»)

Поклонники творчества Сергея Лукьяненко!

Перед вами — повести, рассказы и статьи разных лет, не вошедшие в
сборник «Л — значит люди».

Но еще в этой книге вы найдете то, о чем гадали, спорили и мечтали все,
кто полюбил «Ночной Дозор».

ЛИТЕРАТУРНЫЙ СЦЕНАРИЙ Сергея Лукьяненко, который ляжет в
основу одноименного сериала!

Хотите прочитать ЭТО?

Тогда — ЧИТАЙТЕ!

УДК 821.161.1-312.9
ББК 84 (2Рос=Рус)6-44

В авторском предисловии к романам мне всегда чудилось что-то неправильное.

Роман — это слишком сильное погружение в текст. Роман — это возможность на несколько часов (ну... может быть, и дней... кто как быстро читает) забыть об окружающем мире, подарить себе еще одну реальность, еще одну жизнь.

Я обычно пролистываю авторские вступления — и не обижусь, если Вы поступите точно так же.

Но сборник рассказов и повестей — дело другое.

Это не торжественное погружение в глубины чужой выдумки могучей подводной лодки, это скорее скольжение по волнам фантазии на быстроходном катере. Здесь позволительно делать паузы — чтобы оглянуться, не пропустил ли свою остановку, сходить на кухню и налить стакан чая... а то и просто — зевнуть, разочаровавшись в книге.

(Последнего, надеюсь, не случится — добавлю я с осторожным оптимизмом.)

Этот сборник построен почти по такому же принципу, как и предыдущий: «Л — значит люди». В нем есть старые и новые повести, есть старые и новые рассказы.

Пожалуй, основное дополнение — рубрика «Москва вампирская», где помещен текст сценария к фильму «Ночной Дозор». Будет ли этот фильм — я не знаю. Но текст, как мне кажется, любопытен будет и сам по себе — в том числе и для тех, кто не читал «Дозоры».

Вот, пожалуй, и все.

Можно перелистнуть страницу. ☺

ПРОЗРАЧНЫЕ ВИТРАЖИ

«Прозрачные витражи», вольное продолжение «Лабиринта отражений» и «Фальшивых зеркал», — не совсем обычное произведение. Его первая публикация произошла в Интернете, и написана повесть была в «интерактивном» режиме — каждая главка публиковалась с интервалом в неделю, после чего автор знакомился с мнением читателей о новом фрагменте. Результатом этого стало наличие у повести двух финалов — «красного» и «синего». Автор решил оставить оба финала и в печатном варианте повести — так что читатель вправе сам выбрать понравившееся ему окончание произведения.

У меня есть конкретное предложенье —
Заменить все стекла на витражи.
Чтобы видеть в окне не свое отраженье —
А цветные картинки и миражи.

В этом деле есть одно осложненье —
Слишком много осколков и резаных ран.
Но зато фантастическое впечатленье —
Будто в каждом окошке цветной экран.

Но я вижу, тебя терзают сомненья —
Ты и в этой идиллии видишь обман.
Что ж, пусть кто-то из нас испытает прозренье —
Когда все миражи превратятся в туман.

Константин Арбенин

ПРОЗРАЧНЫЕ ВИТРАЖИ

0000

В детстве эта игрушка была у меня самой любимой.

Паззл как паззл. Собираешь картинку из сотен кусочков разной формы.

Только этот паззл был прозрачным. Тоненький пластик переливчатых цветов, мутноватый — но если посмотреть на лампочку, то становится видна раскаленная нить спирали.

Я собирала свой паззл почти полгода.

Я сама!

Он был не для детей, как я теперь понимаю, слишком уж большой. Пять тысяч кусочков прозрачной пластмассы: малиновые и мраморные, лиловые и шоколадные, лазурные и морковные, лимонные и багровые, маренго и мокрая пыль, уголь и кармин. Картинка строилась неохотно, будто ее оскорбляло быть собранной восьмилетней малявкой, упорно копошащейся на полу в детской. Родителям я строго-настрого запретила убираться в комнате — ведь они могли разрушить возникающий под моими руками мир. Мама все равно убиралась, аккуратно обходя паззл, но только когда я была в школе.

А из радужных кусочков возникала стена. Каменная стена древнего замка, покрытая мхом, с выщербленной известью швов, с неяркой ящерицей, распластавшейся под лучами солнца.

И витражное окно. Полупрозрачное, нереальное, за которым угадывались смутные человеческие тени. Цветное окно, где рыцарь в сверкающих доспехах склонился перед прекрасной дамой в белом платье. Паззл еще не был закончен, но я уже могла часами любоваться рыцарем и его дамой. Меня смущало, что доспехи рыцаря, блистающие и великолепные, оказались чуть помяты, а кое-где — даже запачканы грязью. Меня удивляло лицо дамы — в нем не было восторга, скорее — печаль и жалость. И все-таки я смотрела на паззл, придумывая историю рыцаря и принцессы (ведь молодая дама могла быть только принцессой!). Я решила, что рыцарь только что вернулся из одного похода и собирается в другой. Вот откуда вмятины и грязь на доспехах, вот откуда печаль принцессы.

А разноцветные фигурки вставали на свои, единственно правильные, места. Загоралась радуга над рыцарем и принцессой. Рука рыцаря сжималась на рукояти меча. В светлых (как у меня!) волосах принцессы засверкал самоцветами гребень. Ящерица на стене обзавелась подружкой.

Родители перестали улыбаться, глядя на мою борьбу с витражом. Теперь и они любили тихонько постоять, глядя, как возникает цветное окно в серой стене. Наверное, порой они замечали нужные фигурки раньше меня. Но ни разу не подсказывали — так было заведено.

Я сама!

И настал день, когда я поняла — сегодня паззл будет собран. Осталось еще не меньше полусотни кусочков. Самых сложных, почти неотличимых друг от друга. Но я знала, что сегодня увижу картинку всю, целиком.

Я не стала обедать, а потом — ужинать. А мама не стала меня ругать, только принесла чай и бутерброды. Я даже не заметила, как их съела.

Кусочек вставал к кусочку. Цветная мозаика слилась в узор.

И остался последний кусочек — я уже знала какой. Прозрачный, с тремя выступами. Вовсе не главный, всего лишь прозрачный кусочек между склоненной головой рыцаря и тянущейся к нему рукой принцессы. Я протянула руку, пытаясь найти его на ощупь, не отрываясь от картины.

Коробка с фигурками была пуста.

Потом я перевернула комнату вверх дном. Потом я плакала то на руках у отца, то на коленях у мамы. Отец обещал, что напишет письмо в фирму, выпустившую паззл, и мне обязательно пришлют недостающий кусочек. И даже еще один паззл — в компенсацию. Мама перерыла мусорное ведро и вытряхнула пылесос. Хотя и знала, что там ничего нет.

Поздно вечером я вернулась в свою комнату, к почти собранному паззлу. Если не знать, что одного кусочка не хватает, то это было даже незаметно.

Теперь я знала правду. Знала, почему так печально лицо принцессы и почему так безнадежно-устало склонил голову рыцарь. Им никогда не коснуться друг друга. Между ними — пустота.

Я села на корточки, положила ладони на картинку. И повела левую руку — к себе, а правую — от себя.

Стена замка треснула, ящерку разорвало пополам, рыцарь рассыпался сверкающими кусочками доспехов, принцесса разлетелась белыми обрывками платья.

Пурпур, ржа, охра, старая медь, беж...

Радуга, цветная метель, крашеный снег...

Когда я впервые увидела дип-программу, то поразилась — как похож ее завораживающий калейдоскоп на старый паззл, рассыпающийся под моими руками.

Но тогда дип-программы еще не было. Ее изобрели тремя годами позже.

0001

У двери я на миг останавливаюсь, придирчиво оглядываюсь в зеркало. Ох и видок... Из зеркала смотрит на меня унылая дама лет тридцати, с брюзгливо поджатыми губами, намечающимся вторым подбородком — хотя фигура скорее костлявая, чем упитанная. Блеклые волосы собраны в тощий пучок, помада на губах слишком яркая, кричащая, а тени на веках — болотно-зеленые. Мышиного цвета платье, крепкие, будто у крестьянки, ноги в теплых чулках. Вроде как и не уродина, но...

Сексапильности во мне — не больше, чем в размазанной по тарелке остывшей овсянке.

Щелкаю свое отражение по носу и выскакиваю из дома. В отличнейшем настроении, бодрая и веселая.

А на улице — хорошо!

Воздух после короткого проливного дождя чистый и свежий, развиднелось и светит солнце. Тепло, но не душно. Во дворе бренчит на гитаре симпатичный парень, и очень хорошо бренчит. Когда я прохожу мимо, он поднимает голову и улыбается.

Он всем улыбается. Он не человек, а программа. Смесь справочного бюро, музыкального автомата и вахтера. Каждый уважающий себя дом Диптауна обзаводится чем-то подобным. Либо играют во дворе неправдоподобно вежливые и умилительные детишки, либо сидит на скамейке чинная старушка, либо длинноволосый живописец с мечтательными глазами стоит за мольбертом. А у нас — гитарист.

— Привет, — говорю я ему.

Иногда парень отвечает, но сейчас ограничивается лишь кивком. А я иду дальше. Можно взять такси, но тут недалеко, лучше пройтись. Заодно можно собраться перед беседой.

Дело в том, что на самом-то деле я ужасно трушу.

Диптаун всегда был для меня местом для развлечений. С тех пор, как в двенадцать лет я впервые вошла в *глубину*, тогда еще с папиного компьютера и без всякого комбинезона. Ну а когда у меня появилась своя машина, свой комбинезон — пусть даже «подростковый», без некоторых функций... Целоваться это не мешало.

И я носилась по *глубине*, прилипала то к одной компании, то к другой, дружила и ссорилась, храбро пила виртуальное шампанское, несколько раз виртуально выходила замуж и разводилась. В *глубине* были самые лучшие концерты — на исполинских аренах, над которыми кружились цветные облака и мерцали в такт музыке неправдоподобно яркие звезды. В *глубине* можно было посмотреть самый новый фильм задолго до его выхода на экраны — в роскошных пиратских кинотеатрах. В *глубине* можно было путешествовать — в каждой стране, в каждом городе находится человек, который делает виртуальную копию любимых пейзажей.

Конечно, были те, кто в *глубине* работал. Программисты, которым стали не нужны офисы. Тьма-тьмущая бухгалтеров, дизайнеров, инженеров. Преподаватели, обучавшие студентов со всего мира. Врачи, консультирующиеся друг с другом. Таинственные дайверы — конечно, если они есть на самом деле.

Но мне ни капельки не хотелось заниматься программированием или бухгалтерским учетом! Я даже учиться предпочитала по старинке. И поступила после лицея на юридический факультет: старомодный и солидный.

Но *глубина* все росла и росла. Ей уже не хватало неписаных правил. Ей потребовались законы.

И юристы.

Я сворачиваю с людного проспекта, прохожу маленьким сквером с заброшенным высохшим фонтаном в центре. Вокруг как-то пустеет, будто люди стараются обходить это место стороной.

Неудивительно. Тюрьмы никогда не пользовались популярностью. Даже виртуальные.

Обнесенное высоким забором с колючей спиралью поверх уныло-серое здание за сквером — это виртуальная тюрьма русского сектора Диптауна. Кто говорит, что мы отстаем от развитых стран? Может быть, в чем-то и отстаем, но пенитенциарная система всегда следит за прогрессом!

Подхожу к единственным дверям в стене — узкие металлические створки с крошечным окошечком-глазком. Нажимаю кнопку звонка. Пауза, потом слышится железный лязг, окошечко открывается. На меня мрачно смотрит крепкий парень, толстая шея распирает синий форменный воротник. Он не произносит ни слова, ждет. И я молчу, лишь подаю в окошечко документы. Охранник скрывается, теперь уже я терпеливо жду.

Много ли времени нужно, чтобы проверить подлинность документов в *глубине*? Немного, но куда больше требуется на торопливые звонки начальству.

Не возмущаюсь, жду. Поправляю прическу — будто с моим «крысиным хвостиком» что-то могло случиться. Я и сама, на-

верное, похожа на крысу: поджарую, злую, битую и травленую, привыкшую смотреть на мир без глупых иллюзий.

Ничего, так надо.

Дверь с грохотом открывается. Охранник козыряет и словно бы растерянно отступает в сторону, пропуская меня вперед.

За дверью — вовсе не тюремный двор, а полутемный коридор. Стена, судя по всему, толщиной метров пять. Это вовсе не показуха. Пока я иду, цокая каблучками по щербатому бетонному полу, в мой компьютер торопливо закачиваются нехитрые тюремные интерьеры. Коридоры, комнаты охраны и персонала...

Коридор кончается еще одной дверью. Охранник тянется, пытаясь открыть дверь, но я его опережаю.

И выхожу в тюремный двор.

Спортивная площадка и площадка для прогулок. Ухоженные клумбы вдоль дорожки, ведущей к тюрьме. Никогда не видела в России таких тюрем, ее проектировщик содрал дизайн с каких-нибудь американских, из самых новых. В такой тюрьме только перевоспитываться!

Охранник деликатно покашливает, я насмешливо смотрю на него. Вряд ли это настоящий служака из внутренних войск, повидавший настоящие тюрьмы. Здесь, в виртуальности, важны не физические данные.

— Идемте, — успокаиваю я охранника. — У вас всегда так безлюдно?

Мой доброжелательный тон охранника не успокаивает. Видимо, в сочетании с брюзгливо поджатыми губами и вечно наморщенным лбом доброжелательность кажется издевкой.

— Нет... не всегда... госпожа инспектор.

— Ничего, ничего, — говорю я так, что сразу ясно — очень даже «чего»!

Мы входим в помещение тюрьмы. Это административный этаж, и лишь решетки на окнах напоминают о суровой прозе жизни. Проходя мимо одного из окон, я провожу по стеклу кончиками пальцев. Так, чтобы немного лака с ногтей попало на стекло.

Охранник ничего не замечает.

Персонала немного — нам попадаются две женщины в форме и разболтанный молодой человек в грязноватом белом халате. Молодой человек долго смотрит на меня, будто размышляет, следует ли познакомиться, или лучше юркнуть в ближайшую дверь. Благоразумие берет верх, и он скрывается в двери с надписью «контрольная комната».

В настоящей тюрьме здесь помещались бы мониторы внутреннего наблюдения. Очевидно, здесь — то же самое. Мне становится интересно, и возле двери я впечатываю каблучок в пол сильнее обычного. Охранник оборачивается, делаю вид, что запнулась.

Крошечный термит, выбравшийся из каблука и деловито направившийся к двери, невооруженным глазом не различим.

Наконец-то кабинет начальника тюрьмы. У двери охранник останавливается, предоставляя мне инициативу.

Стучу по мягкой синтетической обивке, вызывающей воспоминания о тех незабвенных днях, когда квартирные двери делались из фанеры и дерматина, а не из легированной стали. И вхожу, не дожидаясь ответа.

Задержка почти неощутима, и все-таки она есть. Дверь открывается слишком медленно, будто пересиливаешь тугую пружину. Еще один сервер, а может быть — закрытый участок тюремного сервера... надо будет выяснить. Но сейчас я выбрасываю все это из головы и суховато улыбаюсь начальнику тюрьмы.

— Добрый день.

Начальник тюрьмы под два метра ростом, мордаст и широкоплеч, форма на нем сидит как влитая, грозно посверкивают звездочками подполковничьи погоны. Нетрудно иметь бравый вид в виртуальности.

— Ваши документы.

Молча подаю ему удостоверение, приказ из Управления по Надзору, командировочное удостоверение. Что ни говори, а это замечательное изобретение бюрократии — командировка в виртуальный мир. Может быть, именно поэтому большинство государственных учреждений располагается на «независимых» международных серверах? Куда приятнее быть командированным в виртуальную Панаму или Бурунди, чем в банальный Звенигород.

Жалко, что виртуальную тюрьму все-таки поместили на сервере МВД...

Пока подполковник просматривает документы, с любопытством оглядываю кабинет. Ничего интересного в нем нет, но все-таки... самый маленький штрих может быть полезен.

— Садитесь... Карина Петровна.

Он на глазах мягчеет. Наверняка глянул на год рождения.

— Первый раз с инспекцией, Карина Петровна?

Киваю. И с откровенностью круглой дуры добавляю:

— С виртуальной — да.

— Аркадий Томилин. Просто Аркадий. — Пожимаю крепкую ладонь. У него приятное рукопожатие, располагающее. — Честно говоря, я вначале напрягся.

Откровенность за откровенность...

— Виртуальные исправительные заведения — дело новое, непривычное. — Подполковник вольным жестом отбрасывает бумаги на стол. — И если их пытается инспектировать человек в годах, со старыми подходами, о *глубине* имеющий самые поверхностные представления... Вы курите, Карина Петровна?

— Курите, — разрешаю я. — Можно просто Карина.

Подполковник закуривает недорогие «21 век», в *глубине* распространяющиеся бесплатно. То ли демонстрирует свою простоту, то ли благоразумно не хочет привыкать к дорогим сигаретам — в реальном-то мире тоже захочется курить...

— Вы в курсе ситуации с виртуальными тюрьмами?

Еще один жест. Никто не любит называть место своей работы тюрьмой. Самые неуклюжие словосочетания вроде «исправительно-трудовое учреждение» пользуются большей популярностью.

— В общих чертах — в курсе, — говорю я с заминкой.

— Тогда общий экскурс... Да, Карина, Петр Абрамович еще преподает?

— Преподает.

— Сто лет не видал старика... Так вот, первые шаги в этом направлении сделали американцы, мы, как всегда, отстаем. Всем ведь понятно, что зачастую исправительные учреждения своей цели не служат. Не перевоспитывают человека, преступившего закон, а лишь озлобляют, сводят с криминальной средой... замкнутый круг, мы словно готовим себе новый контингент! А ведь в истории были, и неоднократно, примеры удачного перевоспитания преступников. Что такое Австралия, если вдуматься? Бывшая ссылка. Отправляли каторжников, ставили их в такие условия, что средством выживания становился честный труд, и добивались поразительных результатов! Каторжники создавали свое общество, перевоспитывались, население росло...

Почему-то мне очень хочется добавить про кроликов, которых тоже отправляли в Австралию. Но я молчу, лишь киваю.

— Цель идеальной тюрьмы — создать человеку условия для осознания своего проступка. Добиться катарсиса, настоящего покаяния. Но тут подход должен быть глубоко индивидуальный. Одному требуется заключение в одиночной камере и Библия под рукой. Другому — общение с людьми. Третьего надо просто научить читать, писать, дать хоть какую-то специальность! Но в обычной тюрьме такой индивидуальный подход невозможен. Вот в этом и смысл виртуальных тюрем. Квалифицированные юристы и психологи определяют, каким именно образом можно наставить преступника на путь исправления. И человек получает именно ту тюрьму, которая ему нужна! Необитаемый остров. Маленькую общину высоко в горах. Если требуется — то тюремную камеру, но чистую, сухую, теплую... Плюс — постоянные элементы психодрамы, целые спектакли, в которых они невольно участвуют, тем самым вставая на путь исправления...

Подполковник даже встает и начинает расхаживать по кабинету. Вожу за ним глазами, словно китайский болванчик.

— Итак, мы функционируем уже второй год. У нас более двухсот подопечных... все добровольно выбрали заключение в виртуальной тюрьме, разумеется. Контингент самый разный — от хакеров и распространителей нелицензионной программной продукции до убийц и насильников. В реальном мире их тела находятся в специальной тюрьме под Москвой... скорее даже это лазарет. Мы закупили специальные устройства, «дипбокс», или *глубинный контейнер*. В них человек может находиться в виртуальности месяцами и даже годами. Дорого, скажете вы? Конечно! Но и обычное содержание под стражей обходится государству недешево. К тому же у нас на выходе будут получаться честные, осознавшие свою вину люди. А именно это наша цель. Не покарать преступление — оно уже совершено, а предотвратить преступления новые, вернуть обществу здорового, законопослушного гражданина...

Я все это знаю.

Хорошие и правильные слова говорит господин подполковник молоденькой инспекторше, первый раз прибывшей с проверкой в виртуальную тюрьму.

Вот только почему твои подопечные могут свободно выходить из замечательной виртуальной тюрьмы на улицы Диптауна? Или ты не подозреваешь об этом, Аркадий Томилин, офицер с прекрасным послужным списком?

Мне хочется задать этот вопрос, и я его задам. Но не сейчас. Потом.

А пока я слушаю — про великолепные системы безопасности, про защищенный от любых проникновений сервер, про психологов, медиков, про молодой персонал с незашоренным мышлением, про то, какие замечательные письма пишут родным вставшие на путь исправления заключенные.

0010

Нам подают чай. Суровая женщина в форме — на секретаршу она не походит, да и нет у начальника тюрьмы приемной. Наверное, работает в женском блоке тюрьмы.

— Чай хороший, — говорит подполковник. Кладет три ложки сахара, помешивает и добавляет: — Краснодарский. Мы используем виртуальные образы только российских продуктов.

Нашел чем гордиться!

Виртуальный патриотизм — это даже не смешно. Достаточно однажды разориться на настоящий чай, на те самые три верхних листика, вручную собранные с куста. Конечно, если ты олигарх из недобитых в начале века, то пей чай из тех, что «три доллара — грамм», хоть каждый день. Но на одну-то чайную церемонию скопить несложно. Зато потом наслаждайся настоящим чаем при каждом визите в *глубину!*

Но эти мысли я оставляю про себя. Пью чай. Не знаю, каков он для начальника тюрьмы. Для меня — мутноватая вонючая жидкость с плавающими поверх щепками. В такой чай и впрямь надо класть сахар, вгоняя в ступор настоящих ценителей напитка.

— Вы начнете с отчетности? — спрашивает подполковник мимоходом.

— Наверное. — Делаю вид, что размышляю. — Нет, наверное, вначале осмотрю условия содержания.

Начальник кивает. Либо ему все равно, либо хорошо притворяется.

— У меня с собой несколько сканеров, — добавляю я. — Знаете, есть мнение, что виртуальная тюрьма недостаточно защищена от побегов...

Аркадий смеется совершенно искренне.

— Побег? Куда, Карина? Ох уж мне эти динозавры от юриспруденции... Все наши подопечные спят крепким сном за высокими заборами. Вокруг — виртуальность!

— Да, — лепечу я, — но если убийцы и насильники смогут разбежаться по Диптауну...

— Предположим! — Подполковник готов идти мне навстречу. — Итак, кровожадный маньяк Вася Пупкин сумел убежать из виртуальной тюрьмы...

Бедный Василий Пупкин, автор учебника арифметики для церковноприходских школ! Не знал он, как жестоко расправятся с ним измученные задачками про бассейны и поезда ученики. Сделают его имя нарицательным, похлеще любого мистера Смита.

— И что же сотворит наш маньяк в виртуальности? — продолжает вопрошать Томилин. — А, Карина?

— Убийство, — предполагаю я.

— Виртуальное?

— А как же оружие третьего поколения? Которое убивает людей из виртуальности?

Понимаю, что стремительно падаю в глазах Томилина. Но ничего не поделаешь.

— Карина, года два назад ходили подобные слухи, — соглашается он. — Даже целые истории рассказывали. О том, как некий хакер погиб от виртуальной пули... Поверьте, шум был таким, что началось официальное расследование. Да, попытки конструировать «оружие третьего поколения» были. Но ничем не увенчались. Серьезные люди давно оставили эти исследования... разве что соответствующие службы еще сосут денежки из своих правительств.

— А если сексуальное насилие? — не сдаюсь я. — Ведь это в виртуальности возможно!

Тут подполковнику крыть нечем, и он сразу же теряет ироничность.

— Зато убежать из тюрьмы невозможно. Пожалуйста, проверяйте... я первый пожму вам руку, если вы докажете обратное.

Что-то я выхожу из роли. Старлей Карина, гордая от своей миссии, не должна отвлекаться на чай, пусть даже краснодарский, и бородатые анекдоты.

— Давайте начнем, — отставляю я чашечку. Чашечка красивая — черные с золотом розы на тонком фарфоре. Тоже отечественная, ясное дело.

— Следуйте за мной. — Голос Томилина тоже суровеет.

Идем долго. Не менее трех решетчатых дверей — сервергейтов, погружающих нас все глубже и глубже в тюремную сетку. Я демонстративно вожу вокруг сканером — вполне исправным и довольно надежным прибором. Все чисто. Никаких подкопов. Эдмон Дантес зря потратил бы свои молодые годы.

Тюремный корпус и впрямь построен по американскому образцу. Приличных размеров помещение, пассаж, где вместо магазинов — зарешеченные клетушки в три этажа. Неожиданности начинаются, когда мы подходим к первой камере. Она пуста.

— Подопечный в своем пространстве, — говорит Томилин. — Видите дверь?

В камере и впрямь есть одна деталь, выбивающаяся из привычного тюремного интерьера. Между сверкающим унитазом и жесткой откидной койкой — занавешенный плотной серой тканью дверной проем.

— Это и есть та самая «внутренняя Монголия»? — позволяю себе вольность. Ну должна же была трудолюбивая инспекторша ознакомиться с тюремным жаргоном?

— Да, — с легким удивлением отвечает Томилин. — Сержант!

Один из надзирателей, молчаливо следующих за нами, гремит ключами и отпирает камеру. Вхожу вслед за Томилиным.

— Не надо, — отмахивается подполковник от бросившегося к портьере сержанта. — Итак, Карина Петровна, весь наш контингент вправе отбывать свое наказание обычным образом, хотя и в виртуальности. Находиться в камере, работать в мастерской, посещать библиотеку и церковь... мы предоставляем услуги представителям пяти наиболее популярных конфессий. Однако есть и решающее отличие нашей тюрьмы от обычной. Каждый заключенный имеет собственное автономное пространство, как его неофициально называют — «внутреннюю Монголию». В каждом конкретном случае это пространство создается индивидуально, квалифицированными специалистами. Посещение вну... автономного пространства или же зоны катарсиса — это уже официальный термин — служит перевоспитанию преступника. Могу заметить, что случаи отказа от этой терапии крайне редки. Позвольте...

— Это не слишком бесцеремонно? — спрашиваю я.

И Томилин ощутимо меняется в лице.

— За находящимися в зоне катарсиса ведется непрерывное наблюдение. Они знают, что в любой момент надзиратель может прервать сеанс. Пройдемте.

Может быть, он начинал с патрульно-постовой службы?

Вслед за Томилиным я отдергиваю занавеску и вхожу в зону чужого катарсиса. В чью-то «внутреннюю Монголию».

А это и впрямь похоже на монгольскую степь!

Нет, я там не бывала. Даже через *глубину*. Но в моем представлении она так и выглядит: бескрайняя равнина до самого горизонта, каменистая земля с сухими стебельками высушенной злым солнцем травы, пыльный ветер, безоблачное небо. Очень жарко.

— Тс-с! — упреждает мой вопрос Томилин. — Вон там.

И впрямь, метрах в ста от входа — полощущегося прямо в воздухе серого полотнища, — сидит на корточках человек. Мы приближаемся, и человек оказывается тщедушным, с жиденькими волосами и нездоровой бледной кожей типом.

Перед ним сидит на земле крошечная рыжая лисичка — фенек.

Можно подумать, что они медитируют, глядя друг на друга. Но в отличие от человека лисичка нас видит. И когда мы подходим совсем близко — разворачивается и обращается в бегство.

Человек горестно вскрикивает и лишь потом оборачивается.

Лицо у него тоже самое обычное. С таким лицом трудно назначать девушкам свидания — не узнают, не выделят из толпы.

— Заключенный Геннадий Казаков, осужден районным судом города... — вскакивая и закладывая руки за голову, начинает он вытверженную назубок формулу.

А статья у него плохая. Умышленное убийство при отягчающих обстоятельствах.

— Я особый инспектор Управления по Надзору за исправительными заведениями, — говорю я. — Есть ли у вас жалобы на условия содержания?

— Жалоб нет, — быстро отвечает осужденный.

Во взгляде его не страх и даже не злость к тюремщикам. Раздражение! Самое настоящее раздражение человека, оторванного от очень важного дела ради какой-то ерунды. Больше ничего во взгляде нет.

— Пойдемте, — говорю я Томилину.

И мы оставляем Казакова в его «внутренней Монголии». Подполковник начинает говорить, едва мы выходим в обычную камеру.

— Это один из простейших, но на мой взгляд — изящный вариант зоны катарсиса. У заключенного есть выход в пустыню. Пустыня безгранична, но замкнута — попытавшись уйти, он вернется к прежнему месту. В пустыне обитает одна-единственная лисичка. Терпением и мягкостью заключенный мо-

жет ее приручить. За последний год наш подопечный добился
определенных успехов.

— Очень трогательно, — морщусь я. Постукиваю туфли
каблуком о каблук — на пол сыплется мелкий сухой песок. —
Хотя заключенный Казаков не очень-то похож на Маленького
Принца. А что будет дальше?

— Когда он приручит лисичку, то сможет принести ее в
камеру. Она станет совсем ручной, будет спать у него в ногах,
бегать между камерами с записками... даже немножко понимать его речь. — Томилин чем-то недоволен, но рассказывает
все-таки с увлечением.

— А потом?

— Вы догадливы, Карина. Потом фенек умрет. Он найдет
ее в пустыне, дня через три после того, как лисичка перестан-
нет приходить в камеру. И будет непонятно, то ли она умерла
своей смертью, то ли кем-то убита.

Останавливаюсь. То ли от уверенного голоса начальника
тюрьмы, то ли под впечатлением только что увиденного, но я
представляю все слишком четко. Человек, стоящий на коленях перед неподвижным тельцем зверька. Крик, отчаянный и
безнадежный. Пальцы, скребущие сухой такыр. И пустые глаза — в которых больше ничего нет.

Видимо, лицо меня выдает.

— Это *нарисованная* лисичка, — говорит подполковник. —
Обычная программа «домашний любимец» с замедленным ин-
стинктом приручения. Ее не надо жалеть, — он секунду медлит, потом добавляет: — а человека, зверски убившего свою
жену, — тем более. Пережитый шок заставит его осознать, что
такое боль утраты.

У меня на языке крутятся очень скептические вопросы.
Но разве мое дело их задавать? Поэтому киваю, кручу вокруг
сканером, уделяя особое внимание зарешеченному окну. Томилину смешно, но он старается не улыбаться.

Спасибо ему большое.

Мы проходим еще три камеры. В одной заключенный спит,
и я прошу подполковника его не будить. Обитатели двух других странствуют по своим зонам катарсиса. Первая зона —
город, где нет никого, вообще никого, но все время находятся

следы недавнего присутствия людей. Я сразу угадываю, что город предназначен для еще одного убийцы. Вторая зона — что-то подозрительно смахивающее на симулятор автогонок. Здесь раскаивается в своем преступлении шофер, покалечивший в пьяном состоянии несколько человек. Не знаю, не знаю... мне кажется, что веселый усатый мужик просто старается сохранить профессиональную форму. Впрочем, ему осталось сидеть всего полгода. Вряд ли он решится бежать, даже если его большегрузный «КамАЗ» проломит нарисованный забор и выкатит на улицы Диптауна.

Но сканером я работаю старательно.

— Дальше — заключенные под стражу за экономические преступления, — говорит подполковник. — Будете знакомиться?

Можно подумать, что убийцы и насильники для меня более интересны.

— Конечно.

— Взлом серверов, кража информации, составляющей коммерческую тайну. В общем — хакер, — представляет подполковник отсутствующего обитателя камеры. — В зону катарсиса пойдем?

— Давайте заглянем, — говорю я, стараясь не выдать волнения.

На экране детектора по-прежнему горит зеленый огонек — все чисто. Но этот огонек не играет никакой роли. Он для тех, кто глянет на экран через мое плечо.

Ничего не значащая буковка F в углу экрана гораздо информативнее. Где-то рядом пробит канал на улицы Диптауна.

Ах какая замечательная идея — наказать хакера заключением в виртуальной тюрьме!

0011

Зона катарсиса хакера — подъезд многоэтажки. Грязноватый, с унылыми резиновыми ковриками у дверей. Почему у ковриков всегда такая тоскливая раскраска? Чтобы не сперли?

— Труднее всего перевоспитывать человека, совершившего экономические преступления, — сообщает вдруг подполковник. — Понимаете, Карина?

— Нет, не совсем.

— Ну посудите сами. — Он оживляется. — Вот простейший пример. Медицина лечит страшные болезни: оспу, чуму. А с банальным насморком справиться не может. Так и с преступлениями в экономической сфере: воровством данных, незаконным пользованием программами. Поймать правонарушителя, наказать его — мы в силах. Но убедить его, что поступать так нельзя... Во-первых, сроки заключения небольшие. Совершенно нет времени на работу с человеком...

Мне почудилось, или в голосе Томилина сквозит огорчение?

— Во-вторых, очень трудно убедить человека, что его действия аморальны. Даже христианских заповедей не хватает. Сказано «не укради», но разве человек крал? Он всего лишь скопировал информацию. Пострадал ли конкретный человек? По сути — да. Но объясни провинциальному программисту, что Билл Гейтс страдает от незаконного пользования «Виндоус-Хоум», что певице Энии нужны отчисления от продажи дисков!

Я смотрю на Томилина с удивлением. Вот уж не ожидала, что он слушает Энию! Такие, как он, должны слушать музыку раз в год. На концерте в честь Дня милиции.

— Но мы все-таки не сдаемся, — со скромной гордостью говорит Томилин.

Мы идем по лестнице, Томилин легонько толкает каждую дверь. Наконец одна поддается.

Входим.

Квартира. Как принято говорить — чистенько. Даже слишком уж аккуратно, учитывая доносящиеся детские голоса.

— Это квартира обычного российского программиста, — торжественно говорит Томилин, понижая голос. — Зовут его Алексей, жена — Катерина, дочь — Диана, сын — Артем. Имена, возраст, характер — все составлено на основе большой репрезентативной выборки. Это абсолютно стандартный программист.

У меня в груди шевелится смешок. Но я молчу, киваю.

— Алексей работает в фирме «Седьмой проект», занимающейся выпуском и локализацией игровых программ, — продолжает подполковник. — Но хакеры взломали сервер и украли новейшую игру, над которой программисты работали пять лет. Игра вышла на пиратских дисках, фирма на грани банкротства.

Вслед за Томилиным иду в гостиную. Мысли по поводу игры, которую делают пять лет, держу при себе.

А вот и наш программист. Он тощ, очкаст и небрит. Сидит на табуретке перед компьютером, на мониторе — строчки машинного кода. Судя по поведению Томилина, нас Алексей не видит. Впрочем, он и без того занят — положив руку на плечо конопатого мальчика, что-то втолковывает ему:

— Я понимаю, сынок. Мы обещали тебе велосипед, но нам с мамой сейчас очень трудно. У нас украли игру, которую мы так долго делали, и зарплату не платят.

— Но у всех ребят есть велосипеды... — горько отвечает ребенок.

— Ты ведь уже большой и сам должен понимать, — серьезно отвечает стандартный российский программист. — Давай договоримся, что к Новому году мы подарим тебе коньки?

Главное — не смеяться. Выйду из образа. Да и нехорошо — как-никак у ребенка горе!

— Хорошо, папа, — соглашается стандартный ребенок российского программиста. — Давай я помогу тебе отлаживать программу? И ты быстрее сделаешь новую игру.

— Давай, сынок. Если ее не украдут, то мы подарим тебе велосипед!

— Примерно такая вот психодрама, — шепчет мне на ухо Томилин. — Шоковая терапия.

Невесть отчего, но я вдруг вспоминаю старый-престарый фильм, еще коммунистических времен. Там действие происходило в пионерлагере, на сцене дети пели песню «На пыльных тропинках далеких планет...» А директор пионерлагеря, склонившись к важному гостю, шепнул...

— Эту песню Гагарин пел в космосе! — произношу я вслух. Непроизвольно. Само с языка слетело, честное слово!

И вдруг лицо Томилина едва заметно меняется. Вспыхивает и гаснет улыбка.

Вовсе ты не так прост, товарищ подполковник!

Но обдумывать это некогда. Я заговорила слишком громко — и из повернутого к нам спинкой кресла раздается досадливое кряхтенье. Кресло жалобно скрипит (и почему несчастный стандартный программист мучается на табуретке, когда есть другая мебель?). Над спинкой появляется сверкающая лысина. Потом — широкие плечи.

— Охо-хо... — вздыхает обладатель лысины, разворачиваясь.

Ну и шкаф!

Хакер вовсе не так толст и приземист, как мне показалось. Он просто широк. Тюремная роба на нем едва сходится, видна волосатая грудь.

— Заключенный Антон Стеков, — с вальяжной небрежностью, хотя и без заминки, закладывая руки за голову, говорит хакер. — Осу́жден...

— Осуждён, — внезапно поправляет его Томилин.

— Осуждён, осуждён, — соглашается хакер. — По статье двести семьдесят два часть первая УК России...

На носу хакера — очки в тоненькой интеллигентской оправе. То ли линзы очень сильные, то ли он от природы пучеглаз.

Пока хакер отчитывается, пытаюсь понять, чем же он занимался. Неужели слушал сетования стандартного программиста стандартному ребенку?

Наконец до меня доходит. В углу едва слышно бормочет телевизор — старенький «Самсунг». Хакер всего-то смотрел новости!

— Я инспектор по надзору, — говорю я. — Заключенный Стеков, у вас есть жалобы?

— Есть, — косясь на начальника, говорит хакер.

— Я вас слушаю.

— Ленивчик не работает, — вздыхает Стеков и в доказательство демонстрирует пульт дистанционного управления от телевизора. — Нет, я понимаю, если это наказание такое — пускай будет. Но если просто недосмотр?

— Что-либо еще? — спрашиваю я, опомнившись. Слегка пристукиваю каблуком по полу — и крошечный термит устремляется к заключенному.

— Больше ничего, — с достоинством отвечает хакер. — Отношение самое благожелательное, харчи вкусные, постельное белье меняют регулярно, раз в неделю — баня.

— Я выясню, что можно сделать... с ленивчиком...

Томилин, с каменным выражением лица, ждет.

— Разрешите вернуться к отбытию наказания? — спрашивает Стеков.

Ожидаю со стороны подполковника какой-либо реакции, но ее нет. Мы покидаем хакера, выходим в подъезд, затем — в камеру.

— Храбрится, — неожиданно замечает Томилин. — Заключение в виртуальности для хакеров — самое неприятное наказание. Находятся в *глубине*, и при этом — никакой возможности взломать программы.

Киваю... и вдруг понимаю, что меня насторожило. Статья двести семьдесят два, часть первая. Исправительные работы на срок от шести месяцев до года, лишение свободы на срок до двух лет.

— Какой у него срок?

— Шесть месяцев.

— И... сколько осталось?

— Чуть меньше двух.

Не понимаю. Даже если хакер сумел выбраться из виртуальной тюрьмы — к чему такой риск? Отбывать наказание ему осталось всего ничего!

— Продолжим обход? — спрашивает Томилин.

По-хорошему стоит посетить еще пару камер. Исключительно с целью запутать Томилина. Смотрю на часы.

— У меня есть еще двадцать минут. Давайте. Сосредоточимся на компьютерных преступлениях, хорошо?

deep

Кружится перед глазами цветная мозаика. Не то пытаясь сложиться в картинку, не то рассыпаясь. Рыцарский меч, доспехи, протянутая рука, самоцветный гребень, ящерка на стене...

Но я знаю — в этом паззле недостает одного, самого важного, фрагмента.

Выход.

Я стянула шлем, расстегнула воротник комбинезона. В комнате было темно — так и не раздернула с утра шторы...

Встав и сладко потянувшись, я крикнула:

— Мама! Папа! Я дома!

Сквозь дверь донеслось что-то неразборчивое, заглушенное музыкой. С этими родителями беда! Как врубят свою «Машину времени» или других старичков — не дозовешься!

— Не слышу! — крикнула я снова.

Макаревич, сокрушающийся о невозможности изменить мир, притих.

— Дочка, ужинать будешь? Тебе накладывать? — подойдя к двери, спросила мама.

— Иду, — выскальзывая из комбинезона, сказала я. — Сейчас.

Ежась под холодным душем — ничего нет лучше, чтобы опомниться от *глубины*, — я прокрутила в памяти тюрьму, Томилина, хакера Антона.

Нет, не сходится что-то.

Я выскочила из душа, промокнула с тела воду, швырнула полотенце прямо в бак стиралки. Влезла в старые, дырявые на коленках джинсы, надела старую рубашку — когда-то ее таскала мама, но она мне жутко нравилась.

— Карина!

— Иду, — отпирая дверь, пробормотала я. — Ну сказала же, сейчас...

Папа уже был дома. Сидел за столом, косясь одним глазом в телевизор. И не преминул спросить:

— Любимый город?

— Может спать спокойно. — Я плюхнулась на свою законную табуретку. — Папа, вот представь, что ты сидишь в тюрьме...

— Не хочу, — немедленно ответил папа.

— А ты попробуй. Тебя посадили на полгода, ну, за взлом сервака и кражу файла...

— Карина! — Папа многозначительно постучал вилкой по тарелке.

— За неправомерный доступ к охраняемой законом ком
пьютерной информации, каковое деяние повлекло за собой
копирование информации... — досадливо сказала я.

— Представил, — ответил папа. — Теперь представил.
Дальше?

Разумеется, я не должна обсуждать с родными таких вещей. Ну... мало ли чего я не должна делать? Сажать «жучков»
на Томилина я тоже не имела права.

— Тебе дали полгода в виртуальной тюрьме...

— Спасибо, что не вышку, — вставил папа. Поймал уко-
ризненный мамин взгляд и улыбнулся.

— Полгода, — гнула я свою линию. — Четыре месяца ты
отсидел. И вдруг нашел способ выбираться наружу, в Диптаун. Но если это раскроется, то статья будет как за обычный
побег! Станешь ты прогуливаться по Диптауну?

— Это все твоя американская практика? — невинно спросил папа.

— Да не практика, я же неделю как вернулась... — начала
я, но вовремя сообразила, что отец шутит. Стажировку в США
я проходила в виртуальности, хотя очень надеялась на настоящую поездку. Вот и выслушивала каждый вечер про чудеса
техники: «А дочка уже вернулась из Штатов? Надо же, какие
быстрые нынче самолеты!» — Папа, я серьезно!

— Я не юрист, — скромно сказал папа. — И даже не зек.

— Папа...

Отец задумался.

— Мог бы и убегать, — сказал он наконец. — Если есть
какая-то важная причина. Это наш хакер?

— Я абстрактно спрашиваю, — терзая вилкой котлету, спросила я.

— Так и я тоже. Это абстрактный русский хакер?

— Угу.

— Тогда он может быть влюблен, может распивать с друзьями пиво или убегать всего-то ради куража.

— А если хакер американский?

— Тогда он грабит банки, пользуясь имеющимся алиби, —
уверенно сказал папа. — Чем не повод? Сесть в тюрьму на ма-

ленький срок и, честно отбывая наказание, заняться серьезным бизнесом.

— Карина, пять минут прошли, — напомнила мама.

У меня хорошие родители. Но правило, что о работе за столом не говорят, а если уж говорят, то не больше пяти минут, они соблюдают строго. Лучше и не спорить.

— Злые вы, уйду я от вас, — заявила я и протянула Клеопатре, маминой ручной крысе, сидящей у нее на плече, кусочек котлеты. Клео котлету понюхала, но не взяла.

— Не закармливай бедное животное, — строго сказала мама.

— Когда ты приведешь домой молодого человека и скажешь: «Я с ним уйду», мы будем счастливы, — добавил отец.

— Я припомню, — злорадно пообещала я.

— Виртуальные молодые люди не считаются, — уточнила мама.

Нет, это хорошо, когда родители сами программисты. Причем не такие стандартные, как во «внутренней Монголии» у Антона Стекова.

Но иногда мне хочется, чтобы они были больше похожи на родителей — а не на старшего брата и сестру. Впрочем, братья и сестры мне бы тоже не помешали...

— Этими детскими забавами я переболела, — сказала я. — Мне двадцать шесть лет, я старая крыса из эмвэдэшного вивариума. В виртуальности пусть влюбляются тины.

— Карина? — мягко спросил папа.

— Тинэйджеры!

— Карина?

— Прыщавые подростки! — Я бросила вилку так, что Клео на мамином плече вздрогнула. Хотела было сразу выскочить из кухни, но вначале открыла холодильник и схватила пакет молока.

— Не пей холодное! — напомнила мама.

— Поставь под кулер, пусть нагреется, — посоветовал отец.

— Папа? — ехидно спросила я, направляясь в свою комнатку.

— Под вентилятор системного блока, — быстро исправился па. Но я уже скрылась за дверью.

0100

Терпеть не могу, когда мне пытаются устроить семейную жизнь!

И ведь была бы мужчиной — никто бы не удивлялся, что в двадцать шесть лет я занимаюсь карьерой, а не вознёй на кухне. Просто средневековье какое-то. Все родственники так и стараются с кем-нибудь познакомить, причем родители этому потворствуют.

У меня есть хорошая подруга, правда, мы никогда с ней не встречались в реале. Зовут ее Наташа, она русская, но живет в Австралии, уехала туда с родителями еще в детстве. Года два назад мы с ней обсуждали, когда стоит выходить замуж и надо ли это делать вообще. Как-то так получилось, что Наташа заговорила о лесбийском сексе. Мы пообсуждали эту тему немного и решили попробовать — вдруг у нас что-то получится? Подруги мы и так замечательные, а вдруг ко всему еще удастся организовать крепкую семью? Тянуть мы не стали, пошли в какой-то диптаунский ресторанчик, распили бутылку шампанского и попробовали поцеловаться. Я чмокнула Наташу в губы — и вдруг мне стало так смешно...

Ох и хохотали же мы! Только настроимся на серьезный лад, как полагается влюбленным женщинам, посмотрим друг на друга — и снова тянет смеяться. Никакой романтики. Так что мы выпили еще шампанского и познакомились с ребятами, сидевшими за соседним столиком.

Я вообще считаю, что семья — это пережиток довиртуальной эры. Но родителям этого никогда не объяснить.

Попивая холодное молоко прямо из пакета, я глазела на монитор и обдумывала жилищный вопрос, который в нашей стране всегда и все портит. Хотелось думать о хорошем. О том, что я разоблачу жуткую банду виртуальных преступников и получу премию — такую огромную, что куплю квартиру. Ну или выиграю в лотерею особняк, лимузин и яхту... это ведь куда вероятнее.

И тут на экране замигала панелька «жучка», а колонки противно запищали.

Ничего себе!

Я вскочила, запрыгала на одной ноге, втискиваясь в комбинезон. На мониторе уже развернулась карта Диптауна, а по ней невозмутимо плыла зеленая точка. Хакер Антон Стеков покинул хваленую виртуальную тюрьму и прогулочным шагом дефилировал по городу!

У меня несколько точек входа в *глубину*. Сейчас я нацелилась на портал в развлекательном центре, не самый лучший, зато прямо на пути хакера. Надевая шлем, попыталась вспомнить, какие там есть тела. Кажется, выбор у меня небогатый...

deep
Ввод.

Я вскакиваю с койки в маленькой, узкой, как пенал, комнатушке. Распахиваю стенной шкаф — на крючках болтаются две девицы. Одна вульгарная до безобразия, размалеванная и в дурацком старомодном платье. Вторая — слишком уж малолетка, в такой только на молодежную дискотеку идти...

Так, а в чем я сейчас?

Вполне симпатичная девушка, крепенькая, фигуристая, но по-спортивному. Пойдет. Такая должна понравиться Стекову.

Я пристегиваю на руку попискивающий сканер, замаскированный под часы, и выхожу из комнаты.

На прозрачный пол высоченного небоскреба, к скользящим в прозрачных шахтах прозрачным лифтам. Здание все из стекла, лишь арендованные комнатки темнеют, будто капли меда в сотах. Никогда не построить такого небоскреба — там, в настоящем мире...

Ныряю в услужливый лифт — и тот с головокружительной скоростью падает из поднебесья к улицам Диптауна. Страдающих боязнью высоты просьба не беспокоиться...

А сканер жизнерадостно пищит, стрелочка плавно разворачивается на экране. Хакер не стал брать такси, он просто идет по улице.

Нет, не могу поверить в свою удачу! Так быстро и легко обнаружить нарушение! Задание и без того было головокружительным: первая инспекция в первой виртуальной тюрьме. Понять не могу, как мне доверили, почему не послали бригаду опытных программистов — ведь есть у нас настоящие мастера, они бы тюрьму разобрали по байту, даже не заходя в *глубину*. А товарищ подполковник и его подопечные даже не заметили бы, что лежат на предметном стеклышке под микроскопом...

И тут меня посещает очень нехорошая мысль.

Слов нет, до чего нехорошая.

А с чего я взяла, что этого не происходит? Это ведь обычнейшая схема — к объекту разработки направляется неопытный сотрудник, «лопух» на жаргоне, а настоящие профессионалы работают тихо и незаметно...

Но сейчас задумываться об этом нельзя, нет на это времени. Я выхожу из лифта — и сразу же вижу Антона Стекова.

Нет, каков наглец!

Заключенный идет по улице в своем настоящем облике. Он даже переодеться не удосужился! Пользуется тем, что виртуальные тюрьмы — дело новое, о побегах никто и не слышал.

Я пристраиваюсь за хакером, пытаясь сообразить, что же мне делать. Связаться с полицией Диптауна? У меня есть идентификационный номер сотрудника МВД России, мне обязаны оказать поддержку. А может быть, проследить за Стековым? Конечно, *наружка* — не моя область, но...

«Карина, опомнись! — строго говорю я себе. — Не играй в сыщиков, ты эксперт, а не оперативный работник!»

Все так, но я продолжаю идти за Стековым. Ругаю себя, вспоминаю отчеты психологов — у людей, с детства находящихся в *глубине*, отмечается значительный психический инфантилизм, склонность играть, а не жить... И все-таки я иду за Стековым.

К счастью — недолго.

Хакер уверенным шагом направляется к столикам маленькой открытой кофейни. Навстречу ему встает высокий светловолосый мужчина — ну и вырядился кто-то, прям викинг из фильма... наверняка в реальной жизни — пузатый недомерок...

Стеков и незнакомец обнимаются, обмениваются какими-то репликами. Стараясь выглядеть непринужденно, я присаживаюсь за соседний столик. Отключаю у сканера звук, хватит ему пищать.

Неумело, непрофессионально... не обучали меня слежке...
Но вроде бы они на меня не смотрят.

Светловолосый здоровяк подзывает официанта, покупает у
него пачку «Беломора» и удаляется. Идет он как-то неуверенно,
пьяный, что ли? Едва не натыкается на меня и бормочет:

— Извиняюсь, птичка...

Отвечаю я не раздумывая, образ сам подсказывает манеру
поведения:

— Лети дальше, орел...

— Как скажешь, птичка. — Светловолосый тип одаривает
меня добродушным взглядом и удаляется.

Хорошо бы и его проследить. Но сейчас у меня нет при
себе «жучков», да и ставить их опасно — могу спугнуть.

А Стеков за соседним столиком непринужденно допивает
оставленный «викингом» кофе. Улыбается мне, потом встает и
подходит:

— Извините, можно присесть?

Вот уж чего я не ожидала. С одной стороны — удача... с
другой...

— Ну, попробуй... — отвечаю я. Девчонка я грубая, но зато
откровенная и независимая.

— Заказать вам кофе? — спрашивает Стеков. Замечаю, что
рядом стоит официант, терпеливо дожидаясь заказа. Официант — явная программа.

— Ну... — Я все больше и больше вываливаюсь из образа.
Не вяжется поведение Стекова с его тайными вылазками из
тюрьмы! — Закажи, — разрешаю я. — Черный, без сахара. А
что ты так вырядился?

Нападение — лучшая защита!

— Вырядился? — с искренним недоумением спрашивает
хакер. — Это обычная одежда заключенного.

— Ну и зачем ты ее напялил? — продолжаю я. Неужто
скажет, что убежал из тюрьмы?

— Чтобы привлекать внимание. — Стеков улыбается. Странно как-то... улыбка словно другому человеку принадлежит... —
Вы знаете, что в _глубине_ появились тюрьмы?

— Нет, — быстро отвечаю я. — А что такого, если даже и
появились?

— Вас это не шокирует? — Стеков снимает очки, смотрит на меня совсем не близоруким взглядом.

— Мало ли в мире тюрем...

— Так это в мире, — терпеливо объясняет Стеков. — Там много чего есть. Войны, к примеру. Прочая дрянь. Но вот удивительное человеческое свойство — всю имеющуюся гадость повсюду тащить за собой... Кстати, давайте знакомиться? Меня зовут Чингиз.

Надо же, придумал себе имя.

— Ксения, — ляпаю наугад. — Можно Ксюша.

Внутреннего протеста имя не вызывает. Грубоватая и крепенькая девица — типичнейшая Ксюша. Наверное, любит травку и старый рок...

— Вот и замечательно, — кивает «Чингиз». — У вас есть несколько часов времени?

— Смотря для чего, — уточняю я.

— Для прогулки, — серьезно говорит Стеков. — Вы ведь давно в *глубине*, верно? Я бы предположил — лет с четырнадцати.

— А сколько мне сейчас? — любопытствую я. Он и впрямь угадал.

— Двадцать четыре — двадцать пять. — Стеков даже не ждет подтверждения. — Понимаете, Ксюша, *глубина* накладывает свой отпечаток на поведение. Имея некоторый опыт, можно определить, как давно человек ходит в виртуальность.

Официант приносит кофе. Делаю маленький глоток и кокетливо киваю Стекову:

— Ты интересный. Давай прогуляемся.

Я все глубже и глубже вязну в разговоре. Сейчас надо хватать хакера с поличным, а я флиртую... но ведь у меня нет возможности позвонить в полицию, верно? Все слишком быстро происходит.

Стеков вновь цепляет очки на нос, встает, машет рукой, останавливая такси. А я мимоходом смотрю на окошечко сканера.

Стрелка указывает куда-то в сторону тюрьмы. Но уж никак не на Стекова!

— Черт! — кричу я, вскакивая. Чашечка летит со столика на каменные плиты тротуара, звонко разлетается вдребезги. Лже-Стеков с улыбкой оборачивается:

— Что случилось, Ксюша?

Я молчу. Мне хочется разреветься. Я дура, я самая настоящая дура! «Лети дальше, орел!» Меня провели так просто и изящно... стоило чуть-чуть пошевелить мозгами...

— Не надо так убиваться. — Лже-Стеков мягко берет меня за локоть. — Ничего ужасного не случилось, поверьте.

— Где он? — выпаливаю я.

— Тоха? Думаю, уже вернулся в тюрьму.

— Вы понимаете, что стали соучастником? — спрашиваю я. — Учтите, наш разговор пишется, и...

— Я по-прежнему зову вас на прогулку. — Лже-Стеков совсем не выглядит напуганным. — Кстати, вы не задумывались, Ксюша, зачем виртуальную тюрьму поместили в Диптаун?

Молчу. Все полетело кувырком, я вспугнула преступника, провалила инспекцию...

— Что стоило создать для тюрьмы отдельное виртуальное пространство? — продолжает лже-Стеков. — Никаких побегов, даже теоретически.

— Думаете, большие шишки наверху это понимают? — отвечаю я. И мысленно хватаюсь за голову. Что я делаю? Спорю с преступником, ругаю перед ним начальство!

— Понимают. Ну что, поехали?

Оглядываюсь — невдалеке, у перекрестка, стоит полицейский. Обычный диптаунский полицейский, крепкий, с располагающим добрым лицом. Белая форма, бляха с номером. На поясе кобура с пистолетом, наручники, рация. Стоит лишь крикнуть — и моего собеседника арестуют. Никуда он не денется.

Но я уже понимаю, что звать полицейского не стану. Стеков задал тот самый вопрос, что мучил и меня.

Почему тюрьма не изолирована?

И ответ лишь один.

Для того, чтобы было куда бежать.

0101

Такси петляет по Диптауну, повинуясь указаниям фальшивого Стекова. На первый взгляд — без всякой системы, но я замечаю — мы то и дело выскакиваем из российского сектора в японский, китайский, немецкий, американский сектора.

Путает след. Грубо, но эффективно. Конечно, если слежка не ведется на уровне провайдера.

И мой спутник думает о том же.

— Через кого ходишь, Ксюша?

— Я не Ксюша, — наплевав на все, отвечаю я. Гори оно огнем... — Меня зовут Карина.

— А меня Чингиз. На самом деле. Так через кого?

— Москва-Онлайн.

— Угу... — с явным удовлетворением заключает Чингиз. Не таясь, достает пейджер, не глядя на клавиатуру, набивает письмо.

Неужели у него есть сообщники среди провайдера?

А почему бы и нет? Москва-Онлайн — одна из самых популярных компаний. Если Чингиз серьезный человек — а он такое впечатление производит, — то мог заранее обзавестись знакомыми в самых популярных и крупных конторах.

— Остановите у памятника Последнему Спамеру, — командует Чингиз программе-водителю.

Я это место знаю. Была в *глубине* такая профессия — спамер. В довиртуальную эру они рассылали рекламные письма с арендованных на раз адресов. В начальный период *глубины* занялись рекламой лично. Создавали простенькие программы в виде обаятельных молодых людей и симпатичных девиц, которые бродили по улицам и приставали к каждому встречному: «Простите, вы еще не слышали удивительную новость? Открылся замечательный бордель «Интеллектуальная страсть»...»

Давили их долго. Отстреливала полиция, гонялись за ними провайдеры... Но уничтожили спамеров, только начав выдавать лицензии частным гражданам. Появилась еще одна профессия — охотник на спамеров. Как только люди сообразили, что заработать охотой на непрошеных рекламщиков проще, чем самой рекламой, число спамеров пошло на убыль. В ознаменование победы и воздвигли памятник, изображающий молодого человека с идиотской улыбкой, выпученными глазами и ворохом рекламных листовок в руках. Конечно, на самом-то деле спамеры иногда появляются. Но уже эпизодически, потому что награду за их уничтожение благоразумно не отменяют.

Такси останавливается у сквера, где и стоит вечно молодой рекламщик. На ступеньках у памятника люди потягивают пиво, общаются, и никто никого не донимает советами, как лучше потратить время и деньги...

Чингиз успевает выскочить первым и открыть мне дверцу. Оставляю его галантность без внимания. Находим свободную скамеечку, все с той же молниеносностью Чингиз отправляется в ларек за пивом. Над ларьком выцветший рекламный плакат: «Только сегодня пиво «Ледяной орел» распространяется бесплатно!»

Плакат висит сколько себя помню.

Его даже повесили нарочито потрепанным.

— Так что вы хотите мне сказать? — открывая пиво, спрашиваю я. — И учтите, все сказанное может быть использовано против вас...

— Карина, не против, если я сменю тело? — спрашивает Чингиз.

Молчу, ничего не понимая.

А Чингиз будто подергивается на миг туманом. Сидел рядом со мной кряжистый волосатый Антон Стеков, а вот уже — нет его. Взамен возникает прежний светловолосый красавчик.

Когда в кофейне Чингиз обменялся телами с Антоном, это меня не удивило. Это могло быть запрограммировано заранее. Чингиз ждал своего приятеля, и машина отработала на его приближение. Обычный набор заготовок, которые использует каждый уважающий себя хакер.

Но неужели и обратная смена тел была заранее заготовлена?

Проще поверить в это.

Потому что иначе — Чингиз является дайвером.

Тем самым фольклорным персонажем, умеющим по желанию выходить из виртуальности. Человеком, все время осознающим иллюзорность происходящего вокруг. Ему стоит лишь захотеть — и сквер вокруг превратится в обычную трехмерную картинку. Он может снять шлем, набрать на клавиатуре команду и сменить свой облик. Он может, глядя на нарисованный Диптаун, увидеть слабые места программного кода.

Много чего возможно... если дайверы и впрямь существуют.

— Я дайвер, — говорит Чингиз. — Если ты думаешь, что это была домашняя заготовка, — скажи, кем стать.

Качаю головой. Вот только маскарада мне не надо. Не в Венеции. Спрашиваю:

— И настоящий Стеков — тоже дайвер?

Это объяснило бы, каким образом он выбрался из тюрьмы.

— Нет. Он хакер. Очень хороший хакер... — Чингиз улыбается и добавляет: — Единственный член UGI, HZ0 и UHG одновременно.

— Они же не допускают совместного членства... — глупо возражаю я.

— А он везде под разными именами, — разъясняет Чингиз. — Впрочем, это к делу не относится:

— Относится! — возражаю я. — Как такой опытный человек мог попасться на мелком взломе? Я смотрела его дело — он совершил грубейшие ошибки! Да и преступление... смехотворное. Подчистка телефонной базы на сумму триста сорок три рубля шестнадцать копеек!

— Ну, Шура Балаганов в свое время попался на краже грошовой пудреницы, — загадочно отвечает Чингиз. Балаганов... смутно знакомое имя, но не могу вспомнить. Наверное, кто-то из легендарных хакеров... — Но ты права, Карина. Тоха *нарочно* попался.

— Зачем?

— Чтобы его арестовали, — с точностью и бессмысленностью программиста из анекдота отвечает Чингиз. — А потом мне пришлось дать взятку. Чтобы его осудили, а не ограничились штрафом.

— Зачем? — снова восклицаю я.

— Чтобы Тоха сел в виртуальную тюрьму, — терпеливо объясняет Чингиз. — А потом — начал совершать из этой тюрьмы прогулки по *глубине*. Канал был пробит нарочито грубо.

— Вы хотите дискредитировать саму идею виртуальной тюрьмы? — прозреваю я. Мой собеседник кивает. — Чингиз... но это глупо!

Я горячусь и понимаю это. Куда лучше было бы выслушать Чингиза. Но мне надо его переспорить — чтобы исчезло неприятное, дурацкое ощущение собственной неполноценности.

— Неужели вам это настолько неприятно? — спрашиваю я. — Мы все любим Диптаун, но подумайте — ведь своей брезгливостью, нежеланием быть рядом с преступниками вы отбрасываете этих людей на обочину жизни...

— Да при чем тут брезгливость? — удивляется Чингиз. — Я и сам преступник, если вы не забыли.

— Тогда почему вы против тюрьмы? Ваш приятель пожертвовал свободой, чтобы бороться с виртуальной тюрьмой! Разве это стоит таких жертв?

— Карина, почему тюрьма находится в ведении МВД, а не министерства юстиции, как положено?

— Проект начинался как следственный изолятор для лиц, совершивших преступления в *глубине*, — отвечаю я. — Понимаете, очень удобно было проводить следственные действия в самом Диптауне. Сейчас изолятор превратили в тюрьму, но пока идет эксперимент — подчинение тюрьмы не меняют. Странно, конечно, что тюрьму не отсоединили от всего Диптауна...

— Карина, вы знаете, как люди становятся дайверами?

— Нет. — Как загипнотизированная смотрю на него. А что, если он предложит мне...

— Стресс. Сильные эмоции. Отвращение. Страх. Ненависть. Тоска. — Чингиз запрокидывает голову и смотрит в безоблачное небо. Над этим сквериком всегда чистое небо, это не знаменитый «Le quartier des Pluies» во французском секторе... — Реже — восторг. Радость. Гораздо реже... Вы никогда не замечали, Карина, что в языке куда больше слов, означающих грусть? Печаль, хандра, кручина, тоска, сплин, меланхолия...

— Ну и что?

— Они экспериментируют над людьми, Карина. Пытаются создать дайверов.

— Кто — они?

— Не знаю. Какие-то умные ребята из МВД. Они и без того выходили на дайверов, особенно когда у тех было подобие своей организации, «совет дайверов». Просили что-то сделать, в чем-то помочь... обычно им не отказывали. Но, видимо, этого стало мало. Виртуальность стала слишком уж большой частью нашей жизни. Здесь есть все — банки, институты, корпорации, военные базы и штабы. А значит — нужны осведомители, агенты, шпионы. Дайверы нарасхват. Тех, кого удалось выявить и склонить к сотрудничеству, не хватает. Вот и пытаются создать новых.

Сильные эмоции?

Я вспоминаю убийцу, пытающегося приручить лисичку.

«Потом фенек умрет».

Значит, катарсис, товарищ подполковник?

Хакеры, запертые без доступа к своим любимым компьютерам — и при этом запертые в виртуальности! Убийцы и насильники, проворовавшиеся бизнесмены, сбившие пешеходов водители...

— Они все знают, что тюрьма стоит в Диптауне. Они мечтают вырваться... хотя бы на чуть-чуть, — говорит Чингиз. — А им устраивают стресс за стрессом. И пусть называют это психотерапией... цель у нее — превратить человека в дайвера.

— Какие у вас доказательства? — спрашиваю я.

— Неофициальные. — Чингиз улыбается. — И раскрывать своих информаторов я не стану. Но подумайте сами: комплект оборудования для каждого заключенного стоит около пяти тысяч долларов. Содержание — около четырех тысяч в год. С чего это вдруг МВД проявляет подобную щедрость?

— Люди с... с необычными способностями... — Почему-то я избегаю слова «дайвер». Это все равно что поверить в Бабу-Ягу или Деда Мороза. — Они и впрямь нужны. И замечательно будет, если эти способности сможет получить любой желающий.

— В свое время фашисты замучили тысячи военноплен-
ных. Но наука при этом получила ценные данные. Карина,
кому я должен объяснять, что эксперименты над людьми пре-
ступны? Сотруднику МВД?

Он очень серьезен.

— И что вы хотите от сотрудника МВД? — спрашиваю я. —
Помощи?

— Вначале ответьте, Карина, вы разделяете мое мнение?
Или всего-то не желаете спорить? — спрашивает Чингиз.

— Ну а что, если я совру? — спрашиваю я.

— А вы скажите честно.

Какая смешная просьба!

«Скажите честно»!

В Диптауне, в городе, где у каждого — тысяча лиц. В городе, где каждый придумывает себе новую биографию и новое
имя. В городе, где выдумка нужнее правды.

А Чингиз смотрит на меня так, будто ни секунды не со-
мневается — я послушаюсь.

— Мне тоже все это не нравится, — говорю я. — Но что я
могу поделать? Вы рассказали о заговоре едва ли не государственного масштаба! А понимаете, кто я? Год назад окончила
университет. Специализируюсь на сетевых правонарушениях.
Ни с того ни с сего мне поручили эту инспекцию... сказали,
что есть серьезные сомнения в надежности тюрьмы. Все! Я
напишу отчет, мое начальство даст ему ход... но если при-
крикнут сверху — отчет ляжет под сукно. Никто меня не по-
слушается, Чингиз.

— Это и не нужно. — Он улыбается и протягивает мне
руки. — Арестуйте меня, Карина.

— Да вы с ума сошли! — Я невольно отшатываюсь.

— Арестуйте! — с напором повторяет Чингиз. — Проект
мы не угробим. А вот вокруг тюрьмы шум поднимем. Мы с
Тохой отделаемся условным сроком, это я вам обещаю. У
меня хорошие адвокаты... и все продумано. А вот тюрьме —
крышка. Газеты будут мусолить историю с побегом, граждане завопят от ужаса. Тюрьму либо прикроют, либо уберут из
Диптауна.

— У меня нет права вас арестовывать!

— Вызовите полицейского!

Он все держит передо мной руки, словно ожидая щелчка наручников на запястье.

— Прекратите... — бормочу я.

— Ну вы же этого хотели, Карина! Вы же мечтали поймать беглеца! Ну так что же — ловите!

Я вскакиваю. Я позорно отступаю. А Чингиз вдруг падает передо мной на колени. Это какая-то невозможная смесь клоунады и искренности.

— Я прошу вас! Прошу выполнить ваш служебный долг! Задержать преступника!

— Да прекратите же, Чингиз! Не паясничайте!

Молодежь, сидящая у памятника, начинает нам аплодировать. Со стороны все это, наверное, походит на объяснение в любви... белокурый рыцарь склонился перед прекрасной дамой...

Я вздрагиваю, когда понимаю, что мне это напоминает.

— Хорошо, я помогу вам это сделать, — говорит Чингиз. — Я этого не хотел...

Он сует руку под полу пиджака — и когда рука возвращается, в ней блестит пистолет.

Но в следующий миг откуда-то из-за спины раздается хлопок. Лицо Чингиза заливает кровь — и он падает мне под ноги.

0110

— Давно ты со мной не советовалась, — сказал папа.

Мы сидели на кухне и пили чай. Мама спала, я не стала ее будить. Я бы и отца не будила — он сам проснулся, когда я выбралась из комнаты.

— Ты же все равно не ходишь в *глубину*, — пробормотала я.

— Когда-то ведь ходил, — ответил папа.

— А почему бросил? — болтая ложечкой в чашке с чаем, спросила я. Чай я всегда пью без сахара, но упорно опускаю ложечку. Так он быстрее остывает.

Я и раньше спрашивала отца, почему он так сторонится виртуальности. Хороший ведь программист, а живет словно в каменном веке, только электронной почтой и пользуется.

— У меня был неплохой бизнес, — внезапно ответил отец. Впервые ответил! — А потом... пришлось переквалифицироваться в управдомы.

Больше я спрашивать не стала. Наверное, папа работал на какой-то специфической операционной системе, и когда она перестала использоваться — не сумел вовремя переквалифицироваться.

— Что дальше? — спросил папа.

— Дальше... полиция набежала. Притащили сканеры, сняли след... говорят — стреляли чем-то незаконным, второго поколения. Видимо, пожгли машину основательно. Стали искать стрелка... да куда там...

— Тебя не заподозрили?

— Да нет... обыскали, но ничего.

— А его пистолет? — спросил отец.

— Зажигалка. — Я опустила глаза. — Самая обыкновенная зажигалка! Паяц...

Папа вздохнул. Покосился в темное окно. По улице, скользя фарами по мокрому асфальту, проехал автомобиль. Хороший какой-то, почти бесшумно проехал...

— Каринка, давай думать... Первое — как ты считаешь, этот Чингиз — он не врал насчет тюрьмы?

— Думаю, не врал, — призналась я. — Там что-то нечисто. Ну не станут наши такие деньги выбрасывать! Даже чтобы перед иностранцами пальцы раскинуть — не станут!

— Хорошо... — Папа воровато посмотрел на меня и спросил: — У тебя сигареты остались?

— Откуда? — Я округлила глаза.

— Карина...

— Сейчас, пап...

Курю я редко. Но пачка «Ротманса» в сумочке всегда болтается. Мы закрыли дверь кухни поплотнее и закурили. Курить с отцом было как-то неловко... последний раз подобную неловкость я испытала лет в десять, когда родители меня купали... и ничего я тогда не сказала, но только отец больше не заходил в ванную, когда я мылась.

— Второе. Дайверы — индивидуалисты, — вдруг сказал папа. — Куда большие, чем хакеры. Не станут они ради общего блага воевать... а вот ради того, чтобы остаться уникальными...

У меня начали гореть уши. Я думала точно о том же. Красавчик Чингиз мог говорить все что угодно, но, если копнуть поглубже, всюду обнаружится корыстный интерес. Всегда и везде.

— И ты веришь в дайверов, папа? — спросила я.

— Верю, Карина. Третье. — Папа посмотрел мне в глаза. — Если за виртуальной тюрьмой скрыт какой-то серьезный государственный проект... Дочка, это тебе нужно? Даже у свихнувшихся на законности и правах личности американцев... что говорить о нас.

— У меня есть задание, — сказала я. — Я должна составить отчет.

— Составь. Ты обязана была пользоваться «жучками»?

— Да. Как иначе наблюдать за персоналом?

— И что — персонал?

— Несет службу. — Я пожала плечами. — Качает порно из сети. В игрушки играет.

— Ну и прекрасно. Обнаружено неуставное несение службы... или как там у вас положено говорить? Ты ведь не должна была сажать «жучков» на заключенных? Ну и все. Нельзя пускать под откос собственную жизнь ради абстрактной справедливости!

— Папа, а ты не знал какого-нибудь Чингиза? — спросила я.

Папа покачал головой:

— Если и знал, то ничем он мне не запомнился. Да ты не беспокойся. Наверняка ты ему важнее, чем он тебе. Карина?

Я вскочила, распахнула дверь кухни. Прислушалась. Точно... где-то в комнате печально тренькал мобильник.

— Пап, сейчас...

Вот уж чего не хватало — так это ночных звонков. На работе я про мобильный не говорила, да и вообще номер знали немногие.

— Да! — хватая со стола телефон, ответила я.

— Привет. Нас прервали, Карина.

Чингиз!

Голос был его.

— Это не я, — быстро сказала я.

— Да уж знаю. Карина, нам надо встретиться.

— Сейчас войду. Где?

— Нет, лучше уж наяву. — Чингиз рассмеялся. — До настоящих пуль, надеюсь, дело не дойдет. А в Диптауне нас опять могут прервать. Я могу подъехать, если это удобно.

Где он достал мой адрес, я даже спрашивать не стала. Очевидно, там же, где и телефон.

— Лучше на нейтральной территории, — ответила я. — Давай... где-нибудь...

— Улица Пасечная, — сказал Чингиз.

— А где это?

— Не знаю. Сейчас проверю, есть ли такая вообще... Есть. У пятого дома по Пасечной улице, хорошо?

— Хорошо. — Я не колебалась. — Я выезжаю прямо сейчас. Там и встретимся.

— Оки, — весело сказал Чингиз. — До встречи.

Я отключила телефон. Посмотрела на дисплей — конечно же, у него стоял запрет на определение номера. Ладно, понадобится — выясним...

— Прямо сейчас?

Папа зашел в комнату вслед за мной. И все слышал.

— Не пустишь? — с вызовом спросила я.

— Нет, — отец покачал головой, — нет, Карина. И не подумаю.

Я с любопытством посмотрела на отца. В детстве я точно знала, что люблю маму и папу, что лучше них никого на свете нет. Потом... и сама не заметила, как перестала об этом задумываться. Не разлюбила, а просто перестала думать такими словами.

— Как за сленг меня чморить, так всегда... а лезть к черту на рога, значит, можно?

— Можно. Потому что ты все взвесила и приняла решение. Потому что это твоя работа... пусть я и не рад такой работе. А сленг — извини, но это детство!

— Что плохого, если в человеке остается немного детства? — строптиво спросила я.

— Оно не там должно оставаться, дочка. И кретин отец, которого не радует, что дети взрослеют.

— Спасибо, папа, — сказала я. — Знаешь, я все-таки очень тебя люблю.

Отец удивленно посмотрел на меня, глянул на часы.

— Полдвенадцатого... ты действительно поедешь прямо сейчас?

— Поеду, — твердо сказала я. — И вызывать группу поддержки не стану. Все равно не приедут, у нас не Америка.

Но вначале я достала из сейфа пистолет.

А потом пошла на кухню и взяла свои сигареты.

В машине, прогревая мотор, я достала из «бардачка» карту Москвы и стала искать улицу с милым названием «Пасечная». Старенькую «десятку» мне подарил три года назад отец, когда купил себе машину получше: корейскую «дэу» узбекской сборки. И пользовалась я «десяткой» с удовольствием, потому что метро никогда не любила. Но все равно Москва для меня так и осталась маленькими пятнышками вокруг нескольких станций метро и несколькими маршрутами, по которым я постоянно ездила: на работу, в супермаркет закупать продукты на неделю, летом — купаться на Медвежьи озера или на дачу...

Как в Диптауне. Там тоже знаешь только несколько любимых мест. Остальное видишь мельком, из окна такси, и даже не догадываешься: живые это районы или нарисованные декорации, прикрывающие плакат «место продается».

Я медленно выехала со стоянки, свернула в безлюдную улочку. Дождь усилился, тарабанил по прижавшимся к обочине машинам.

Странно. Уже почти нет разницы — между *глубиной* и реальностью.

Пространства в пространствах... если бы какой-нибудь злой шутник обладал избытком денег и времени — он мог бы соорудить для меня виртуальный мирок, копирующий Москву. Реальную Москву, в которой я бываю. Десяток магазинов, пяток квартир, два кусочка природы... Даже не пришлось бы возиться с театрами, консерваториями, библиотеками. Хотя с ними и не надо возиться — их аналоги в виртуальности есть.

Ну вот, началось! Раньше это называли дип-психозом, потом стали говорить «с матрицы съехал», сейчас в ходу совсем уж невинный эвфемизм «заблудился». Так говорят про тех, кто начинает путать реальный и виртуальный мир, сомневаться, что живет в настоящем мире.

Да чушь... невозможно это. Человек обязательно заметит подмену. Пусть я и болтаюсь между двумя точками — квартирой и работой, но людей-то меня окружает немало. Такой спектакль под силу устроить лишь солидной организации, а не отдельному шутнику. А зачем я сдалась организации?

Но настроение все-таки испортилось. Я подозрительно поглядывала по сторонам, в результате свернула под знак, нарвалась на гаишника, а тот еще ко всему оказался честным — и добросовестно выписал мне штраф. Зато потом, вручив квитанцию, подробно и четко объяснил, как мне ехать.

В результате минут через двадцать я была у дома номер пять по Пасечной улице. Загнала машину на тротуар, заглушила мотор.

Странно как-то. Ну, повесил он на меня «жучок»... или как-то еще вычислил. Но я про него ничего узнать не смогла. И вот так, с ходу, таинственный Чингиз решился на рандеву.

Интересно, на кого он реально похож? Обычно такие широкоплечие красавчики в реальной жизни оказываются тощими и сутулыми или толстыми и неуклюжими. Компенсация. Человек обязательно должен что-то компенсировать в виртуальном мире. Нехватку общения, телесные недостатки, душевную несостоятельность, в конце концов! Так что пусть уж лучше Чингиз окажется невзрачным, но обаятельным.

И в любом случае: сейчас что-то прояснится.

Я высунула из двери зонтик, раскрыла его, выскочила из машины. Включила сигнализацию. Огляделась. Да, вот дом номер три, а вот и дом номер пять... Я огляделась и почти сразу заметила, что в одной из машин, ночующих на улице, сидят люди. Не просто сидят, а оживленно спорят. Алел огонек сигареты, доносились даже какие-то реплики...

Есть такое понятие — виктимное поведение. Это когда жертва сама провоцирует преступление. И я бы ни одной девушке не советовала ночью первой соваться в машину, где сидят двое мужиков.

Но, в конце концов, я сотрудник МВД! Что другим нельзя, то мне положено.

— Извините. — Я постучала пальцем по стеклу машины. Хорошая машина, что-то здоровое и мощное, но в то же время — не набивший оскомину «мерс» или БМВ. — Чингиз?

Стекло мягко уползло вниз, я убрала руку. И вовремя — выглянул тот, кто сидел рядом с водителем:

— Да, Карина. Вы садитесь в машину.

У меня едва не подкосились ноги.

Это был Чингиз.

Один в один.

Прямо из Диптауна.

Только дырки во лбу не хватало.

0111

— Подумала, что заблудилась, — сказала я. Прикурила.

Чингиз кивнул, спрятал зажигалку. Он сидел на переднем сиденье, а место водителя занимал парнишка лет шестнадцати-семнадцати, хмуро бросивший мне «приветик» и больше в разговор не вступавший.

— Бывает. Все мы иногда этого боимся, — серьезно ответил Чингиз. Странная у него была манера говорить, словно все время чего-то недосказывая. Это немножко злило и в то же время — интриговало. — Я совершенно иначе тебя представлял, Карина.

— Ожидал увидеть старую мымру?

— Нет. Более... — Он задумался. — Более уверенную и жесткую. Карина, вы в курсе, что ваша миссия — отвлекающий маневр?

— Были такие мысли, — призналась я. — Так что происходит? И откуда у вас информация?

Второй вопрос Чингиз попросту игнорирует, зато на первый отвечает четко:

— Феномен дайверов изучали несколько государственных структур. От МВД и госбеза до налоговой полиции и министерства печати и электронных коммуникаций. Когда выяснилось, что прогнозированию эти способности не поддаются, обучить им тоже нельзя, то большую часть исследований свернули. Но тут в дело вмешалась случайность: у МВД оставался следственный изолятор в *глубине*. Несколько раз задержанным удавалось уйти оттуда в Диптаун, проявив самые настоящие дайверские способности. В чью-то умную голову и пришла мысль: превращение происходит, если человека припереть к стенке. Стали разрабатывать крупномасштабный эксперимент. Информация просочилась по верхам ведомств, и сейчас идет склока. Госбезу нравится сама идея — получить стаю подконтрольных дайверов, но не нравится упущенная инициатива. Налоговики и чиновники из министерства никаких дайверов не желают вообще. То ли из консерватизма, то ли понимают, что джинна в бутылке не удержать... В самом МВД тоже столкнулись различные интересы... Тебя направили в тюрьму для того, чтобы вызвать легкую панику. Сервер тем временем проверяют из реального мира.

— Тогда у вас есть союзники, Чингиз.

— Избави Боже от таких союзников! — полушутя-полусерьезно ответил Чингиз. — Наступят случайно и не заметят. Карина, *глубина* уже много лет живет по своим законам. Худо-бедно, но справляется. Создает новое общество, не разрушая старого. Берет из реального мира лишь то, что действительно жизнеспособно. Да, это своего рода анархия, и как любая анархия — *глубина* противостоит государственной власти. Карина, что должно быть в Диптауне — решают его обитатели. Должны ли там быть тюрьмы — тоже решать *нам*.

— Чингиз, — сказала я. — Дело ведь не в тюрьме. Дело в появлении новых людей. Хомо виртуалис. Человек сетевой. Соединяющий в себе два мира — настоящий и виртуальный. Одинаково свободный в обоих мирах.

— Карина, это время еще не пришло. Нельзя сажать на велосипед ребенка, не научившегося ходить.

— Чингиз, а это не ревность? Не страх дайверов поте ть свою уникальность?

— Карина, это не ревность и не страх.

Мы замолчали. Паренек за рулем сопел, прощелкивая по приемнику одну за другой радиостанции. «Эхо Москвы», «Серебряный дождь», «Ретро»... Тот же самый набор, что и в *глубине*. Никакой разницы, местами реальный и виртуальный мир слились воедино.

Интересно, как в наше время выжили радиостанции? Тем более — в *глубине*. Ведь никаких трудов не составляет выкачать любую музыку, которая тебе нравится, а не повиноваться вкусу ди-джеев и ведущих. Но нет, мы продолжаем слушать радио. Морщимся, когда нам крутят попсу, ругаемся, наткнувшись на очередную рекламу, прыгаем со станции на станцию... и слушаем.

Может быть, человеку важна сопричастность? Сознание того, что именно сейчас, вместе с тобой, этой песне тихонько подпевают еще тысячи людей? Мы все индивидуалисты, мы все уникальные и неповторимые — но наедине с собой можем признаться, как трудно быть одному.

Паренек наконец-то бросил блуждать по эфиру. Остановился на станции, где уже кончалась песня.

> И теперь я знаю, что там за дверью в лето,
> Это место для тех, кто выжил зиму и осень.
> Эти двери повсюду и в то же время их нету,
> Без замка, зато с табличкой «милости просим».
> Я нашел эти двери, когда собирался в ад,
> Мне помог в этом деле его величество случай.
> И с тех пор так и гуляю туда и назад,
> Потому что вечное лето — это тоже скучно...

— Карина? — спросил Чингиз, когда Чиж перестал петь. Самого вопроса он и не задал, но все было понятно. Определяйся...

— Кто в тебя стрелял? — осведомилась я.

— Кто-то, имевший доступ к «Герани».

Я знала, что такое «Герань». Наша разработка, российская. Атакует машину, встраиваясь в сетевой протокол. Состоит на вооружении полиции Диптауна... и структур МВД.

— Чингиз, ничего я не смогу сделать, — сказала я. — Нарушать закон не стану, неужели не понятно? А в рамках закона... ну, выскажу свое особое мнение... кто на него посмотрит? Сам же говоришь — меня использовали для отвлекающего маневра. И тебя я арестовывать не стану, и Антона тоже. Вам же лучше, чтобы не стала. Потому что друг твой за виртуальный побег рискует получить реальный срок... Слушай, откуда у него такая говорящая фамилия?

— Стеков? Он всю жизнь был Стеклов. Но однажды потерял паспорт, а в электронной картотеке произошел какой-то странный сбой. И новый паспорт почему-то выдали на фамилию Стеков... — Чингиз помолчал. Сказал: — Карина, я и не прошу невозможного. Единственное, что нам нужно, — общественный резонанс. Шум. Заявление для прессы. Если оно будет исходить от меня, от любого частного лица — никто внимания не обратит. Сочтут выдумками желтой прессы. Вот если официальное лицо из МВД...

Как он не понимает?

— Чингиз, ты ведь сам говорил: *глубина* живет по своим законам. Создает новый мир, не разрушая старого. А хочешь, чтобы я смешала два мира! С методами реального мира полезла в виртуальный. Ты говоришь, тебе не поверят? Граждане Диптауна не возмутятся экспериментом над заключенными? Значит, так тому и быть. Любое общество имеет то правительство, которое заслуживает.

Очень неохотно, но Чингиз кивнул. Спросил:

— Тогда хотя бы скажи свое мнение.

— Я против того, что делается, — честно сказала я. — И надеюсь, что проект сорвется. И в отчете свое мнение выскажу. Но выносить сор из избы на потеху всему миру не стану.

— Честно, — сказал Чингиз. — Спасибо.

Я глянула на часы. Уже два, а еще ехать с полчаса...

— Я пойду. Приятно было... пообщаться:

— Извини, Карина. — Чингиз мрачно посмотрел на меня. — Но мы уже хватаемся за соломинку. За самые фантастические варианты. Срок приближается, сегодня уважаемый подполковник Томилин намеревается провести первые сеансы шоковой терапии.

— И получить первых дайверов?

— Да.

Я помедлила секунду и выбралась из машины. Дождь уже кончился, было свежо и тихо. В домах вокруг почти не осталось светящихся окон.

— Пока-пока, — вежливо попрощался со мной юный водитель. Идя к своей машине, я еще услышала, как он спросил у Чингиза: — Что теперь, к Леньке поедешь плакаться или к тем журналюгам?

Похоже, дайвер и впрямь в цейтноте... если готов всю ночь мотаться по знакомым и журналистам, пытаясь найти выход.

Мне вдруг пришла в голову аналогия, от которой я улыбнулась. Отважный рыцарь собрался сразить дракона. Но дракон оказался государственный, на содержании от королевского двора, заботливо пестуемый на случай войны с соседями и даже имеющий положенные чины и награды. И вот теперь рыцарь, так и не рискнувший обнажить меч, бегает по дворцу, просит поддержки у фаворитов и фавориток, строчит докладные советникам, жалуется фрейлинам, пьет с герольдами и возмущается в людской. Как же так! Ведь дракон! Его положено мечом, да по загривку!

Дракон. Все правильно. И рыцаря жалко, и зверюга уж больно опасная, но если государственные интересы требуют...

Мои собеседники (если парнишку можно было причислить к собеседникам) уже уехали, когда я прогрела мотор и выехала с Пасечной. На пути к дому увидела знакомого гаишника, все так же зорко несущего службу.

Наивно все это, Чингиз, наивно... Дайвер мне понравился, и я почти во всем была с ним согласна. Но глупо надеяться, что можно победить государство. Еще наивнее думать, что государство можно переспорить.

deep

Ввод.

Рассыпается и складывается мозаика. Скользят разноцветные огни — *глубина* тасует свой паззл.

Как это случается с дайверами?

Будто встает на место тот, последний, кусочек паззла, который я не смогла когда-то найти? Который отделяет рыцаря от принцессы?

Не знаю. И не уверена, что хочу узнать.

Выхожу из дома. Эта точка входа выполнена в виде старинной беседки в парке. Парк слишком уж красив, слишком картинно неухожен... нет таких в настоящей Москве, а может быть, и нигде в мире нет...

Я иду по присыпанной крупным черным песком дорожке. Если пойти направо — там будет дорога из желтого кирпича. Если налево — самодвижущаяся дорога. Если повернуть назад — парк кончится, и потянется тропинка сквозь Вековечный Лес, где бродит беззаботный Том Бомбадил, а временами встречаются хоббиты.

Каждый из нас делает свой кусочек *глубины*. Творит мир — и дарит его другим. И чужая *глубина* не мешает твоей. И тюрьма Диптауну не помешает, что уж тут поделать — есть на свете тюрьмы. Зря паникует Чингиз...

Но все-таки на душе у меня нехорошо.

Я прохожу мимо «Старого суслика». Это очень милое кафе в стиле ретро, место богемное, пускай и не слишком известное. То есть я думаю, что прохожу, но останавливаюсь и решительно двигаюсь к дверям. Спала я мало, завтракать не стала, только глотнула антацида из бутылочки. Гастрит — такая же профессиональная болезнь у жителей Диптауна, как и «поехавшая матрица».

«Суслик» — пристанище российских обитателей *глубины*. И по раннему московскому времени народа здесь немного. Устраиваюсь за свободный столик, заказываю яичницу с ветчиной, апельсиновый сок и тосты.

Нет, ну кто мне мешал съесть то же самое в настоящем мире?

За соседним столиком — живописная парочка. Точнее, колоритен один из собеседников — он изображает сиамских близнецов, юношу и девушку, сросшихся боками. Рты открываются синхронно, жестикуляция общая — это нехитрая маска, надетая любителем привлекать внимание. Сиамский близнец изрядно пьян, и голос его гремит на все кафе:

— Ты скажи, неужто тебе «Хелицеры» не понравились?

Собеседник его, выглядящий вполне обычно, устало отбивается:

— Понравились, Лешка, понравились...

— И что? Нет, ну ведь все говорят «понравились»... ты рецензии читал?

— Читал...

— Лады, треть писал я сам, — самокритично признается сиамский близнец. — Треть — приятели. Но еще треть — ведь настоящие?

— Настоящие...

— Разве плохо я западников переделал? Там уже почти не видно, откуда ноги растут, совершенно самостоятельно все стало!

— Ну, кому не видно, а кому и очень даже... — туманно бормочет его собеседник, пытаясь сосредоточиться на йогурте.

— Ты скажи, разве что-то не так? Я ведь всех конкурентов раздолбал в пух и прах, по всем прошелся, будто бульдозер. Бульдозеры грязи не боятся, ха-ха! Интригу такую закрутил, что финала вообще не нужно! Чего не хватает?

— Души, — слышится в ответ.

Невольно улыбаюсь, отворачиваюсь в сторону, чтобы не смущать сиамское чудо. Забавное место этот «Старый суслик».

Только фраза западает в голову. Сиамский близнец тем временем суетится и требует объяснить ему, что такое душа и как ее можно зафиксировать.

Да уж, научились бы душу фиксировать... какой замечательный простор для работы государственных служб...

Официант приносит мой заказ. Яичница прямо в сковороде, шипящая, в меру прожаренная, с прозрачными кусочками сала и нежными ломтиками бекона. Сок свежевыжатый, «витамины в нем так и прыгают», как говорил один мой знакомый.

— Чего-нибудь не хватает? — вежливо интересуется официант.

— Души, — невольно отвечаю я.

— Извините, нет в меню, — произносит официант невозмутимо. Растерянно смотрю ему в глаза.

Нет, программа.

— Спасибо, — говорю я. — Я знаю.

— Что-нибудь еще?

Медлю. Незачем мне ехать в виртуальную тюрьму. Материалов для отчета хватает. А знать результаты испытаний даже и не хочется.

Пусть белокурая бестия Чингиз мечется по Москве, пытаясь найти союзников! Это его дайверское дело. А я — простая сотрудница МВД. И влезать в разборки между ведомствами и отдельными начальственными шишками — мне для здоровья противопоказано.

— Закажите такси до русского сектора Диптауна, — прошу я.

1000

В этот раз меня пропускают в тюрьму без всяких задержек. Не таясь, отзванивают Томилину, докладывая о моем приходе. Через двор меня провожает очень молодой и интеллигентный охранник, такого легче представить в хорошем костюме за столом в серьезном офисе, чем в форме сержанта и с пистолетом на боку.

Сегодня внутренний двор тюрьмы заполнен людьми. Заключенных вывели на прогулку... И вот теперь их поведение знакомо. При моем появлении раздается легкий гул. Меня ощупывают оценивающие, жадные взгляды. Доносятся отдельные реплики — пристальному изучению подвергаются ноги, руки, грудь...

Видимо, ни одна «внутренняя Монголия» не дает возможности удовлетворить основной инстинкт. Интересно, как это сделано? Мне представляется, как хакер Стеков пытается приобнять «стандартную жену стандартного программиста», а та в ответ тает в воздухе... или превращается в зловонную зеленую жабу.

И все-таки реакция неправильная. Недостаточно сильная. Женщина, появившаяся на зоне, — это событие, это праздник на несколько недель. Здесь же изрядная часть заключенных не реагирует вовсе, остальные же — будто по привычке, по инерции, пытаясь завести сами себя... А я ведь не в теле угрюмой инспекторши, я в теле «Ксении» — очень даже заводной особы.

— Проблем с ними не много? — спрашиваю охранника, кивая на площадку для прогулок.

— Они спокойные, — соглашается охранник.

Словно в подтверждение его слов до меня доносится чья-то восхищенная реплика: «Нет, ты глянь, как попкой крутит! Гадом буду, тактовая не меньше тысячи, а канал — оптоволокно!»

Я даже спотыкаюсь.

Обидно!

«Ксения» такая пластичная из-за хорошего дизайна, а вовсе не из-за мощной машины!

Коридорами тюрьмы, уже укрывшись от взглядов заключенных, мы идем к кабинету Томилина. Я отсчитываю пятое от входа окно — на нем сидит один из моих «жучков»...

Сидел.

Окно чисто вымыто. Прямо-таки демонстративно вымыто, а для идиотов на узком подоконнике оставлена баночка «Лозинского». Как там гласит рекламный слоган? «Убивает даже неизвестные вирусы!»

Понятно. Товарищ подполковник решил сделать тонкий намек.

Но когда я вхожу в его кабинет, оставляя охранника в коридоре, мое мнение о тонкости намеков меняется.

На столе Томилина, рядом с телефонами, клавиатурой и дисплеем, бумагами, парой фотографий в рамочках, появился совершенно неуместный предмет.

Горшочек с геранью.

— Доброе утро, Карина!

Томилин — само радушие. Встает навстречу, галантно подвигает стул.

— Кофе?

— Краснодарский? — не удерживаюсь я от иронии. Но выходит жалко и неубедительно. Никак не могу отвести взгляд от герани.

...А смеется Томилин хорошо. Добродушно, словно бы приглашая присоединиться к его веселью. Людей, умеющих так смеяться, очень любят в компаниях — они любую неприятность превращают в забавное приключение.

— Нет, Карина. Самый заурядный бразильский. Растворимый порошок.

— Спасибо, с удовольствием, — соглашаюсь я.

Надо сохранять лицо. Надо продолжать играть. Надо отдать инициативу. Это не шахматы и не крестики-нолики. Тот, кто делает ход первым, проигрывает чаще.

— В этом теле вы мне нравитесь гораздо больше, — замечает Томилин мимоходом. Поднимает трубку телефона, командует: — Два кофе!

И застывает, устремив на меня любопытствующий взгляд.

— Я хотела бы еще раз пройти по тюрьме, — говорю я неожиданно даже для себя. Ну что мне искать?

— Давайте-давайте, — не спорит Томилин. — Если можно, то постарайтесь закончить к двум часам дня, Карина.

Светская беседа. Будто я могу пренебречь приказом, пусть и оформленным столь любезно.

— Конечно. — Я киваю. — Какие-то планы?

— Да. Первый сеанс катарсиса. — Томилин досадливо машет рукой. — Хотели несколько позже, но... обстоятельства заставляют торопиться. Слишком много ретроградов... вы же понимаете, Карина?

Я понимаю, конечно же, понимаю...

И смотрю на герань.

— Карина, вы любите цветы?

— Угу. Кроме герани.

— Почему так? — Подполковник искренне огорчен. — А вот мне герань нравится, Карина.

Он повторяет мое имя так упорно, что приходится ответить тем же.

— Аркадий, а вам никогда не казалось, что держать преступников в *глубине* — непредсказуемо опасно? — спрашиваю я.

— Мы ведь уже обсуждали...

— Я не о том. Никто не знает до конца, как действует диппрограмма. Никто не понимает, что же все-таки такое *глубина*.

Что происходит с сознанием, постоянно погруженным в виртуальность? Какие способности может обрести человек? Как влияют люди, находящиеся в *глубине*, на саму *глубину?*

— Дайверы... — Томилин улыбается. — Сетевой разум...

— Хотя бы! Легенды не возникают на пустом месте.

— Легенды создают люди. — Томилин достает сигареты. Мрачная женщина-охранник приносит кофе, бросает на меня косой взгляд и исчезает за дверью. — Карина, человеку свойственно придумывать страхи. Это защитный механизм, понимаете? Лучше бояться несуществующей опасности, чтобы она не застала врасплох. Любое устройство сложнее керосиновой лампы начинает вызывать подозрение. Вы увлекались фантастикой, Карина?

— Нет.

— А зря. Давным-давно, когда еще не существовало никакой виртуальности, когда компьютеры были большими, люди начали бояться электронного сверхразума. Его появление предсказывали и в объединенных телефонных сетях, и в примитивных ламповых... арифмометрах. Компьютеры совершенствовались, объединялись в сети, а разума — не возникало. Тогда стали бояться людей, которые сумеют общаться с электронной сетью на новом, недоступном большинству уровне, без всяких устройств ввода-вывода. Но время шло, а людей таких — не находилось. Легенды, Карина! Защитный механизм человечества. Все непонятное — потенциально опасно. Все непонятное — страшно.

— Но если такая вероятность есть? Хотя бы потенциально? Если этот самый сетевой разум уже существует, а мы просто не в силах заметить его проявления? Если дайверы есть, но таятся?

— Если дайверы есть, но таятся — то они вовсе не опасны. Это лишь любопытный феномен, подлежащий изучению. — Вот теперь Томилин говорит без иронии. — И пусть наши подопечные обретают ненормативные способности. Замечательно! У нас очень хорошие следящие системы, Карина. Мы сразу обнаружим происходящее. Разберемся, что и как произошло. А телесно весь контингент находится под бдительным присмотром... не хотите их посетить в реальном мире?

— Это не входит в мою компетенцию, — отмахиваюсь я. — Аркадий, ну а сам факт того, что в виртуальности находится толпа преступников? Если допустить, что сетевое сознание существует и формируется личностями тех, кто пребывает в *глубине?*

— Карина, мало ли в *глубине* бандитов? — серьезно спрашивает Томилин. — Господи, да что тут две сотни заключенных! Тысячи, десятки тысяч убийц, насильников, террористов, наркоторговцев пользуются виртуальностью! Вот кто ее формирует! И все попытки их обуздать... знаете, вводили такую международную программу: «СРАМ»?

Качаю головой. Нет, не помню...

— Она должна была отслеживать преступников по ключевым словам в электронной переписке, — морщась, поясняет Томилин. — А торговцев порнографией — по розовому цвету голых тел в видеороликах... И знаете, что произошло? Возникла мода — каждое самое невинное письмо писать на розовом фоне и сопровождать лозунгами, шапкой из фраз вроде «НЕТ ТЕРРОРИЗМУ! ВЗРЫВЧАТКУ ДОЛОЙ ИЗ ЖИЗНИ! НАРКОТИКИ — НЕ НАШ ВЫБОР, ПОКУПАЙТЕ ЙОГУРТ!» Через полгода программу свернули. Невозможно было контролировать *всё!* Ревнители гражданских свобод торжествовали... а преступники продолжали резвиться в виртуальности. Легализовали бордели... создали электронную марихуану и виртуальный героин... обменивались планами терактов...

Я не слышала этой истории. И в голосе Томилина — настоящая горечь человека, вынужденного отступить перед несправедливостью.

— В новом, виртуальном мире нужны новые возможности для борьбы с преступностью, — говорит он вдруг. — Неожиданные. Революционные. Дающие кардинальное преимущество силам охраны правопорядка. Вы не согласны, Карина?

А я и не знаю уже, с чем согласна, с чем — нет. Нет, и Чингизу я не лгала. Средства, которыми пользуется Томилин, мне не нравятся. Вот цели... цели-то самые благие.

— Подготовили отчет, Карина? — интересуется Томилин, так и не дождавшись ответа.

— Я займусь им вечером. Разрешите еще раз проинспектировать заключенных?

Томилин устало прикрывает глаза. Нетронутый кофе на столе, горшок с геранью, фотографии... Я вдруг замечаю, что это фотографии пожилого мужчины и пожилой женщины. Очевидно, родители подполковника, а вовсе не жена и дети...

— Разумеется, Карина. Проверяйте все что угодно, сопровождающего я вам выделю...

Уже у дверей подполковник окликает меня снова:

— Карина!

Оборачиваюсь.

Пальцы Томилина медленно сминают цветок герани.

— Допустим, что я перестраховался. Испугался за вас. Понимаете? Бандиты могут быть сколь угодно обаятельны... в отличие от нас с вами. Но мы по одну сторону. Они — по другую. Этого... не стоит забывать. Приходите к двум часам, хорошо? Я надеюсь, ваше мнение изменится.

Пальцы его все комкают и комкают несчастный цветок. Не провинившийся ничем, кроме того, что есть у нас традиция называть оружие именами цветов.

Мне ничего не остается, кроме как кивнуть подполковнику.

Когда-то, едва узнав, что я собираюсь поступать в юридический, папа сказал мне... тогда я не приняла его слов всерьез, задумалась лишь позже. Нет, отец говорил не насчет опасностей работы следователя или эксперта. Он просто заметил, что, защищая закон, легче всего его нарушить. Именно для того, чтобы защищать. И что долг службы и обычная человеческая мораль начнут бороться у меня в душе... пока не победит что-то одно.

Нет, вначале я не поверила...

Но противней всего понимать, что никакой борьбы уже нет. Я выбрала. Чингиз с товарищами может быть сколь угодно красноречив. Даже прав... с общечеловеческих позиций. Вот только и Томилин прав — невозможно в виртуальности бороться с преступностью старыми средствами.

А еще... неужели я не хочу сама стать дайвером? Понять, увидеть... сложить свой паззл до конца...

Оставив охранника в камере Антона Стекова, я прохожу во «внутреннюю Монголию» незадачливого борца за свободу. Зря он отсидел срок, зря твой приятель раздавал взятки. Ничего вам не остановить. Даже побеги ваши снисходительно не заметят...

Стеков на этот раз не сидит перед телевизором. Разгуливает по комнате, размахивая руками и что-то вполголоса говоря. Я останавливаюсь на пороге «стандартной квартиры» и в недоумении смотрю на заключенного.

Он что, спятил?

Антон Стеков, преспокойно выбиравшийся из виртуальной тюрьмы в Диптаун, общался со своим фантомным окружением! С «программистом Алексеем» и его сыночком «Артемом».

— А я говорю — взять за шкирку и тащить в *глубину!* — почти ревет Антон. — Это что ж такое с Ленькой творится? Трудно ему быть Богом, етит его...

— Падла, не ругайся, — живым человеческим голосом отвечает «стандартный программист».

Ничего себе призыв не ругаться!

— Ничего, не маленький уже, — кося́сь на конопатого «Артема», бормочет Антон. Но тон все-таки сбавляет. — Обязаны мы его уговорить...

И в этот момент меня наконец-то замечают. Скучающий «Артем» оглядывается, видит меня и бормочет:

— Ну вот, дождались... Чингиз, гости!

1001

Удивляться на самом-то деле нечему.

Если есть канал «наружу», через который Антон Стеков покидал тюрьму, то он работает и в обратную сторону. Ну а выбрать в качестве тел марионеток, разыгрывающих перед Стековым свой убогий спектакль, более чем разумно. Унылый стандартный программист ничем не похож на Чингиза. Но это он. А в шкуре парнишки, наверное, тот юноша, что был с ним в машине.

Я захожу в комнату, сажусь на диван. Пытаться арестовать незваных визитеров — бесполезно. Это будет как раз тот самый «шум», который хотел поднять Чингиз. Томилин, видимо, не в силах перекрыть неизвестный канал и поэтому закрывает на него глаза.

— Карина, вы знали, что мы здесь? — спрашивает Чингиз. В чужом теле он угадывается только по интонациям голоса.

— Нет. Я хотела поговорить с Антоном.

Заключенный Стеков досадливо крякает и подходит ко мне. Поправляет толстым пальцем очки и произносит:

— Вы уж извините меня, Карина.

— За что? — удивляюсь я.

— За то, что втянули вас в это дело. Моя была идея, если честно.

— Не помню, чтобы меня куда-то втягивали.

— Понимаете, — у Стекова по-прежнему смущенный вид интеллигента, отдавившего кому-то ногу в трамвае, — мы полагали, что персонал тюрьмы сам отреагирует на побеги. Но они замолчали этот факт. Как только поняли, что своими силами изолировать меня не смогут, — перестали обращать внимание на побеги. Пришлось подкинуть информацию о побегах на тот уровень руководства МВД, который не посвящен в проект... в результате вас и отправили с инспекцией...

Вот оно что!

Я как-то и не задавалась вопросом, откуда появилась информация о неладах в виртуальной тюрьме. А ее, оказывается, распространили сами заключенные.

— Не надо извиняться, Антон, — говорю я. — Я выполняла свою работу. Вся ваша затея была ребячеством. Но за нее вы сами себя наказали — лишением свободы.

— Не беда. Неограниченной свободы не существует, — философски отвечает Стеков. — Вы убедились, что цель этого... этого аттракциона — эксперименты по созданию дайверов?

— Антон! — вмешивается Чингиз. — Бессмысленно. Карина все понимает, но она не на нашей стороне.

— Кажется, не только я? — не удерживаюсь от иронии.

Против ожиданий они не спорят.

— Не только, — соглашается Чингиз. — У нас есть друг...
он дайвер. Но его способности особого рода, они уникальны.
Он может уничтожить тюрьму. Может сделать так, что никто
из заключенных не станет дайвером.

— Откуда такие таланты? — спрашиваю я. Лицо Чингиза
серьезно, но в сказанное мне не верится.

Чингиз пожимает плечами:

— Так уж получилось... он работает непосредственно с *глубиной*. Но он не хочет вмешиваться.

— Почему? — спрашиваю я с любопытством. Оставим
восторженные эпитеты на совести Чингиза, допустим, что его
друг и впрямь настолько силен.

— Он сказал почти то же, что и ты, Карина. — Чингиз
смотрит на меня из зрачков «стандартного программиста». —
Что нельзя смешивать настоящий мир и *глубину*. Что виртуальность — это новое общество, новая реальность, мир без
государственных границ и языковых барьеров. Нейтральная
территория, как принято говорить. Уголок будущего, тянущийся
в наше время. *Глубина* выстроит себя сама, ее обитатели решат, что принять, а что отбросить.

— Молодец ваш друг.

— Какое-то время я подозревал, что ты — лишь одна из
его масок, — признается Чингиз.

Пожимаю плечами. Бывает. Матрица поехала.

— Ты будешь наблюдать за экспериментом? — спрашивает
Чингиз после паузы.

— Буду.

— Мы тоже, — кивает Чингиз. — Над Антоном экспериментов проводить не собираются. Сегодня назначены лишь
три подопытных кролика.

Да, в недрах правительственного сервера Чингиз себя чувствует как дома. Но я не возмущаюсь, а задаю вопрос:

— И кто они?

— Их тебе демонстрировали. Убийца, который хочет приручить лисенка. Водитель, совершивший наезд. И еще один
убийца, запертый в пустом городе.

- Ты даже знаешь, что с ними сделают? — спрашиваю я.

— Знаю. Лисенок умрет. Под колеса грузовика снова попадут двое детей. Убийца найдет умирающую женщину.

— Я их всех видела... — с удивлением говорю я. — Всех троих...

— Наверное, подполковник хочет сделать приятный сюрприз. — «Стандартный программист» улыбается жесткой улыбкой Чингиза. И я вдруг понимаю — он тоже готовит свои сюрпризы. Что бы ни говорили я или тот здравомыслящий супердайвер, но Чингиз из тех людей, которых невозможно остановить. Даже если он согласится, что *глубина* сама примет решение, это его не смутит.

Он просто объявит себя *глубиной*.

И будет решать за всех.

— Я вас покину, господа, — произношу я и встаю. Паренек в разговор так и не встревал — забавляется в углу комнаты со старой головоломкой, «кубиком Рубика». Антон Стеков печально смотрит на меня, временами беззвучно вздыхая. Ну а Чингиз в теле «стандартного программиста» — всего лишь говорящая кукла. — Антон, только один вопрос...

— Да? — скорбно спрашивает Стеков.

— Какого черта вы на все это пошли? Нет, я понимаю, высокие принципы, антигосударственные настроения, ваша натура анархиста... я прочитала личное дело. Но на полгода сесть в тюрьму! Зачем вам это?

Вопрос попадает в точку. Стеков начинает мяться, оглядывается на своих товарищей и даже словно бы немного краснеет.

— За вами еще что-то тянется? — спрашиваю я в лоб. — От чего вы прячетесь в тюрьме? Другое преступление или бандиты...

— О Господи, ну что за настырная женщина! — громко вопрошает Стеков. — Вот почему!

И он щиплет себя за могучее брюхо.

Ничего не понимаю, стою и растерянно взираю на смущенного, а оттого шумного и немного агрессивного хакера.

— Распустился я в последнее время! — с горечью сообщает Стеков. — Пузо отрастил, мотоцикл под задницей трещит, девушки в лицо смеются. Ты бы раньше меня видела, детка, я же стройный был, как молодой тополек! Ну нет у меня лишней силы воли, как выпью пива, так сразу аппетит разбирает. Пятнадцать килограммов за год набрал. Даже к врачу пошел, а тот говорит: полгода строгой диеты... разве ж я выдержу! А тут такая халява: питание строго по минимальным нормам, между едой куска не перехватишь, о пиве и вовсе забудь...

— Ну ты и крейзи! — радостно орет «сын стандартного программиста».

А Чингиз — тот и вовсе замирает в остолбенении.

Никогда не поверю!

Сесть в тюрьму, чтобы сбросить лишний вес!

— До чего дошло, книги про целлюлит стал читать, калории съеденные на калькуляторе высчитывал, из бани не вылезал, — продолжает убиваться Стеков. — Пробежки по утрам, прогулки перед сном... только аппетит нагуливал...

Тихо-тихо я пячусь к выходу.

Пожалуй, Антон Стеков и впрямь настолько нестандартный человек, что мог бы сесть на государственную диету...

А если и нет — то он не упустит случая поиздеваться над своими тюремщиками, высказывая такую версию.

— Психи! — только и говорю я, выскакивая из «внутренней Монголии» Антона Стекова.

И запоздало понимаю, что выдала реакцию, достойную шестнадцатилетнего оболтуса.

Сумасшедший дом. Нет, все мы, проводящие в *глубине* десятки часов, немного спятили. Но эта троица — совсем уж крайний случай!

Охранник моим пребыванием в камере Стекова не интересуется. Либо не знает, что на самом деле там творится, либо получил инструкции не вмешиваться. В кабинет Томилина я возвращаюсь за полчаса до назначенного срока.

Почему-то подсознательно я ожидаю увидеть там новые лица. Каких-нибудь высоких чинов, с натужной улыбкой напяливших шлем перед входом в *глубину* и теперь ведущих себя будто дети на конфетной фабрике.

Но Томилин один. Все-таки дело слишком скользкое, чтобы вышестоящие лица рискнули присутствовать. Попахивает от происходящего экспериментами на людях, ох как попахивает.

— Садитесь, Карина. — С прежней любезностью подполковник улыбается мне. Герани на столе уже нет, намеки кончились. — Как ваша экскурсия?

Видел ли он то, что происходило в камере Стекова?

Если хотел, то видел.

Значит, исходить надо именно из этого.

— Более чем полезная, — говорю я, и Томилин на мгновение хмурится. Пускай покрутит в голове разговор, попытается понять, что же меня заинтересовало. — Скажите, а что следует предпринять персоналу тюрьмы, обнаружив проникновение в тюрьму?

— Запросить пост охраны, — мгновенно реагирует подполковник. — Если следов проникновения не обнаружено, то на любых возможных посетителей не стоит обращать внимание. Даже если заключенный будет заниматься сексом с Мэрилин Монро или беседовать на философские темы с Чебурашкой. Кто знает, что там напридумывали психологи в зонах катарсиса?

Все понятно. Чингиз и Антон — жертвы собственной квалифицированности. Пока стандартные охранные системы их проникновения не замечают, Томилин может сколько угодно игнорировать неудобных визитеров.

Другое интересно: что он сделает, если хакер и дайвер учинят в тюрьме самый настоящий виртуальный бунт? Уж не это ли замыслил Чингиз в качестве собственного «сюрприза»?

Но это уже слишком серьезный шаг. За такое шестью месяцами не отделаться. И как бы меня ни раздражало их упрямство, но я мысленно молю их не делать таких глупостей.

Полковник куда-то звонит, и через минуту в кабинет входит молодой человек в грязноватом белом халате поверх штатской одежды. Кто-то из психологов? Или другой вольнонаемный сотрудник? Меня он раздражает, и я не сразу понимаю чем. Все дело в этой нарочито реальной одежде, несвежем халате и разболтанном виде.

Ну почему в *глубине* мы с легкостью готовы выглядеть хуже, чем есть на самом деле?

— Карина, Денис, — знакомит нас Томилин. Ни званий, ни должностей не звучит. — Все готово?

— Да, программы введены, — кивает Денис.

Я ожидаю, что мы пойдем в камеры «подопытных». Но Томилин набирает какую-то команду на терминале, и в одной из стен кабинета расползаются деревянные панели, открывая огромный экран.

— Карину очень интересует первый этап перевоспитания, — говорит Томилин. Не то с иронией, не то серьезно... — Карина, с кого начнем? У нас есть водитель, совершивший наезд на детей, катавшихся по тротуару на велосипедах. И двое убийц.

Мне не надо уточнять, что это за убийцы.

— Начните с водителя, — говорю я.

Экран будто превращается в окно — огромное окно, открытое в вечерний город. Обычные московские улицы, только людей немного. Здесь, в *глубине*, нет разницы между телеизображением и реальностью — и то, и другое иллюзорно.

Грузовик, что катится по улице, — обычный грузовик с пустым кузовом, с ободранной краской на кабине и грязным ветровым стеклом, несется совсем рядом — лишь протяни руку...

— Пускай детишек, Денис, — распоряжается Томилин.

И я чувствую к нему мимолетное уважение. За то, что он не сказал «пускай фантомы» или «начинай сеанс». Не спрятался за эвфемизмом.

Пускай это трижды нереально, пускай это лишь пляска электронов в кристаллах микросхем, но для того человека, что отбывает свой срок в виртуальной тюрьме, происходящее станет настоящим шоком.

1010

Виртуальная камера, которая показывает нам мчащийся грузовик, парит над машиной. Свет в кабинете Томилина меркнет, и у меня возникает ощущение киносеанса. Будто я смотрю свеженький голливудский боевик... один из тех, новомодных, где компьютерные образы самых популярных актеров всех времен и народов бродят в виртуальных декорациях... где мужественный Клинт Иствуд стоит плечом к плечу с импозантным Шоном Коннери и смазливым Леонардо ди Каприо... интерактивный фильм, где всю троицу можно усадить в лужу, а победит трогательный Чарли Чаплин...

Но этот фильм не интерактивен. Он режиссирован от первой до последней секунды. Что бы ни думал водитель грузовика.

— Ведь он совершил наезд в пьяном виде... — говорю я. — Ведь так?

— Он и сейчас нетрезв, — отвечает Томилин. — Для него были оставлены виртуальные бары.

— Но ведь невозможно повторить ту ситуацию с точностью, — не сдаюсь я.

— Почему? — удивляется Томилин.

И в этот миг грузовик сворачивает на перекрестке.

Будто отдернули занавес. Вечер сменяется днем. Широкий проспект — узкой улочкой, где и двум машинам-то не разъехаться. Тем более что навстречу бодро несутся несколько легковушек. Грузовик виляет, дергается, налетая на бордюр и выскакивая на тротуар.

А в нескольких метрах перед капотом едут на велосипедах двое мальчишек, уже начинающих оборачиваться на рев мотора.

— Оп, — говорит Томилин. Успевает сказать, прежде чем изображение дергается, переворачивается, начинает кружиться: виртуальная камера описывает немыслимую кривую, удерживаясь над кузовом грузовика.

Неужели в реальности возможно так выкрутить руль?

Скорость не так уж и высока. Сколь бы ни был пьян водитель, но он сбросил газ на повороте. Но удар все равно силен.

Капот сминается, втыкаясь в стену здания, грузовик разворачивает, он крошит стеклянную витрину, наполовину въезжая в продуктовый магазинчик. И я понимаю: что-то идет не так. Магазин не прорисован полностью, существуют лишь несколько метров перед витриной, а все остальное — серый туман, мгла без красок и форм. Из задравшегося вверх капота бьет пар и сочится бесцветная жидкость.

— Денис, — очень спокойно говорит Томилин, — я же просил...

— Да не мог он успеть повернуть, — отвечает Денис. — Все же обсчитано!

В его голосе слышится искреннее возмущение. Нет, вряд ли он психолог. Скорее программист, переводивший расплывчатые указания в цифровую форму.

— Скорость была тридцать четыре километра в час, радиус поворота... — бормочет Денис. Но Томилин жестом заставляет его замолчать.

А смятая дверь кабины со скрежетом открывается. Скорее вываливается, чем выходит, водитель. И не глядя на серый туман в глубине магазина, бредет сквозь стеклянное крошево витрины на улицу.

— Камеру сдвинуть! — рявкает Томилин.

Я не вижу, кто исполняет его команду. Возможно, у Дениса есть какой-то пульт, а может быть, нас слушают и другие сотрудники тюрьмы.

Но камера послушно сдвигается с места и плывет вслед за водителем.

И я начинаю смеяться.

Это уже не трагедия. Это фарс.

По улице все так же едут автомобили, все так же идут прохожие, не обращая никакого внимания на воткнувшийся в здание грузовик.

А нераздавленные велосипедисты продолжают ехать, с ужасом озираясь назад. Они едут на месте, колеса скользят по асфальту, сверкают спицы с красными кружками катафотов, длинные волосы одного из пареньков полощет на несуществующем ветру. Лучший в мире велотренажер.

Водитель обходит машину. Подходит к ребятам, смотрит на них, протягивает руку, словно намереваясь тронуть, — и тут же отдергивает. Достает мятую пачку «Примы», засовывает одну сигарету в рот, но забывает закурить и кричит:

— Бип! Бип-бип, вашу мать! Козлы, бип! Бип!

То ли он догадался, где камера. То ли это случайность — но он смотрит прямо на нас.

— Бип! — зло говорит Томилин. — Какой бип включил звуковой цензор?

— Но это же общее требование ко всем государственным учреждениям! — отбивается Денис.

Водитель, выронивший сигарету, достает другую. Садится на асфальт, закуривает, глядя на несущихся в никуда велосипедистов.

— Уберите... это, — командует Томилин. — Карина, прошу прощения.

— Бип, — говорю я с улыбкой. Именно «бип» я и хотела произнести.

— Смешно, — соглашается Томилин, когда гаснет экран. — Может быть, Карина, вы еще объясните, что это значит?

— Да если бы я знала...

На самом-то деле я догадываюсь. И готова поаплодировать Чингизу, устроившему свой сюрприз. Вот только...

— Наши визитеры изолированы? — спрашивает Томилин Дениса.

— Разумеется! — Видно, в этом программист уверен. — Стекова аппаратно отключили от *глубины*. А тем двоим задавили каналы. Начисто.

— Ну и какие версии? — спрашивает Томилин.

Ответа нет. И подполковник командует:

— Давайте второго!

— Какого именно?

— Давайте Казакова. Что там у него?

Экран загорается снова. Камера парит в небе, опускаясь кругами, будто хищная птица, выслеживающая добычу. Бесконечная степь, ломкая сухая трава, человечек, сидящий на корточках...

Каким бы он ни был преступником, но сейчас это лишь человек, приговоренный к одиночеству. Человек, держащий в руках маленького грязно-рыжего лисенка.

— Его стоило бы позже... — задумчиво говорит Томилин. — Впрочем...

— У вас ничего не выйдет, — вдруг говорю я.

Томилин оборачивается, выжидающе смотрит на меня.

— Не знаю почему. Но не выйдет. Вы чего-то не поняли.

— Все дайверы обретали свои способности в результате сильного стресса, — медленно и убедительно, будто преподаватель тупому студенту, говорит Томилин. — Случайного стресса! А эти... стрессы... они выверены и рассчитаны. Они не могут не подействовать.

— Они подействуют, вот только *как именно*...

— Посмотрим. Придушите эту лису! — поворачиваясь к экрану, говорит Томилин.

Еще минуту ничего не происходит. Заключенный осторожно и бережно гладит крошечного зверька. Камера опускается совсем низко, заглядывает ему через плечо — так, что узкая симпатичная мордочка лисички заполняет пол-экрана.

А потом черные глазки начинают тускнеть.

Лисица тонко пищит, вздрагивает и вытягивается в длину. Дергается пушистый хвост.

Человек будто не замечает этого. Рука касается меха, оглаживает зверька. И едва-едва угадывается в шуме ветра голос.

— Нет.

Ни печали, ни боли, ни ярости.

И ни капли сомнения.

Он не верит в происходящее, этот злодей и убийца. Настоящий, без всяких смягчающих обстоятельств, злодей...

Не хочет верить.

Не поверит никогда.

Я читала его личное дело. Я знаю, что он убил свою жену. Я знаю, что он любил ее. И до сих пор, наверное, любит. И себя он осудил куда раньше, чем люберецкий районный суд...

— Нет, — еще раз говорит заключенный, проводя рукой по тельцу лисицы. — Нет.

И пушистый хвост вздрагивает.

Стриженая голова опускается, человек касается губами мордочки лисицы. И крошечный язычок ласково лижет его щеку.

— Она отключена, — не дожидаясь вопроса, говорит программист Денис. — Да нет ее вовсе! В программе оживление не предусмотрено!

На экране — человек гладит лисичку.

— Выключите, — говорит Томилин. И смотрит на меня.

— Будете третьего... *катарсить?* — спрашиваю я.

— Имеет смысл? — вопросом на вопрос отвечает Томилин.

Я медлю. Я действительно пытаюсь ответить честно. Хотя бы потому, что кто бы ни стоял за всей этой жестокой пьесой, какие бы амбиции ни кипели в министерских умах, но для Томилина этот проект — совсем другое. Заслон на пути преступности, сверкающий меч и надежный щит в руках правосудия, настоящие стражи порядка, штампованные супермены *глубины*.

И ради этой цели он без колебаний подвергнет муке преступников.

Без колебаний... но и без радости.

— Он тоже не станет дайвером, — говорю я наконец. — Он что-то сделает... я даже не знаю, что именно... говорите, умирающая женщина в пустом городе? Нет, вряд ли он ее оживит. Скорее — добьет.

— Ее невозможно добить, — почти робко вставляет программист Денис. — В том-то и дело... этот тип — он маньяк, он обязательно попытается, но...

— Лисичку невозможно было оживить, — напоминаю я.

— Так в чем дело? — уже не спрашивает, а требует Томилин.

— Я знаю только одного дайвера, — говорю я. — Но разве вам непонятно, в чем разница? Это же так просто!

— Свобода, — вдруг говорит Томилин. — Бип.

— Способности дайверов — они все исходят из одного, — киваю я. — Только из одного. Они не терпят несвободы. Потому и могут входить и выходить из *глубины* — когда захотят. Поэтому видят лазейки в программной защите. Вы кого угодно сможете воспитать в своей тюрьме... людей, которые будут убивать и оживлять программы, к примеру. Но только не дайверов. Потому что дайвер в виртуальной тюрьме — невозможен.

1011

Наверное, самое обидное вовсе не поражение. Полководец, который привел армии на поле брани, мечтает о победе. Но и к поражению он готов. А вот к тому, что вражья армия, о которой донесли разведчики, бесславно потонет при форсировании мелкой речушки или поголовно сляжет с банальной дизентерией, — к этому не готовятся.

Томилин долго смотрит на меня, прежде чем с неохотой кивает.

— Наверное, вы правы, Карина. Наверное. Но черт возьми, как вы поняли? Проект готовили серьезные специалисты... кто вы такая, что сумели понять?

— Кто я? — пожимаю плечами. Вопрос мне задали риторический, но почему-то я собираюсь ответить.

Кто я?

1100.0

«Лабиринт»
(Алый финал)

Кто я?

Я самая обыкновенная. Девочка компьютерного века. Одна из тех, кто учился буквам по клавиатуре. Одна из тех, кто рвался из дома не на улицу, а в сеть. Одна из тех, кто никогда не видел своих друзей. Одна из тех, кто привык быть кем угодно — вздорной грубоватой Ксенией, любопытной малолеткой Машей, писателем-детективщиком Романом, хакером Сёмой, солидной и умной Ольгой... меня было так много в *глубине*...

Я самая обыкновенная.

Просто я здесь живу.

А энергичный и умный подполковник Томилин — работает.

Да пусть я никогда не верила в дайверов! Пусть считала их сказкой. Но я же знала, о чем эта сказка: о свободе. О людях, которые не теряют себя в *глубине*. Не о волшебниках, творящих виртуальные чудеса, а о людях, научившихся жить в сети.

И пусть теперь я работаю в МВД, пусть у меня есть звание и должность, но я — гражданка Диптауна.

А уже потом — гражданка России.

— Я самая обыкновенная, — отвечаю я Томилину. — Только я здесь живу. Понимаете? Это плохо, наверное, что я здесь живу. Я, может, так и состарюсь в этом теле. И по службе никуда не продвинусь, мне это неинтересно. Зато я вижу то, чего вы не видите.

Томилин смотрит на Дениса, кивает, и тот быстро выходит. Косясь на меня... и вроде бы с симпатией.

Неужели он тоже доволен, что проект по созданию дайверов провалился?

— Начистоту... — хмуро спрашивает Томилин. — Вы довольны, что все так кончилось?

— Конечно, — говорю я. — Извините...

— Карина, но вы же понимаете, это ничего не изменит. Государству нужен контроль над *глубиной*. И не ради самого государства, ради мирных граждан, понимаете?

— Нет, не понимаю, — честно отвечаю я. — Ведь мы справляемся сами. Худо-бедно, но справляемся. Разве в настоящем мире у нас не осталось работы?

— *Мы?* — Подполковник интонацией выделяет слово.

И я киваю:

— Мы. Те, кто живет в *глубине*.

— Это ваш настоящий облик? — неожиданно спрашивает Томилин.

Таких вопросов не задают. Даже нижестоящим. Но я снова решаю ответить:

— Да.

— А у меня — не совсем. — Он внезапно улыбается. — Нехорошо получается... Ну и что вы напишете в отчете?

— Чистую правду, — отвечаю я. — Что ничего, заслуживающего служебного расследования, в тюрьме не обнаружено... за исключением мелких нарушений трудовой дисциплины. У меня, правда, были сомнения. Показалось, что в тюрьму ухитряются проникать посторонние. Но теперь-то я понимаю — это лишь часть программы перевоспитания осужденных.

Томилин кивает.

— Разрешите идти? — спрашиваю я. — Мне надо заняться отчетом.

— Я завтра буду в управлении, — говорит Томилин. — Со своим отчетом. В девять ноль-ноль. Насколько я понимаю...

согласно правилам хорошего тона... мне надо показаться вам в настоящем облике.

Это так неожиданно и трогательно, что я с трудом сохраняю невозмутимое лицо.

Интересно, он мудр и седоволос или молод и энергичен? Интересно, конечно...

— Половину ночи я провожу в *глубине*. А в девять утра еще сплю, — отвечаю я. — Извините. Конечно, если это приказ...

Томилин качает головой:

— Нет. Не приказ. Не смею больше вас задерживать.

И на какой-то миг мне кажется, будто я вижу его — настоящего. Не молодого и не старого. Человека лет сорока, который упрямо учился работать на компьютере, пытался постичь *глубину* — не из любви к ней, не из любопытства, а лишь потому, что был соответствующий приказ. Одинокого служаку, понаторевшего в кабинетных играх, но тоже не из любви к ним, а ради того, чтобы делать свое дело.

Мне даже становится его жалко.

Но жалость — это не то, ради чего я готова просыпаться в девять утра.

— Всего доброго, — говорю я, прежде чем уйти.

Памятник Последнему Спамеру все так же облеплен молодежью. В *глубине* много памятников, совсем несложно получить кусочек места и воздвигнуть там все что угодно. Вот только популярность памятника отследить нетрудно. Неудачные, возле которых никто не встречается, густо засиживают голуби, потом зеленеет бронза и крошится мрамор, а под конец приезжает грузовик из мэрии Диптауна и вывозит неудачное творение на свалку. Свалка вечна и бесконечна. Длинные ряды никому не нужных скульптур... страшненькое место.

В общем-то это конец всего в *глубине*. Здесь слишком много неудачных творений. Собранных из сэмплов опер, написанных левой ногой книг, безумных философских теорий и мертвых картин. Все они уходят в никуда, в вечное хранение на бесконечных виртуальных свалках.

Но памятник Спамеру жив. И у его подножия очень мало свободных скамеек. Я нахожу лишь одну, беру в ларьке бутылку пива и сажусь — нарочито посередине скамейки, давая понять, что не жажду случайных знакомств. Ко мне и не подсаживаются. Мы научились уважать друг друга в *глубине*. Без бдительного надзора полиции, без суперменов-дайверов из МВД. Значит, мы что-то умеем?

Памятники — это место встреч. Мне никто не назначал здесь свидания, но это единственный памятник, у которого мы встречались с Чингизом.

И я сижу на скамейке. Пью холодное пиво — оно холодное ровно настолько, насколько это нужно. Смотрю в чистое небо. Когда я была маленькой, я однажды испугалась неба. Я с родителями была на море и однажды, растянувшись на спине, посмотрела вверх. Небо было таким бездонным и чистым, что я поняла — в него можно упасть. Оторваться от горячего песка, нелепо взмахнуть руками и полететь вверх — в небо, которое станет бездной. А над головой закружится перевернутая земля, и плачущие родители, и задравшие головы зеваки, и качающие ветвями деревья. Они не упадут в небо, ведь они не знают, что в небо можно упасть...

Как давно это было. А запомнилось. Вместе с паззлом, который я так и не смогла собрать. Вместе с первой влюбленностью, первой настоящей обидой, первым визитом в *глубину*, первым предательством...

— Разрешите?

Я скашиваю глаза на Чингиза. Киваю и чуть сдвигаюсь в сторону.

— Наверное, над нами стоит посмеяться, — говорит Чингиз вполголоса. — Все способности... они ничего не стоят, когда провайдер отключает тебя от сети. По одной лишь команде из МВД.

— А как ты вошел? — спрашиваю я.

— По старинке. С телефонной линии. — Чингиз садится рядом.

— Я вас не сдавала, — говорю я. — За вами следили с самого начала. Просто шум поднимать было не выгодно. Поэтому игнорировали... а когда стало нужно — отключили.

Он кивает. И молчит — хотя я понимаю, как ему хочется задать вопрос.

— А как ты меня нашел? — спрашиваю я. — На мне маркер?

Чингиз качает головой:

— Нет. Я подумал, что встречаться принято у памятников... Дашь глотнуть?

До палатки с бесплатным пивом — несколько шагов. Но я даю ему бутылку. И начинаю рассказывать то, что рассказывать не имею никакого права. То, как *не становятся* дайверами.

— Спасибо, — говорит Чингиз, когда я заканчиваю свой рассказ. — Спасибо. Я верил, что ты все-таки на нашей стороне.

— При чем тут я? Я же ничего не делала.

— Делала, — уверенно отвечает Чингиз. — Ты не хотела, чтобы у них получилось. Может быть, единственная из всех, кто наблюдал за экспериментом, — не хотела.

— Ну и что? Мало ли чего я не хочу.

— *Глубина* — это больше, чем принято думать, — убежденно говорит Чингиз. — Это не только среда обитания. Это что-то еще. Мы — частички *глубины*. Она становится такой, какой мы хотим ее видеть. Если бы все хотели заполнить улицы штампованными дайверами — это бы случилось. Но надо было, обязательно надо было, чтобы кто-то из следящих за экспериментом не желал успеха этой затее...

Смешной он. Взрослый ведь человек...

— Ну хорошо, пускай это все моя заслуга, — соглашаюсь я. — Уговорил.

Чингиз улыбается и возвращает мне пиво.

— Твой приятель, Стеков, он и впрямь отправился в тюрьму худеть? — спрашиваю я.

— Бог его знает. — Чингиз пожимает плечами. — Я не всегда понимаю, когда он серьезен. Он и сам, наверное, не всегда это понимает... Карина?

— Да? — все еще глядя в небо, отвечаю я.

— Из меня никудышный ухажер, — самокритично признает Чингиз.

Не сомневаюсь. На него небось еще со школы девицы пачками вешались. Такие учатся от подруг уворачиваться, а не ухаживать.

— Но виртуальное пиво — это не самое лучшее, что есть на свете, — продолжает Чингиз. — Можно пригласить тебя в ресторан?

Ух ты... Не было ни гроша, да вдруг алтын... И Томилин, и Чингиз.

— Чингиз, — отвечаю я, морщась. — Хочешь, расскажу историю?

— Расскажи.

— У меня была в детстве игрушка. Паззл. Очень красивый... там был рыцарь и принцесса... они тянулись друг к другу. Я его собрала... весь. Только одного кусочка не хватило. Между рукой принцессы и головой рыцаря. Понимаешь, этот кусочек забыли положить в коробку!

Чингиз молчит.

— Я, наверное, такая принцесса, — продолжаю я. — К кому ни потянусь — ничего не получается. И ты ко мне не тянись.

— Знаю я про этот паззл, — вдруг отвечает Чингиз. Голос его меняется, становится смущенным, даже виноватым. — Ты в курсе, что все эти мозаики нарезаются случайным образом, по рассчитанным на компьютере схемам?

— Ну...

— У тебя бывало так, что вместо одного кусочка ты вставляла другой? И он вроде бы даже подходил... зазор оставался, но крошечный, незаметный...

— Бывало.

— Так вот, однажды паззл раскроили очень неудачно. Его стало возможно собрать двумя способами. Если собирать неправильно, то получались щели — но совсем маленькие, незаметные. А в центре оставался пустой кусочек. Скандал был чудовищный, не меньше трети купивших паззл собрали его неправильно и засыпали фирму рекламациями.

— Врешь? — растерянно спрашиваю я. — Ну не могло так получиться!

— Случайно, может быть, и не могло, — признает Чингиз. — Но фирму хакнул по сети один молодой и не в меру бесшабашный русский хакер... он решил пошутить, посидел ночь за расчетами... и вовсе не задумался, что от этой шутки десять тысяч человек... Честное слово, Карина, потом я понял...

Как жалко, что виртуальная посуда не бьется!

Я обрушиваю бутылку на голову Чингиза, но он успевает отскочить.

— Ты жалкий, гнусный, бесчувственный, трусливый урод! — Я захлебываюсь в поисках подходящих эпитетов. — Ты!..

— Почему урод? — возмущается Чингиз, держась на безопасном расстоянии. — Карина, честное слово, я раскаиваюсь!

— Знаешь, как я ревела? — кричу ему. — У меня, может, с тех пор психическая травма!

За нами с любопытством наблюдает весь сквер. Включая прогуливающегося полисмена. Второй день подряд, на том же самом месте... Вот позорище-то...

— У меня есть знакомый психоаналитик... — Чингиз ловко уворачивается. — Карина, ну прости! Я тогда был молодой и глупый!

Я поворачиваюсь и гордо иду прочь от памятника. Из толпы кто-то улюлюкает. Чингиз догоняет меня и жалобно просит:

— Слушай, это ведь было пятнадцать лет назад! Да убей я кого — меня бы уже выпустили! Карина, чем я могу... искупить?

Останавливаюсь, меряю его взглядом. Говорю, чеканя каждое слово:

— Завтра. В восемь. У моего подъезда. С букетом цветов, и учти, розы я не люблю.

— В восемь... — страдальчески повторяет Чингиз.

— В восемь вечера, — уточняю я.

Не зверь же я, все-таки...

— Мне, право же, очень стыдно, — снова начинает Чингиз.

— Проваливай, и чтобы я до завтра тебя не видела! — командую я. Чингиз кивает — и растворяется в воздухе.

— Дайвер... — только и говорю я.

Прохожу еще несколько шагов — и начинаю смеяться.

Над собой. Над маленькой девочкой, которая хотела собрать паззл побыстрее и предпочитала не замечать неточностей. Придумавшей для себя целую философию. Над глупой девочкой, которая никак не хотела взрослеть.

Интересно, за сколько дней я сумею собрать паззл правильно?

1100.1

«Зеркала»
(Синий финал)

Кто я?

Самой бы хотелось понять. Все мы, предпочитающие жить в *глубине*, странные. У всех свои причуды. Но когда причуд становится слишком много, разница между ними стирается.

Ну что с того, что моя подруга занимается в *глубине* прыжками с парашютом, а в жизни боится высоты? Что с того, что мой первый виртуальный муж в конце концов оказался десятилетним украинским шалопаем? Что с того, что я иногда люблю зайти в лес, который раскинулся вокруг Диптауна — бесконечный и довольно-таки унылый лес, он просто «заполняет фон», — зайти, и бродить часами в клочьях серого утреннего тумана... там всегда утро, всегда полумрак, и конца этому лесу нет...

Все мы настолько странные, что становимся обыкновенными...

— Я самая обыкновенная, — говорю я Томилину. — Ну... я больше других брожу в *глубине*, вот и все... Может быть, потому и поняла.

— Денис, выйди, — глядя на меня, командует Томилин. - Знаешь... что делать.

Программист выходит. А Томилин делает шаг ко мне, крепко берет за локти, заглядывает в глаза, говорит, переходя на «ты»:

— Ты откуда, девочка?

Пытаюсь вырваться, но он держит крепко. Без грубости, но и не вырваться...

— Вы же видели мои документы...

— Твои документы не стоят клавиатуры, на которой их набирали! В Управлении по Надзору нет сотрудницы Карины Опекиной!

Может быть, у него дип-психоз?

— Что же вы тогда меня не арестуете... — бормочу я, пытаясь высвободить руки. Когда человек «заблудился», с ним лучше не спорить. Надо переубеждать, надо быть логичным.

— Я сообщил... наверх... велели ничего не предпринимать. Сказали, что ты осуществляешь инспекцию... от другой инстанции. — Томилин вдруг отпускает меня, садится за свой стол. — Так откуда ты? ФСБ? Сетевая полиция? СБП?

Что за бред!

Но я не спорю. С больными не спорят.

— Какая разница? — дерзко спрашиваю я. — Вам же велели ничего не предпринимать?

— Откуда ты знала, что эксперимент не удастся? — вопросом отвечает Томилин.

— Я же сказала — догадалась! Я часто бываю в *глубине*. Я...

— Еще скажи, что это твой настоящий облик, — саркастически улыбается Томилин.

Молчу. Зачем спорить, если мне не верят заранее.

— Ну и каков результат инспекции? — спрашивает Томилин. — Что сообщите, *Карина Петровна?*

В имя он вкладывает столько иронии, что я поневоле чувствую себя виноватой.

— Чистую правду, — отвечаю я. — Что за исключением мелких нарушений трудовой дисциплины в первой виртуальной тюрьме не обнаружено ничего необычного. У меня, правда, были сомнения. Показалось, что в тюрьму ухитряются проникать посторонние. Но вы меня убедили, это часть программы перевоспитания осужденных.

— Все равно проект не закроют, — говорит Томилин, будто себя убеждая. — Определенные результаты есть...

— Какие результаты? — невинно спрашиваю я. — Сверх-возможностями в *глубине* обладают лишь бунтари. Одиночки, индивидуалисты. А это в тюремной камере не привьешь.

За моей спиной хлопает дверь, появляется Денис.

— Говори, — командует Томилин. — Нечего стесняться.

Я не вижу — чувствую, что Денис разводит руками. Зато слышу, как он виновато бормочет:

— Это не с нашей аппаратурой... канал скручен кольцом на шестнадцати серверах, и где он на сторону уходит — не понять...

— Эфэсбэ, — уверенно говорит Томилин, глядя на меня. — Так ведь? Знали, что мы порожняки гоняем, но молчали?

— Я не стану ничего отвечать, — быстро говорю я, пятясь к двери. — Всего доброго.

Денис быстро отстраняется, освобождая мне дорогу. И едва слышно произносит:

— У вас великолепная защита!

Почему-то мне вспоминаются осужденные, которые, глядя на меня, рассуждали о тактовой частоте процессора.

Но я не вступаю в дискуссию. Выскакиваю в коридор, быстро иду — мимо комнат персонала, куда подпускала «жучков», мимо охраны, мимо решетчатых дверей в тюремный блок.

Надо же! Меня приняли за проверяющего от ФСБ. От наших официальных союзников и негласных конкурентов... в пору рассмеяться.

И что за чушь насчет свернутого кольцом канала? У меня самый обычный канал входа, ну, может быть, чуть более профессионально поставлена защита, но не настолько, чтобы ее не вскрыли программисты Томилина...

Расслабляюсь я лишь на улице, в чахлом скверике перед тюрьмой. Вся ирония происходящего начинает доходить до меня. Томилин спятил. Или где-то ошибся. Или начальство, решив меня прикрыть, осадило не в меру ретивого подполковника.

Ну не могу же я не понимать, где на самом деле работаю?

Я присаживаюсь на ограждение высохшего фонтана. Закуриваю, мотаю головой и хохочу грубым смехом Ксении.

Надо же. Теперь будут во всем винить неповинных эфэс-бэшников. Ну и пусть, мне с Томилиным детей не крестить. А штамповка дайверов сорвалась. И это правильно. Нет ничего страшнее, чем не вовремя поставленное на поток производство чудес. Не пришло еще это время — как не пришло время для термостойких сверхпроводников, для средства, продлевающего человеческую жизнь до трехсот лет, для раскрытия правды о разуме дельфинов и сбитых НЛО, для всех этих тайн — погребенных в самых секретных архивах сети...

И откуда я сама о них знаю?

Пытаюсь вспомнить, но воспоминания путаются, исчезают — оставляя томительное беспокойство.

Не надо об этом думать. Все это не важно.

Выбегаю на улицу, вскидываю руку и ловлю машину. Водитель терпеливо ждет, пока я размышляю.

Куда теперь?

К одной из точек выхода?

Или поискать незадачливых борцов во главе с Чингизом? Успокоить?

Вот только где их искать? Где они станут искать меня?

— Пожалуйста, к... — Я опять замираю на миг, размышляя. Может быть, к памятнику Последнему Спамеру? У памятников принято встречаться... я знаю... Или к виртуальному аналогу Пасечной улицы, где мы встречались по-настоящему? — На улицу Пасечную, Москва.

Водитель кивает — значит адрес существует. Ничего удивительного. Одним из самых грандиозных и амбициозных проектов мэрии Москвы было создание в *глубине* копии Москвы, нашумевший рекламно-туристический проект. Злые языки утверждают, будто на проект затратили столько денег, что можно было заново отстроить половину города...

Но это они преувеличивают. На два порядка.

Такси кружит по Диптауну. Выезжает на стык русского и американского сектора, к исполинской сверкающей арке, чей размах не оставляет сомнения в авторстве. Говорят, склонный к гигантомании скульптор последнее время создает свои творения исключительно в *глубине*...

Мы ныряем в арку и оказываемся на московских улицах.

Не все они прорисованы достаточно хорошо. Это уж как водится. Но иногда сходство с реальностью просто поразительное. Когда мы подъезжаем к Пасечной, я замечаю гаишника, стоящего на том же месте, где он был и в реальности — прошлой ночью. И вздрагиваю.

Нет, так и до дип-психоза недалеко...

У дома номер пять я расплачиваюсь с водителем, выбираюсь из машины. Никого, конечно же, нет. Не ждет меня здесь Чингиз, да и людей почти не видно. Улица выглядит как настоящая, ну и на том спасибо. Может быть, здесь жил один из программистов, работавших над проектом, вот и постарался...

Я подхожу к тому месту, где парковалась ночью. И замираю.

Ночью, наверное, был дождь. Виртуальный, конечно.

А здесь стояла машина. Прямоугольник асфальта более светлый, основной напор ливня пришелся на машину.

Нагибаюсь, поднимаю с тротуара размокший окурок. «Милд Севен». Что там курил Чингиз? Нет... не помню...

Бросаю окурок и брезгливо вытираю пальцы платочком.

Ничего необычного! Абсолютно ничего! Погода в виртуальной Москве меняется так же, как и в настоящей. Это обычная поддержка сервера, никаких сложностей. Ну и машины здесь ездят, создают фон. Простое совпадение.

Я же встречалась с Чингизом в реальности!

Ведь так?

Я сказала ему, что войду в *глубину*. Чингиз предложил встретиться в реальности. Я ответила... как же именно я ответила? Какой-то странной фразой... «на нейтральной территории»... Чингиз согласился, предложил этот адрес и проверил, существует ли он вообще.

Диптаун часто называют «нейтральной территорией»...

У меня вдруг начинает кружиться голова. Будто я смертельно устала. Или думаю не о том, о чем стоит думать...

— Карина?

Оборачиваюсь и смотрю на Чингиза.

На этот раз он приехал один. А машина та же самая. Теперь я могу ее разглядеть получше — «ягуар».

— Почему-то так и подумал, что найду тебя здесь. — Чингиз неловко разводит руками. — Вначале поехал к памятнику Спамеру. Не нашел, двинулся сюда... вот.

— Вас отключили? — спрашиваю я. Хочется спросить другое. Я говорю не о том! Я делаю не то! Но зато я делаю то, что... разрешено?

Кем разрешено?

— Да, — кивает Чингиз. — Все мои способности... они ничего не стоят, когда провайдер отключает тебя от сети. По одной лишь команде из МВД.

— А как ты вошел? — спрашиваю я.

— По старинке. С телефонной линии. — Чингиз морщится. — Ощущение, будто пересел на «жигули».

— Тоже машина, многие и такой не имеют, — машинально отвечаю я. Иметь машину в *глубине* — уже роскошь, одно время частный транспорт вообще запрещали. А уж иметь виртуальный «ягуар»... налог на него такой же, как и на настоящий. Так же как на виртуальные «Ролексы» и «Патек Филиппы», на виски сорокалетней выдержки... человеческое тщеславие живо и в *глубине*...

— Извини, не хотел обидеть, — искренне говорит Чингиз. — Ну... и что там?

— Ничего. У них все сорвалось, — отвечаю я. И начинаю рассказывать — про водителя, сумевшего вывернуть руль, про убийцу, оживившего лисичку...

Чингиз улыбается все шире и шире. Мне надо спросить его о другом... совсем о другом. О том, где же мы встречались на самом деле!

Но я продолжаю рассказ.

— Я надеялся на это, — говорит Чингиз. — Честное слово — надеялся.

— Почему? — спрашиваю я.

— *Глубина* — это больше, чем принято думать, — убежденно говорит Чингиз. — Это не только среда обитания. Это что-то еще. Мы — частички *глубины*. Она становится такой, какой мы хотим ее видеть. Если бы все хотели заполнить улицы штампованными дайверами — это бы случилось. Но мы не хотели — и *глубина* не позволила.

— Ты говоришь так, будто она живая, — замечаю я.

— А я думаю, что так оно и есть. — Чингиз даже не смущается своих слов. — Сеть стала слишком велика. Нельзя связать воедино миллионы компьютеров и ожидать от этого лишь количественных изменений. Мы оставляем в *глубине* свои следы. Слепки, отпечатки слов, поступков, желаний. Мы... учим ее, что ли? Отдаем частицу души... должна же *глубина* однажды осознать себя.

— Кем? — спрашиваю я. — Растянутой на весь земной шар паутиной проводов и миллионами компьютеров? Электронным Франкенштейном? Монстром, чудовищем, големом, коктейлем из спеси, амбиций, похоти, пустого трепа, заумного философствования? Ты думаешь, что подобная *глубина* сможет понять человека? А человек — понять такую *глубину?*

— Может быть, и не так, — отвечает Чингиз. — Мы ведь не думаем о том, что наш разум — это искорки на паутине синапсов между кашей нейронов. Мы осознаем свою личность, а не уровень гормонов в крови и противоборство древних инстинктов.

Он замолкает, достает сигарету из бело-синей пачки «Милд Севен». И прежде чем закурить, добавляет:

— Во всяком случае, у нас всегда есть выбор, кем себя осознавать. Человеком или големом.

— Чингиз, пойдем отсюда, — прошу я. — У тебя есть здесь любимый кабак?

— Но лучше в настоящей Москве. Есть такой уютный ресторанчик... — начинает Чингиз.

Я качаю головой. Мне кажется, что стоит сейчас закрыть веки и посмотреть в темноту — я увижу что-то, чего не хочу видеть. Бесконечную серую муть, кашу нейронов, помаргивающих огоньками синапсов.

И я не закрываю глаз.

— Начинаю бояться, что на самом деле ты... — Чингиз не договаривает.

Я беру его за руку. Рука настоящая, живая и теплая. Человек, а не голем.

— Чингиз, я не мужик, не малолетка, не старуха и не уродина. Я такая, какой ты меня сейчас видишь. Только такая. Никакой иной Карины не существует.

— Оки, — произносит он после краткой паузы. — Ты извини.

— Да ничего, — садясь в машину, говорю я. — Сегодня такой странный день... представляешь, Томилин решил, что я — проверяющая из другой инстанции, из ФСБ...

— Не произноси этого слова вслух, — шутливо отвечает Чингиз. — А с чего вдруг у подполковника такие тревоги?

— Ну... не смогли пробить мою защиту и проследить канал.

Чингиз кивает. И с уважением признается:

— Я и сам, если честно... попытался отследить тебя. До виртуальной квартиры дошел — и все. Замечательная закольцовка, я так и не понял, в чем фокус.

— Это папа, — без колебаний говорю я. — Он хороший программист. Поставил свою защиту.

— Серьезный папа, — соглашается Чингиз.

«Ягуар» трогается, я откидываю голову. Искоса смотрю на Чингиза.

Как он все-таки похож на рыцаря с моего старого паззла...

Этой мозаике никогда не сложиться до конца. Я знаю. Знаю, даже не закрывая глаз.

Но этого вовсе не нужно знать рыцарю и принцессе.

АТОМНЫЙ СОН

У меня есть несколько старых повестей и рассказов, которые я не переиздаю. В них, наверное, есть что-то интересное — недаром просьбы издать старые вещи постоянно поступают. Но мне кажется, что было бы несправедливо по отношению к неосторожному читателю, купившему новую книжку, обнаружить в ней произведения не слишком-то умелые, ученические. В конце концов, если очень хочется, то можно найти доступ в Интернет и зайти на мою страницу по адресу www.rusf.ru/lukian.

Там все старые вещи есть.

Для «Атомного сна» (выходил еще под названием «Отложенное возмездие») я решил сделать исключение. Во-первых, эта повесть все-таки сильнее остальных «ранних произведений». Во-вторых, для меня она стала одним из переломных произведений. У каждого писателя есть такие вещи — научившие в большей мере его самого, чем читателя.

На «Атомном сне» я учился писать жестко.

На «Атомном сне» я учился любить отрицательного героя.

Я до сих пор помню, как мучительно трудно было мне в ту пору «создавать мир», насыщать его теми или иными деталями. Не хватало чего-то неуловимого... наверное — умения вовремя поставить точку, сделать намек вместо целой сцены.

И все-таки в этой вещи что-то уже стало получаться. Двадцатилетний автор понял это — и возликовал. Эту повесть мне уже не стыдно было показывать на семинарах молодых авторов.

Тот «антивоенный пафос», который есть в «Атомном сне», ушел в прошлое вместе с эпохой глобального противостояния СССР и США, вместе с фильмом «На следующий день» и уроками гражданской обороны. Мир не стал безопаснее, может быть — не стал он и лучше... просто опасности стали совсем другими...

Но, перечитав повесть, я решил, что в ней все же что-то осталось.

Может быть, всего лишь последняя глава.

ЧАСТЬ ПЕРВАЯ. ДРАКОН

1. НОМЕР 13 — ДРАГО

Я шел по его следам второй час. Это было совсем несложно — слон, пробирающийся через посудную лавку, и тот оставил бы меньше следов. Возле большой сосны валялись обрывки бумаги и полиэтилена. Я поднял их, повертел в руках. Остатки армейского пищевого концентрата. Черт возьми, редкая вещь!

Переходя через ручеек, тот, что огибает Семь Холмов и впадает в Биг-ривер, я заметил вмятины в глине. Человек садился здесь... нет, опускался на колени. И пил... Пил, повернувшись спиной к зарослям черной колючки!

Он был либо сумасшедшим, либо отчаянным храбрецом. Впрочем, кто еще мог забраться на мою землю? Я забеспокоился, не то чтобы сильно, но все-таки... Со мной не было Принца, и рисковать не хотелось. Но через минуту я понял, что мои страхи напрасны.

Посреди поля дикой пшеницы, в луже голубоватой крови, лежал здоровенный, двухметровой длины паук. Еще одно свидетельство, что тут кто-то прошел. К тому же этот кто-то или зеленый новичок в лесу, или тронутый. Ну кто же, в конце концов, убивает пауков? Разумеется, это черное бугристое страшилище так и просит хорошего пинка или булыжника. Но стрелять по пауку из автомата? Чужак (так я окрестил его) выпустил в паука по меньшей мере десяток патронов. Пересиливая отвращение, я потрогал дыхальца паука. Они были теплыми и еще влажными. Паук был убит минут двадцать назад.

Дальше я мчался бегом. Автомат мягко хлопал по спине, колючки царапали ноги даже сквозь толстую ткань джинсов. Но меня пожирало любопытство. И на берегу Биг-ривер я увидел чужака...

В лесу кого только не встретишь. Солдат из одичавших гарнизонов, монахов из секты Истинно Верующих или Ордена Братьев Господних, крестьян, пробирающихся от села к селу, ребят из молодежных банд. Но этот чужак был особенный. Во-первых, он был один. Мало кто решается ходить по лесу в одиночку... Во-вторых, он был прекрасно экипирован. На шее у него болтался новенький «люггер», спину оседлал туго набитый рюкзак, одет чужак был в десантный комбинезон восхитительного буро-зеленого цвета. Слишком роскошно для сопляка, которому от силы двадцать лет... А в-третьих, он был беспечен.

Я огляделся, ожидая подвоха. Нет, сопляк был один. И, похоже, собирался переплыть Биг-ривер. Он неторопливо разделся и стал связывать одежду в узел. Делал он это умело, но, Господи, до чего же беззаботно!

Будь это другой чужак, нищий и неинтересный, я не стал бы ему мешать.

Позабавился бы и так, наблюдая из кустов. Но вместе с этим чужаком уходил его «люггер». То есть мой «люггер»! Я взял свой безотказный АК в руки и вышел на берег.

Он обернулся не сразу. Но наконец заметил меня и весь подался вперед. Я приготовился. Сейчас... Он вскинет автомат, и тогда я выстрелю.

Первым.

Чужак не стрелял. Он даже выпустил автомат, а его большие глаза стали еще больше от удивления... и восторга. Восторга? Что он, не соображает, кто я такой? До чужака осталось несколько шагов, и я мог спокойно его разглядеть. Светловолосый мускулистый парнишка, стройный, с симпатичным правильным лицом, пожалуй, даже красивый. Не похож он был на современную молодежь... Чужак наконец-то раскрыл рот.

— Добрый день!

Я оцепенел. Он что, совсем одурел?

— Какой день?

Он растерялся:

— Добрый... день.

Краем глаза я следил за его руками. А сам неторопливо расстегивал свою черную кожаную куртку. Полы распахнулись, и прохладный ветер пробежал по груди. Не ношу рубашек — в лесу трудно их менять, а грязь я терпеть не могу. Чужак сразу на меня уставился. Я знал, что он увидел. Черную татуировку — свившийся в кольцо дракон кусает свой хвост. А в центре кольца — цифра 13.

Я думал, он упадет на колени, зарыдает... Нет. Он пожал плечами, улыбнулся, нерешительно произнес:

— Меня зовут Майк.

Костер разгорался плохо. Майк достал из рюкзака плоский флакон, плеснул. Синеватое пламя ухнуло вверх метра на два. Я медленно скосил глаза в сторону леса. Тихо. По-прежнему тихо. Неужели он действительно один?

Майк протянул мне увесистый полиэтиленовый пакет, взял себе такой же.¹

Все верно, армейский рацион... Из рюкзака выглядывали края таких же пакетов и карнавально яркие донышки консервных банок. Где он достал такие продукты? Небрежным жестом Майк снял с пояса короткий широкий нож, сорвал упаковку. Я раскрыл свой пакет, начал есть, не ощущая вкуса. Майк ел с аппетитом, который, однако, не мешал ему поминутно оглядываться по сторонам. Иногда он задирал голову, смотрел в небо и торопливо опускал взгляд, словно увидел там что-то страшное. Каждый раз при этом я непроизвольно напрягался для броска — такой удобной, беззащитной делалась его поза... И что он так вертит головой? Обычный лес — смесь желтых, бурых, багровых листьев, бугристых широченных стволов, упругой колючей травы, плетями обвившегося вокруг деревьев кустарника. Обычное небо — сплошная серая пелена со светлым пятном солнца в зените и темными полосами дождевых туч, тянущимися у самой земли.

— Хотите? — Майк протянул мне фляжку.

Единственное, что внушало мне уважение к мальчишке, — его немногословность. Да, он вел себя как самоубийца, он даже не понял, кто я такой, но по крайней мере не приставал с расспросами. Я взял флягу, отхлебнул. Это была обыкновенная вода, но с едва заметным привкусом дезинфекции. Ну и щенок! Где он достал такие вещи? А «щенок» склонился над своим рюкзаком, подставляя мне спину. Но я опять пересилил себя. Не мог он вести себя так нагло, не имея надежного прикрытия. Наверняка кто-то держит меня на прицеле. Например, из тех кустов... Я даже пожалел, что так опрометчиво вышел на открытое место. Теперь надо было выжидать... Я снова потянулся за фляжкой. И почувствовал знакомый звон в ушах. Глаза словно выпирали из орбит, во рту возник отвратительный горький привкус. И ведь знаю, что это лишь кажется, а все равно неприятно. Хочется сплюнуть и прижать веки ладонью. Я сосредоточился. «Принц»! Меня обдало теплой волной восторга, еще мгновение — и на окружающий мир наложилась вторая картинка.

Я увидел себя со стороны. Себя, Майка, горящий костер... Принц смотрел на нас из того самого кустарника, где я предполагал засаду. Пришлось оборвать его восторг. «Где-то рядом враги!» Сознание ощутило растерянность Принца, затем в голове словно разорвалась бомба. Не люблю, когда Принц принюхивается! Но сейчас пришлось терпеть. Наконец боль прекратилась, и я снова ощутил мысли Принца. Чужак был один. Несомненно, один.

«Хорошо. Подходи к нам, но осторожно». Резким движением я встал. Именно так легче всего разрывать телепатический контакт.

Майк смотрел на меня недоуменно. И даже не догадался взять оружие...

Хотя я бы этого не позволил. На мгновение я почувствовал к Майку что-то вроде жалости.

— У тебя много продуктов?

Я говорил резко, больше не пытаясь притворяться. Майк покачал головой.

— Тогда зачем ты меня кормил?

Он молчал. Лишь в глазах его появился страх. Я усмехнулся:

— Ты думаешь, что я не причиню вреда тому, с кем разделил пищу?

Майк кивнул и осторожно потянулся за автоматом. Поздно. Принц уже стоял за его спиной.

— Дурак. Драконы не признают людских обычаев.

Принц прыгнул. Майк дернулся и затих под двухсоткилограммовой тушей.

Я снова сел, поднял недоеденный концентрат.

Наверное, с первого взгляда Принц смотрится жутко. Я с ним так давно, что перестал это замечать. Принц еще был большеголовым, умещающимся в ладонях щенком, когда я начал возиться с ним, выпаивать молоком. После того, как сдохли последние коровы, — кровью. А сейчас Принц сам вымахал если не с корову, так с целого теленка. Двести килограммов мускулов, жесткой рыжей шерсти, огромные умные глаза. И пасть, перекусывающая человека пополам.

Майк заворочался, и Принц тихо зарычал. Я посмотрел на торчащие из-под Принца ноги.

— Ты хочешь есть?

Нет, Принц был сыт. Кажется, он поймал шакала в лесу... До сих пор плохо разбираюсь в его рычании... Ну а что же делать с мальчишкой?

Я поднял его рюкзак, вывернул на землю. Спальный мешок, ракетница, аптечка... О великие боги! Рация!

Где он все это достал?

Я посмотрел на Принца и кивнул. Принц не поверил, недоуменно зарычал.

— Отпусти. Убить его мы всегда успеем.

Майк, пошатываясь, поднялся. Сел. Взглянул на Принц и торопливо отвел глаза. Потом посмотрел на меня и неожиданно твердо сказал:

— Я боялся одного — что встречу дурака. К счастью, я ошибся.

Когда наступил Последний День, Роберт Элдхауз, когда-то посредственный бейсболист, а сейчас не более удачливый бизнесмен, ехал в поезде. Сам глава фирмы «Элдхауз систем» (Электронная техника для спортсменов) предпочитал пользоваться самолетом. Но сейчас он путешествовал с семьей, а его жена панически боялась летать...

Две боеголовки советской баллистической ракеты накрыли какой-то городок в тридцати милях от них. Взрывной волной поезд, идущий по гребню холма, сбросило с рельсов. Роберт выпрыгнул в открытое окно — спортивная реакция не оставила его и в сорок лет.

...В горящих вагонах что-то трещало и взрывалось. Сквозь рев пламени прорывались крики. Небо на глазах затягивалось серой пеленой. Роберт еще не знал, что он больше не увидит солнца. Он сидел на порыжевшей от жара и все выжигающего света траве и мотал головой, стараясь прийти в себя.

Наконец его вырвало — и сразу стало легче. Он долго смотрел на вагон, в котором был минуту назад. Потом вскочил и бросился в огонь.

Стальные листы обшивки раскалились, а краска на них выгорела. Пламени почти нигде не было видно, и Роберт понял, что это поработало световое излучение атомного взрыва. Выбив ногой одно из стекол, он соскользнул вниз, на стену, превратившуюся в пол. Где-то снизу разгорался огонь — воздух заволакивало едким дымом пластмассы, начинало щипать глаза. Больше всего мешала полутьма — неподвижные фигуры людей казались неотличимыми друг от друга. Скатываясь с холма, вагон несколько раз перевернулся, и почти никто из пассажиров не остался в сознании. Лишь в углу, держась за кресло, стояла женщина. Роберт потянул было ее к выбитому окну, но та лишь еще сильнее вцепилась в подлокотник. Оставив ее, Роберт двинулся по вагону. Жена и двое детей сидели почти в середине. Но сейчас он не мог даже определить середину вагона. Наткнулся на что-то, чуть не упал. Перед ним сидел насмерть перепуганный мальчуган. Роберт схватил его, приподнял.

Нет, это был не его сын... Роберт помог мальчишке выбраться в окно. И пошел дальше, нагибаясь к каждому телу. Помог выбраться кому-то еще. Как и когда выбрался сам, Элдхауз не помнил. Но случилось это лишь после того, как он понял, что забрался не в тот вагон...

Стемнело, но на горизонте с двух или трех сторон проступал дрожащий багровый свет. От поезда остался черный и обугленный стальной каркас, похожий на скелет исполинского змея. Немногие уцелевшие пассажиры уже разбрелись, поодиночке или кучками. К Роберту несколько раз подходили, звали за собой, но он лишь качал головой. Ему некуда и не с кем было идти.

И когда затихли последние голоса в тишине, наполненной потрескиванием остывающего металла, он почувствовал облегчение. Кончилось все. Абсолютно *все*.

Роберт подошел к жарко дышащей груде железа, протянул руку к металлу... Но вспыхнувшая в ладони боль не принесла ни облегчения, ни забытья. Он закрыл глаза и уже подался было вперед, на равнодушные, раскаленные стальные листы, когда услышал за спиной шорох...

В темноте Элдхауз не мог разобрать лиц двух подростков, стоявших за ним. Он с трудом выдавил:

— Что вам нужно?

Мальчишки попятились.

— Зачем вы за мной ходите?

Один из мальчишек сдавленно произнес:

— Вы нас из поезда вытащили...

Роберт опустился на колени, вжал лицо в жирный черный прах.

Спас... Да. Этих спас. А своих — нет!

Кто-то потрогал его плечо.

— Мы нашли бутылку с водой.

Роберт поднял голову. Долго смотрел на грязное мальчишеское лицо.

— Пейте. Как тебя зовут?

— Рокуэлл.

Мальчишка достал из кармана монетку и пытался ею содрать пробку.

— А его?

— Я не знаю. Он почему-то молчит...

2. СОГЛАШЕНИЕ

— Я гарантирую!

Майк не отводил взгляда. Но меня так просто не проведешь.

Гарантировать можно что угодно, тем более в его положении. Чтобы выиграть время, я переспросил:

— Ящик патронов? Два пулемета?

— Да. И продукты. Лекарства тоже...

Он немного приободрился. Видимо, понял, что меня заинтересовало его предложение. Впрочем, кого бы оно не заинтересовало?

— Двести миль...

Я действительно колебался. К тому же во всем этом проглядывал оттенок унижения. Дракона нанимают как охранника! Да, если отбросить все словесные выкрутасы, Майк предлагает мне стать проводником... Посмотрев на Принца, я спросил:

— Ну что, повеселимся?

Принц не так меня понял... Выпустил когти, протянул к голове мальчишки лапу.

— Прекрати! Нельзя убивать!

...Что-то слишком облегченно он вздохнул.

— Пока не надо!

Я взял Майка за воротник, поднял.

— Запомни, щенок!

Принц одобрительно зарычал.

— Я не вступаю с тобой ни в какие сделки! И ничего тебе не обещаю. Просто мне сейчас скучно.

Он торопливо кивнул.

— Мы пойдем вместе. Но в любую минуту я могу передумать. Понял? Если ты будешь наглеть, я не дам за тебя и стреляного патрона!

Майк как-то обмяк. Жалко пробормотал:

— Мне нужно туда дойти. Очень нужно...

Я отпустил его и стал снова рыться в вещах.

Видимо, Элдхауз сориентировался правильно. К утру они вышли на дорогу. Магистраль государственного значения L-39.

Обычно здесь мчался непрерывный поток машин. А сейчас было тихо.

Они сели на обочине и стали ждать. Через полчаса раздался ровный мотоциклетный гул. За рулем огромной ярко-синей «хонды» сидел парень лет двадцати. Зеркальная пластина шлема прикрывала ему пол-лица.

— Постойте!

Элдхауз отчаянно замахал руками. Мотоциклист резко сбавил ход.

— Это война? Вы знаете, что случилось? Где президент?

Роберт бежал рядом с мотоциклом, выпаливая один вопрос за другим.

Мотоциклист молчал, лицо его было абсолютно бесстрастным... Он вдруг крутанул руль, бросая мотоцикл на Элдхауза.

Роберт почувствовал тупой удар. Услышал затихающий рык мотора. И наступила тишина.

Рокуэлл долго тормошил его. Роберт Элдхауз лежал с закрытыми глазами и думал. Вставать не хотелось. Но он встал.

— Молодец, — глядя в ту сторону, куда умчался мотоциклист, проговорил Роберт.

Рокуэлл замотал головой так энергично, что аккуратная светлая челка упала на глаза.

— Он злой!

— Злой? А я?

— Добрый...

— Странное слово... Никогда такого не слышал!

Роберт рассмеялся и потрепал растерявшегося мальчишку по голове.

— Понятия зла и... противоположного действия утратили свой смысл.

Отныне и навсегда! Аминь!

Я уже и забыл, что существуют такие карты. Тоненькие листки плотной бумаги с четкими, цветными линиями рельефа.

Майк ткнул пальцем.

— Сюда!

Посмотрев, я расхохотался.

— В горы? Дойти до Скалистых гор? Ты с ума сошел, щенок...

— А в чем дело?

Меня трясло от смеха.

— Да ты подумай своей пустой головой! Пройти сто миль по лесу!

Ладно... Забудем про фермеров, про банды, про монастыри и гарнизоны...

Пройдем! Потом переправимся через Правый Приток... Я однажды переправлялся. Но дальше! Сто миль по чужому лесу!

— Ну и что?

— Как ну и что?

Он вдруг усмехнулся:

— Драконы так далеко не летают?

Щенок. Я просто задумался о том, что с ним сделаю. Вот и упустил момент. Он сказал:

— Отпусти меня. Возьми все — оружие, вещи. Только отпусти.

— Зачем?

— Я пойду в горы. Я должен!

Он не врал, я видел это. Отпусти его — он пойдет, пойдет голым через лес, этот странный чужак, боящийся пауков и не пугающийся дракона...

Господи, какой же величины куш ждет его в конце дороги? Я снова взял карту.

Это был странный лагерь. Обычно беженцы собираются семьями, строят дома, убежища. А здесь все казалось временным. Шалаши, палатки. Это было странным, тем более что шеф лагеря, молчаливый сорокалетний мужчина, не производил впечатления беспечного человека. С невероятной энергией и везением он совершал налеты на уцелевшие фермы. В первую очередь его интересовало оружие и продукты. Вокруг шефа была лишь небольшая группа людей. Шестеро или семеро мужчин, по-видимому, посвященных в его планы и безоговорочно ему доверяющих.

И еще одной странностью отличался лагерь. Здесь охотно принимали беспризорных детей, которых выгоняли из всех нормальных лагерей. Кому они были нужны? Лишние рты и слабые руки... А выжить с каждым днем становилось все труднее. Серая пелена, затянувшая небо в Последний День, не рассеивалась ни на минуту. В конце июля ударили первые заморозки. И странно было видеть деревья, не сбросившие листвы и под снегом. Их листья порыжели, кора покрылась бугристыми наростами, но они жили.

Наперекор всему.

Я забрал у Майка «люггер», новенький пистолет, нож, гранаты, патроны.

Прекрасное вооружение... Я последний раз видел гранату год назад. Рюкзак с вещами я отдал мальчишке — пусть тащит. Честно говоря, ни к какому выводу я еще не пришел. Но убивать Майка пока не было нужды.

Я шел вслед за пленником. Впереди, прокладывая дорогу, — Принц.

Цепкие стебли вьюнков, тянущиеся между деревьев вперемежку с бурыми плетями паутины, лопались под его напором. А пауки, сидящие на нижних ветках деревьев, начинали униженно шипеть и сворачиваться в мохнатые шары.

Так и подмывало ткнуть их стволом. Но я сдерживался. В конце концов, сам выбрал эту дорогу, через пригорок, — самое паучье место в лесу. Уж очень забавно мальчишка втягивал голову в плечи, проходя под пауками... Откуда он пришел, что никогда не видел пауков? Может, из болот? Не похоже. Болота — это владения бритоголовых, из банды хромого Джека. Из гарнизона? Вблизи Сан-Сити еще есть... Но это слишком далеко, «щенок» бы не дошел.

— Откуда ты идешь?

Майк дернулся. Помолчал и ответил:

— Я не могу этого сказать.

Ладно. Я усмехнулся. Захочу — расскажешь. Все расскажешь. И где оружие брал, и зачем идешь в горы. Но пока я не спешил. К тому же я уже понял, откуда взялся «щенок». Лишь в монастыре, за толстыми каменными стенами, можно вырасти таким сильным, умным и... сопливым. И только монахи держат себя более или менее независимо перед драконами.

Интересно лишь, кто он: Истинно Верующий или Брат Господний. Майк прервал мои мысли:

— Скажите, а почему вы называете себя драконом?

...Это уже слишком. Задавать с невинным видом такие вопросы...

Пожалуй, Истинно Верующие так держаться не умеют. Такая игра под силу только Братьям. Да и креста Майк не носит, а Истинно Верующего и под страхом смерти не заставишь снять его.

Я с гордостью понял, что разгадал «щенка». И ответил:

— Я называю себя драконом потому, что я не человек.

3. ДРАКОНЬЯ ОХОТА

Они стояли длинной нестройной шеренгой. Несколько взрослых и десятка четыре подростков, пестро и не по размеру одетые. Шеф лагеря молча смотрел на них. Уже стемнело, накрапывал мелкий дождик, и пламя факелов то и дело опадало, грозя погаснуть. Рокуэлл взял Немого за руку, прошептал:

— Чего Элдхауз тянет...

Немой кивнул. Словно услышав слова Рокуэлла, Роберт разжал губы:

— Мы живем здесь уже сорок семь дней.

Он обвел людей долгим, нестерпимым взглядом, словно ожидая возражений. Но все молчали.

— И все эти дни я думал о человечестве.

Элдхауз говорил негромко, и крайние осторожно приблизились к нему.

— Я думал, как выжить людям... И понял: род человеческий обречен.

В словах Элдхауза была жутковатая, страшная в своей непоколебимости уверенность. Он увидел, как дрогнули лица вокруг, и довольно улыбнулся.

— Но обречены ли мы? Да, если мы останемся людьми. Нет — если мы перестанем быть ими. Вы спросите как? Мы не властны над своим телом, оно навсегда обречено быть слабым, человеческим. Но мы властны над своей душой! Вы думаете, самое страшное в нашем перевернутом мире — радиация? Или холод? Самое страшное — внутри нас! Самая страшная вещь, которая делает человека человеком, — это доброта!

Он перевел дыхание. Заговорил быстрее, повышая голос:

— Вы последний раз услышали это слово! Его больше нет! Мы вырвем его из своей памяти! Мы перестанем быть людьми — и останемся жить.

— А кем же мы станем?

Это выкрикнул тонкий светловолосый парнишка, стоящий почти рядом с Рокуэллом. Элдхауз кивнул:

— Хороший вопрос! Мы можем называть себя как угодно. Например, драконами.

— Я не хочу быть драконом! — Голос светловолосого срывался.

Рокуэлл вдруг метнулся к нему, с размаху ударил в лицо. Роберт словно не заметил случившегося. Лишь по губам скользнула усмешка. Он перевел дыхание, на секунду замолчал.

— Всем лечь!

Они попадали в грязь, машинально, повинуясь силе его голоса. А Элдхауз говорил и говорил...

— Я проведу вас через кровь и грязь. Лежите! И думайте о том, что с этого дня вы перестаете быть людьми. Начат отсчет новой эры.

Эры драконов!

Мы поели из запасов Майка. Я прикинул — их должно было хватить на неделю. Майк поднял на меня глаза:

— Мы заночуем здесь?

— Устал?

— Я могу идти дальше. Мы должны спешить.

Молодец. Хоть и сопляк... Братья Господни все такие. Они вообще крепкие ребята, а уж если Орден поставит перед ними задачу... Лишь одно меня удивляло — почему Братья попросили моей помощи? Неужели поняли, что в лесу есть только одна сила — драконы... Хорошо бы.

Я поднялся, отошел от костра. Расстегнул джинсы, помочился. Может, действительно здесь заночевать? Деревья вокруг были не совсем рыжие, а какие-то зеленовато-бурые. Люблю такие места в лесу. Да и мох здесь рос очень густо, нетрудно будет нарвать для постели. Я потянулся, посмотрел вверх, на ровную сероватую пелену. На западе, где садилось солнце, она была чуть светлее. В последние годы тучи стали совсем слабыми. Днем в небе видно светлое пятно, там чертит свой путь солнце. А двадцать лет назад трудно было отличить день от ночи. Тучи — свинцово-серые, то и дело валил снег. Воздух сухой и колючий. Выйти без обмотанного вокруг лица шарфа — самоубийство. Господи, как тогда было холодно!..

— Бегом!

Элдхауз надрывался зря. В таком снегу не побежишь. Серые, грязные сугробы доставали почти до пояса. А под ногами была не земля — тоже снег.

Только утрамбованный. Рокуэлл шепнул Немому:

— Под нами метров пять снега! Вот если корка провалится...

— Бегом!

Сам Элдхауз шел на лыжах. И пятеро мужчин с автоматами тоже. В полутьме, которая теперь означала день, они не сразу заметили, что вышли к цели. Но вот Элдхауз поднял руку. Один за другим они остановились. Хруст снега прекратился, слышалось лишь шумное дыхание полусотни разгоряченных парней. Элдхауз медленно указал вперед:

— Там...

Сквозь деревья проглядывали огоньки. Роберт Элдхауз изменившимся голосом произнес:

— Джереми, раздай ножи.

Стоящий рядом с ним мужчина сбросил с плеч рюкзак. Звякнула промерзшая сталь. Элдхауз быстро, украдкой, перекрестился.

Я улегся спать, прижимаясь к спине Принца. Так было уютнее. А «щенок» лежал под лапами Принца. Ему не убежать, пока я сплю... В общем-то он неплохой парень, этот Майк. Сильный, целеустремленный. Если бы его поднатаскать, обучить жизни в лесу, выбить из головы всю монашескую дурь... Черт возьми, из него вышел бы прекрасный дракон!

Когда-то я сделал двух драконов. Одного убили «лесные волки» — была такая мелкая банда. Я потом разыскал их логово и вырезал всех. А другой дракон — он выбрал себе странную кличку Агасфер — жив и поныне. Говорят, что он подался куда-то на север.

Мысль была интересной, ничего не скажешь. Насолить Братьям Господним, убив их посыльного, — это одно. Пользоваться их складами, пополнить свои запасы — другое. А вот перевербовать Брата Господнего... Я медленно засыпал и, услышав глухой протяжный звук, даже не сразу понял, в чем дело. Наконец сообразил — это у Принца урчало в животе.

У окраины поселка топтались двое часовых. Наверное, им полагалось дежурить в разных местах, но они сошлись для беседы — последней в их жизни.

Из темноты, из близкого леса, к ним метнулись две стремительные тени — не таясь, открыто и неотвратимо. Содрать с плеча винтовку, когда на тебя напялено от мороза несколько слоев теплой одежды, это дело не быстрое.

Немой прыгнул на своего часового, когда тот снимал М-16 с предохранителя. Отточенный нож полоснул по лицу, и часовой, выпустив оружие, с криком опустился на снег. Второй удар был точнее. Вырвав из разжавшихся пальцев винтовку, Немой оглянулся.

Его напарнику везло меньше. Его противник сообразил не снимать с плеча оружие, а просто встретить нападающего ударом. С разбитым в кровь лицом подросток отлетел в сторону. А часовой уже вскидывал автоматическую винтовку...

Джереми выскользнул из темноты и не целясь, от пояса, выстрелил из пистолета. В ночной тишине не помог даже глушитель, выстрелы прокатились двумя отчетливыми хлопками. Джереми поморщился и взмахнул рукой — вокруг замелькали, разбегаясь к домам, тени.

Подойдя к часовому, помощник Элдхауза выстрелил еще раз. Потом, повернувшись к неудачливому дракону, разрядил обойму до конца. Взглянул на Немого и снизошел до объяснений:

— Приказ Элдхауза. Такие нам не нужны, верно, Немой?

Немой посмотрел на лежащего подростка. Тот казался скорее спящим, чем мертвым. И вдруг глухо, отрывисто произнес:

— Я... не Немой... Я — драко... — Спазм сжал ему горло, и мальчишка не договорил. Прижал ладони к шее, тихо прошептал: — Я дракон...

Джереми словно и не удивился. Качнул головой.

— Молодец, Дра-ко... — передразнивая бывшего Немого, произнес он. — Пошли!

Они вбежали в ближайший дом. Двери оказались распахнуты, а в первой же комнате они наткнулись на Рокуэлла и светловолосого. Те молча смотрели на раскрытую постель, в которой, кутаясь в одеяло, ежилась от их взглядов молодая женщина. Свет мощной аккумуляторной лампы, стоящей на столе, отражался в ее огромных от испуга глазах.

Джереми крепко взял Рокуэлла за плечи:

— Марш!

Следом вылетел светловолосый. «Немой» вышел сам. Джереми хотел было его подтолкнуть, но поймал спокойный, холодный взгляд и убрал руку.

Дверь он закрывать не стал...

Во второй комнате было две кровати. Одна заправлена, другая смята и пуста. У стены, прикрываясь занавеской, отдернутой с окна, стояла девчонка — чуть старше их самих, лет четырнадцати-пятнадцати.

Ниоткуда не доносилось ни звука, лишь за дверью слышалась возня.

Драконы застали поселок врасплох.

Светловолосый посмотрел на девчонку, на Рокуэлла. Просяще сказал:

— Не надо...

Девчонка, не отрывая от них взгляда, переступила на полу босыми ногами. Из-под занавески мелькнула розовая пижамка с кружевной оборкой чуть ниже колен.

— Почему? Мне уже четырнадцать, и я чувствую в себе силы на этот подвиг! — Рокуэлл долго хохотал. И добавил: — Я думаю, что и у тебя получится. Да и Немой не подведет. Верно?

Немой кивнул. И спокойно вытащил девчонку из-за занавесок.

— Немой, опомнись! Она же ни при чем! — Светловолосый дернулся к Немому. Тот повернулся и тихо, выделяя каждое слово, сказал:

— Она — человек. Мы — драконы.

Рокуэлл и Светловолосый ошарашенно переглянулись.

Я послал Принца на разведку. А сам завалился в траву, наслаждаясь утренней тишиной. «Щенок» Майк еще спал. Да, недалеко бы он ушел один.

Висящий на ветке паук проснулся. Выпучил глаза, повращал ими. Вытянул длинные мохнатые ноги и скрылся в листве. Они очень умные, эти пауки. И ведь появились-то лет десять назад, а раньше этой гадости и в помине не было. А тогда — как наводнение. Рыжие, бурые, черные, даже белые — альбиносы — попадались. Большие, маленькие, гладкие, словно облитые лаком, и заросшие короткой щетинкой, чем-то похожей на шерсть. В лесах началась паника. Прошел слух, что пауки ядовиты и пьют кровь. Говорили даже, что их взгляд завораживает, гипнотизирует. Вот ведь до чего доходило. Я одним из первых разобрался, в чем дело. Поймал в лесу монаха, кажется, из Ордена Братьев Господних, посадил его в яму, где уже неделю бегал паук. Там все стенки были белыми от паутины. Монах тоже стал белым, он поседел за одну ночь. Но я убедился, что пауки сами боятся людей как огня.

В моей голове взорвалась водородная бомба. Это Принц выходил на связь. Когда он очень возбужден, то плохо соизмеряет силу передачи.

Я принял его картинки (словами Принц говорил медленно) и вскочил.

Хотел было пнуть Майка, но передумал. Потряс за плечо.

— Эй, щенок! Майк! Вставай!

Он раскрыл глаза мгновенно, словно и не спал. А ведь действительно из него может выйти толк!

4. СВЯЗАННЫЕ КРОВЬЮ

Они остались в разграбленном лагере. Здесь были настоящие дома, а морозы все крепчали. И хотя из драконов лишь двое были легко ранены (про убитого Джереми паренька старались не вспоминать), блуждать по лесам не стоило.

Рокуэлл, Светловолосый и Драго (так, незаметно огрубившись, звучала теперь его кличка) поселились в одной комнате. Странно, что связывало эту троицу? Если Рокуэлл и Драго дружили еще со времен Последнего Дня, то Светловолосый... Казалось, что он ненавидит своих соседей по комнате. Но именно Светловолосый попросил поселить их вместе.

Рокуэлл сидел в кресле. Лениво, ни к кому не обращаясь, он говорил:

— Вот когда-то здесь был кемпинг... Потом поселились ротозеи. Теперь мы, драконы. А после нас...

— После нас никого не будет. Когда мы уйдем, мы сожжем лагерь, — медленно сказал Драго.

Их было шестеро. Видимо, из какого-то поселения. Шестеро и два дробовика. Чушь. Я кивнул Майку — оставайся на месте — и вышел из-за деревьев.

Увидев меня, они остолбенели. Бородатый, заросший волосами, как паук щетиной, здоровяк, который мешал в котелке варево, так и замер с ложкой в вытянутой руке. Я шел неторопливо — драконам ни к чему спешить. Они сгрудились по другую сторону костра, пригибая головы по мере того, как я подходил. Не останавливаясь, я прошел сквозь огонь. Это эффектно, хотя если разобраться... Толстые ботинки, заправленные в них джинсы — я не успевал даже почувствовать тепла.

— Счастливой охоты, Великий Дракон!

Они тянули приветствие нестройными дрожащими голосами. Лишь у одного голос не дрожал. Я поймал его взгляд, полный ненависти. Хорошо, запомним...

— Кто такие?

Я пнул одного из них, тот сразу вскочил и затараторил:

— Великий Дракон, мы бедные путники, мы идем в монастырь Истинно Верующих, что на Серых Холмах, мы...

— Монахи?

— Нет, Великий Дракон! Мы больные, жаждем исцеления.

Меня разбирал смех. Все они назывались больными, попав в лапы к дракону.

— Оружие!

Я неторопливо согнул стволы их ружей о колено.

— Теперь убирайтесь!

Они переглянулись, еще не веря своей удаче. Тот, который смотрел с ненавистью, опять поднял глаза:

— А вещи?

Нахал. Я лениво, с оттяжкой, съездил ему по морде. И добавил:

— Забирайте!

Прошла секунда, и они исчезли с поляны. Лишь костер горел.

Я негромко позвал:

— Принц! Майк!

Они вышли из зарослей, подошли к костру. Я кивнул Принцу и сказал:

— Тот, наглый, который получил по роже. Понял?

Принц мотнул головой и мягкими неслышными прыжками умчался в лес.

Майк не обратил на это внимания. Торопливо заговорил:

— Драго, но это... невозможно! Их же было шестеро... Здоровые, сильные, с винтовками. Почему они вам подчинились?

Я пожал плечами:

— Я дракон. Они боятся.

— Ну, я понимаю, дракон... То есть очень сильный, смелый.

Безжалостный. Но их же шестеро!

Сквозь влажную желтизну деревьев донесся затухающий крик.

— Было шестеро. Теперь пятеро.

Майк нахмурился.

— Но...

— Принц. Ему тоже надо питаться.

Он еще не понимал:

— Он ест людей? Вы ему позволяете? Этот зверь — людоед?

— Принц не зверь, — спокойно ответил я. — Он тоже дракон.

Лицо Майка стало снежно-белым.

— А вы?

Шел дождь. Первый дождь после трехлетней зимы. Рокуэлл машинально отметил, что почти таким же был день, когда Элдхауз объявил о своей цели.

Драконы. Эра драконов... Рокуэлл усмехнулся. Роберт, конечно, любитель громких фраз. Но лишь ему они обязаны жизнью.

В низких, тяжелых тучах чиркнула молния. Нехотя прокатился гром.

Сорок семь драконов сидели вокруг костра — огромного, небывалого костра, пожирающего десяток разбитых домов поселка. Они разнесли все за неполный час. С хрустом ломались стенки из прессованной фанеры, белым конфетти высыпался пластиковый теплоизолятор. Звенели стекла, со скрежетом сползали с петель двери... Они стащили обломки в центр поселка, и Джереми полоснул по ним из огнемета.

Элдхауз вышел к костру. Резко, коротко улыбнулся:

— Как настроение? А, драконы?

Ему никто не ответил. Элдхауз выглядел сегодня странно, как никогда.

Он почему-то не надел свой широкий пояс, на котором неизменно висела кобура с крупнокалиберным «магнумом». На нем не было ни куртки, ни свитера — тонкая светлая рубашка липла к телу, рисуя сильную мускулистую фигуру. И суетливая поспешность движений, словно Роберт или торопился куда-то, или был до предела взвинчен.

— Вы думаете, что мы уходим в другой лагерь? Перережем десяток-другой людей и будем греть зады?

Против воли Рокуэлл ощутил глухое раздражение. Элдхауз зря говорил таким тоном. Перед ним были не сопляки-мальчишки, как три года назад.

Перед ним сидели драконы — пусть созданные им самим, но драконы. Пламя, которое разжигаешь сам, обжигает так же больно, как и чужой огонь.

— Никаких лагерей больше не будет, — четко произнес Элдхауз. — Вы — драконы. И сила ваша — в одиночестве. Вряд ли еще раз вы соберетесь так, все вместе. Любой из вас сможет выжить в лесу один и победит в единоборстве любого врага. И даже если придется кому-то звать на помощь других драконов, вы должны оставаться одиночками.

Роберт поднес к лицу руку с часами, неопределенно кивнул, словно рассчитывая что-то, и продолжал:

— Найдутся в лесу люди, стреляющие лучше, чем вы. Найдутся люди сильнее и осторожнее, с хорошим оружием и надежными укрытиями. И лишь бесчеловечнее найтись не должно.

«И не найдется», — подумал Рокуэлл. После этого, первого их лагеря, они разгромили еще множество поселений. Прошлый год в поисках новых жертв им приходилось совершать стомильные рейды — никто не решался селиться вблизи логова драконов.

— Вы удивлялись, когда из каждого поселка я приказывал отпустить кого-нибудь одного, видевшего все происходящее. Вы злились, когда я заставлял убивать только ножами. Но я знал, что делаю. Я создавал вам славу — славу чудовищ, самых диких зверей леса. Сильнее убежищ вас будет охранять всеобщий страх. Быстрее пули будет убивать само ваше приближение. Вас будут бояться, и вам будут подчиняться, если каждый из драконов будет нечеловечески жесток.

«Да что ты заладил... Мы такие, какие есть, и другими нам уже не стать», — подумал Рокуэлл. Скользнул взглядом по драконам, отыскивая Драго. На лицах читалось легкое раздражение. А Драго... Он очень странно смотрел на Элдхауза.

— Я не буду придумывать для вас законы... Это ваше дело. И смену себе вы воспитаете сами. А в драконы я не гожусь. Во мне слишком много от человека. Я делал то, что было необходимо, — и презирал себя за это. Я любил вас — и ненавидел.

Рокуэлл вздрогнул. Он понял, что сейчас произойдет.

— Теперь наступает ваше время, время драконов. И пусть ничто не связывает с прошлым новых властителей мира. Будьте безжалостны!

Элдхауз уже кричал, и фигура его на фоне костра дергалась, как марионетка.

— Скрепите свой первый день человеческой кровью, драконы! Превратившись в зверей, будьте ими до конца! Ну! Драконы!

Кто-то закричал в неподвижном ряду. Вскочил, поднимая с колен автомат. Щелканье затворов волной пробежало по драконам и утонуло в автоматном треске. Из костра фейерверком встали снопы искр — пули дырявили человеческое тело и дробили пылающее дерево.

Первым к Элдхаузу подошел Драго. И вздрогнул — Роберт был еще жив. В него попало лишь несколько пуль. Вокруг метались драконы. Светловолосый громко кричал: «Джереми, паскуда, выходи к нам!» А Роберт ускользающим взглядом следил за Драго. Губы его шевельнулись, и Драго услышал:

— Как я с вами устал, драконята...

Драго опустился на колени и припал губами к рваной, сочащейся темной кровью ране на груди Элдхауза.

5. ИМЕНЕМ ОРДЕНА

Майк шел сзади и продолжал нудеть:

— Вы зверь. Чудовище. И почему я с вами иду...

— Я дракон. А идешь ты потому, что я дал тебе пинка.

У меня потихоньку портилось настроение. Уже наступал вечер, мы отмахали по лесу порядочный кусок, не встретив никого на пути. День был хороший, теплый. Но «щенок» все нудел и нудел. Сколько можно! Подбежал Принц, мягко ткнулся носом в плечо. Я тут же принял его мысль: «Надоел».

Точно... Я остановился, поджидая Майка. Куртка на нем была расстегнута, рюкзак сполз. Смотрел он куда-то себе под ноги и чуть не наткнулся на меня. Я аккуратно взял его за плечи, приподнял так, чтобы не доставал до земли, и заговорил:

— Ты мне надоел. Или мы идем дальше и ты больше не говоришь ни слова по поводу... В общем, понял. Или я отдам тебя Принцу.

Я отпустил Майка, и он устоял, лишь чуть покачнулся. Долго смотрел на меня. Потом сказал:

— Идем дальше, Драго?

— То-то...

В его глазах что-то блеснуло.

— Просто я должен дойти.

Неожиданно я поверил ему. Поверил, что он испугался не моей угрозы, совершенно серьезной, а того, что не дойдет до цели. Фанатик монастырский...

Вскоре мы набрели на ручеек и дальше шли по его берегу. Принц по воде ходить не любил. Он рявкнул и исчез в зарослях. Майк вдруг сказал:

— А знаешь, Драго, почему ты не убил меня?

Я усмехнулся:

— Конечно, знаю. У меня мало патронов, ты обещаешь достать. Ну и к тому же... — Я снисходительно посмотрел на Майка: — Мне понравилось, что ты не трусишь. Из тебя толк может выйти.

Он грустно улыбнулся:

— Я просто не знал, кто ты. А так бы испугался. Я вовсе не смелый, Драго. Дело в другом. Ты не можешь понять. Кто я, откуда, зачем иду через лес? Вот и не убиваешь. Тебе интересно. Ты хочешь разобраться во мне.

Я достал нож. Покрутил у Майка перед носом.

— Хочешь, отрежу уши? И дальше по кусочкам. Пока все не расскажешь.

Майк побледнел, но ответил твердо:

— Это будет совсем не то, ты же сам понимаешь.

А ведь верно! Понимаю. Спрятав нож, я пробормотал:

— Да что в тебе разбираться? Монах ты. Послушник...

Майк не ответил. Мы прошли еще с километр, сели передохнуть. Я сгреб целую кучу листьев, устраиваясь поудобнее, мальчишка последовал моему примеру. Раньше листья на деревьях опадали только осенью, теперь же сыплются и вырастают вновь постоянно. Даже и не поймешь, чего они падают, такие же крепкие и красновато-бурые, как и те, что остаются на ветках.

— Драго, а ты всегда был один? — негромко спросил Майк. Я уже собирался задремать, но тут сон исчез.

— Нет. Не всегда.

Драго подобрал девчонку, когда погоня уже настигала ее. Он перебинтовал ей простреленную руку, прислонил к дереву, коротко бросил: «Сиди здесь!» — и вышел на тропинку, навстречу захлебывающемуся собачьему лаю.

Собаки вырвались слишком далеко вперед. Драго скосил всех трех одной длинной, уверенной автоматной очередью. И стал ждать хозяев, даже не пытаясь спрятаться.

Двое парней бежали по склону, перепрыгивая через принесенные весенним паводком коряги, размахивая руками. Они не умели хорошо бегать — слишком уж мотались у них руки, слишком широкими, неустойчивыми были шаги... Драго смотрел на них презрительно. Вот когда бежит дракон... Это словно черная тень, бесшумно скользящая между деревьями.

Один из преследователей увидел Драго, поднял автомат. Другой толчком выбил у него оружие, прошипел:

— Ты что! Это же дракон!

Питомцы Элдхауза лишь три года назад разбрелись по лесам. Но не было человека, не знающего, кто такие драконы!

Драго с любопытством смотрел на парней. Они были наголо выбриты, оба в черных широких рубашках, не заправленных в брюки.

— Истинники? — спросил Драго. Об Истинно Верующих он только слышал, сталкиваться с ними не доводилось.

Парни молчали. Но Драго и не ждал ответа.

— Пошли вон. Девчонка моя.

Один сразу начал пятиться. А тот, который порывался стрелять, выкрикнул:

— Не понравится это нашим! Смотри, дракон!

Автомат в руке Драго качнулся, и парни ускорили шаги. Проводив обоих насмешливым взглядом, Драго вернулся к девушке. Молча уселся рядом.

Что можно сделать с женщиной, Драго знал прекрасно. А вот о чем с ней говорить...

Дракон не имеет права уставать. Он должен быть неутомимым. А я устал.

Сопляк Майк идет впереди как заведенный. Меня брала злость, и я уже специально ускорял шаги.

Доускорялся... Мы продирались сквозь заросли черной колючки, и я был настороже. А вот когда вышли в обычный лес, расслабился. Принц бежал впереди, и я невольно полагался на него. Мы с Майком почти одновременно вышли на поляну. Сделали несколько шагов в высокой желтой траве...

Все-таки я услышал щелчок предохранителя. За секунду до выстрела, за полсекунды. Но в это мгновение я успел повалить сопляка и упасть сам.

Пули секли траву над моей головой. Срубленные травинки щекотали затылок. Ясно — целились не в мальчишку. В меня, в дракона. Я не мог даже пошевелиться. И два автомата, валяющиеся рядом, были бесполезны...

— Драго! Оружие!

Я почти не колебался. Все равно десяток секунд — и мне крышка.

Сильно толкнув автомат назад, к Майку, я откатился в сторону. Отзываясь на мое движение, пули зашлепали совсем рядом.

Майк сжался, подтянул ноги. И вдруг вскочил. У него было две-три секунды, даже меньше. Но те, кто сидел в засаде, не успели перенести огонь на мальчишку.

Автомат в руках Майка выписывал затейливые фигуры. Я не сразу понял, что он намеренно стреляет по широкому сектору. Отработанные гильзы серебристой лентой вылетали из автомата. Но вот грохот выстрелов смолк.

Майк опустил оружие. Тишина.

— Идем, дракон.

Мы подошли к кустам, где сидели нападавшие. Впрочем, кустов уже не было, из взрытой земли торчали какие-то ком-

ли, все засыпала белая щепа и ядовито-желтые листья. Полу-
присыпанные этой трухой, лежали трое. Серые странного по-
кроя плащи не оставляли сомнений.

Братья Господни.

Я посмотрел на Майка, но тот был спокоен. Так спокоен,
словно не он застрелил этих людей.

У одного была размозжена голова. Второй еще дышал, пули
попали ему в живот. А третий... Интуитивно я понял, в чем
дело. Хорошенько двинул его под бок. Он взвыл и открыл
глаза. Не давая опомниться, я подхватил его, швырнул в сторону. Брат Господний налетел на дерево, медленно осел по
стволу, задирая голову и снова закатывая глаза.

— Не верю, — сказал я, подходя ближе. Монах опустил
взгляд.

— Откуда?

— Из монастыря Трех Искуплений. — Он говорил отре-
шенным, бесцветным голосом. Только братья так умеют.

— Кто велел вам убить дракона?

Он промолчал. Глаза у него остекленели, как у мертвого.
Да он и был покойником, хотя еще дышал и двигался.

— Молчишь? Хорошо... Смотри! Не отводи взгляд!

Я нагнулся над умирающим. У него было простое, грубое
лицо, сейчас все перекошенное от боли. Достав нож, я распорол на Брате Господнем рубашку, обнажая грудь. Посмотрел
на уцелевшего. А, проняло... В глазах монаха зажегся ужас.
Дикий ужас.

Я воткнул нож своим обычным ударом по левому краю
грудины, между вторым и третьим ребром. Резко дернул лезвие к себе, распарывая грудь.

Ребра ломались с неприятным влажным хрустом...

Отодвинув рукой вздрагивающие сизовато-серые легкие, я
взял сердце.

Рассек сосуды — кровь хлынула так, что у меня намокли
рукава. Снова посмотрел на живого монаха.

— Не отводить взгляд!

Сердце было скользким, оно пульсировало и переливалось
в ладонях. Я ощутил знакомое солоноватое тепло.

— Нет!!! — закричал Майк.

У Брата Господнего дернулась щека. Веки у него по-прежнему были открыты, но взгляд утратил четкость, глаза ушли
в сторону. Он то ли потерял сознание, то ли впал в транс —
монахи это умеют.

Я взглянул на кровавый комок у себя в ладонях. Не зверь
же я, чтобы жрать сырое мясо... Драконы едят человечину и
пьют кровь не потому, что им это нравится. Людоедство —
высшая форма страха, надежнейшее средство внушить ужас...
А этот монах и так парализован страхом.

Выпустив сердце из рук, я ударил монаха по лицу. Тот
вздрогнул, приходя в себя.

— Сейчас ты пойдешь в свой монастырь. Найдешь насто-
ятеля и скажешь, что я приговорил его к смерти. Скажешь,
что до больших дождей я узнаю вкус его крови. Понял?

Лезвием ножа я легонько полоснул его по лбу. Он вскинул
руки, защищая глаза. Я полоснул еще раз, накрест.

— Иди.

Он уходил шатающейся походкой и, прежде чем исчез за
деревьями, дважды упал. Я повернулся к Майку:

— Крест на лбу — знак отсроченного приговора. Теперь
любой дракон, который встретится ему, исполнит приговор.

По закаменевшему лицу Майка прошла судорога.

— Отсроченный... — бесцветным голосом повторил он. —
Приговор?

С ним творилось что-то непонятное. Сквозь мальчишес-
кую браваду проступала жесткая, непреклонная твердость. Так
выглядывает монолитный бетон из-под осыпавшейся штука-
турки.

— Идемте, Драго...

Неужели так просто?

Я не ответил. Подошел к ручью и с наслаждением умылся.
По воде пошли мутные красные разводы. Мерзко мне было
почему-то. Может быть, оттого, что в этой короткой схватке
победил не я, дракон, а «щенок» Майк? Я растянулся возле
ручья, уткнувшись лицом во влажную, пахнущую землей и пе-
репрелыми листьями траву. Услышал, как захрустели ветки —
это Майк сел шагах в пяти от меня. Майк, а не «щенок»! Будущий дракон Майк!

Неужели все так просто? Неужели Майку хватило этой встряски, чтобы в нем проснулся дракон? И поразившая меня решимость, вырвавшаяся из мальчишки, как стальная пружина из ветхого футляра, — это решимость дракона, расстающегося с человеческой шкурой.

У каждого есть свой миг, когда он превращается в дракона. Обычно это миг страха, нестерпимого, до дрожи в коленках, до холодеющих пальцев, когда желание жить вытесняет все. Когда смерть впервые оказывается рядом, и ты расстаешься с глупой детской верой в собственное бессмертие. Когда не умом и не сердцем, а жалким, трясущимся телом осознаешь — нужно или выжить, или остаться человеком...

Я такую минуту пережил давным-давно, еще когда Элдхауз повел нас в первый набег на крошечный, беззащитный поселок, и Джереми, сволочь Джереми, паскуда Джереми, на моих глазах расстрелял не сумевшего снять часового пацана. Даже имени того мальчишки я сейчас не могу вспомнить, лишь крутится в памяти хмурое, вечно сосредоточенное на чем-то своем лицо.

Я тогда перенес шок и не мог говорить — к горлу словно прилип холодный комок, не дающий произнести ни слова. Меня дразнили все, или почти все.

Лишь Рокуэлл и тот мальчишка никогда не смеялись... Увидев, как Джереми расстреливает его, я словно проснулся. Именно с того момента у меня ясные воспоминания о детстве. Негромко хлопает пистолет; отходя назад, щелкает ствол; быстро наплывает едкая пороховая гарь... На лице Джереми не то оскал, не то улыбка... А мальчишка крутится на снегу, дергаясь от каждой пули, и кровь темными фонтанчиками плещет на снег, оставляя в нем длинные ровные проталины. В ту секунду я понял — точно так же смогу корчиться под пулями и я сам. Если не заставлю каждого встречного джереми вздрагивать от одного моего взгляда... И почти сразу узнал, как этого добиться.

Достаточно превзойти их в жестокости. Достаточно выместить свой страх на ком-то еще более испуганном и беззащитном, вроде той несчастной девчонки в захваченном нами доме. Запредельная жестокость в первую очередь ужасает любителей жестокости *в меру*.

Прошелестели листья, чавкнул мокрый песок на берегу ручейка. Даже ветерок дохнул от прыжка огромного тела. Принц с жалобным повизгиванием ткнулся в мое плечо. Я перевернулся, посмотрел в бегающие от стыда глаза.

— Нас могли убить, Принц.

Принц растянулся на траве, вскинул лапы кверху. Делай со мной что хочешь, хозяин, вот мое беззащитное брюхо. Виноват...

— В чем дело, Принц?

По затылку трахнула чугунная кувалда. Принц послал мне «картинку»: разноцветный, непривычно окрашенный мир. Я с трудом узнал то место, где мы находились. Сероватая полоска ручья, пестрые, многоцветные берега, усыпанные яркими пятнами. На берегу виднелись два радужных силуэта. Я и Майк? От нас по воздуху тянулись кроваво-красные, бледно-зеленые, синевато-стальные нити. А в сторонке лежали два абсолютно бесцветных, почти неразличимых человеческих силуэта...

Что это? Я посмотрел на Принца, на его подергивающийся, влажный нос...

— Принц! Они... не имеют запаха?

Принц радостно взвизгнул. Трудно поверить, что его чудовищная глотка способна издавать такие звуки.

Я смотрел на коченеющие трупы, переваривая полученную информацию.

Запах... Как можно его уничтожить? Такого еще не было. Нас с Принцем ослепили, оставили безоружными. Орден Братьев Господних взялся за осуществление своей давней угрозы — очистить леса от драконов. И на этот раз у него есть шансы победить.

6. СВЕТЛОВОЛОСЫЙ

Это был самый странный и, наверное, самый счастливый месяц в жизни Драго. Пещера на берегу Биг-ривер, где он соорудил свое логово, превратилась в подобие жилого дома. Каждый вечер теперь он стремился вернуться назад, к странной девчонке, убежавшей от монахов и оставшейся с драконом...

В первый вечер Драго ушел в лес. Ушел, сам не понимая, зачем это делает, после того как накормил девушку и перевязал ее рану. До утра он бродил, не в силах уснуть, и все пытался придумать для себя оправдание.

Уже в предрассветной сумеречной полутьме, на узкой лесной дороге, остановил фермерский обоз. Автоматически рылся в вещах, почти не глядя на полуживых от страха крестьян. На телегах аккуратными рядами лежали мешки с зерном и мукой, прикрытые от росы мутными обрывками полиэтиленовой пленки.

Драго хотел сказать, что полиэтилен здорово набирает радиацию и закрывать им продукты не следует, но передумал. Крестьяне наверняка об этом знали, просто им было наплевать на тех, кому достанутся продукты. Драго оглядывал бледные от страха и малокровия лица, ускользающие от его взгляда глаза.

Фермеры боялись зря. Из них самих могли бы получиться неплохие драконы, пьющие кровь и раздирающие зубами сырое человеческое мясо... С последней телеги Драго снял деревянный ящик с мелкими желтыми яблоками, прислонил к рубчатой фордовской шине, закрепленной на тележной оси, несколькими ударами ноги разбил доски... Выбрал два яблока, крупных, но с едва заметными червоточинами — дозиметра у него не было, а червяк в зараженное яблоко не полезет. И пошел назад, к пещере.

Она никуда не убежала за ночь. Логово обрело подобие уюта, вещи избавились от многомесячного налета пыли, повсюду был непривычный, смущающий Драго порядок... Он подошел к столу и положил на него «трофейные» яблоки.

Вечером она сама попросила его не уходить.

Так прошел месяц.

...Нет, у него не было никакого предчувствия в тот день. Наоборот. Он шел с охоты, с удачной охоты, и день был светлым, в тучах виднелась проплешина, и Драго решил, что там прячется солнце.

Как обычно, он наблюдал за входом в пещеру несколько минут. Заросший оранжевым вьюнком провал был темен и пуст. Драго сделал несколько шагов по широкому, словно человеческими руками вырубленному проходу. Откинул тяжелую от влаги, почерневшую от копоти штору — светомаскировку.

Возле костра сидел Рокуэлл. Он по-дурацки выбрился, оставив лишь клок волос на затылке, и был похож на индейца из ковбойских фильмов. Автомат он держал на коленях, на столе валялся пояс с ножом, помятая металлическая фляга. И куртка, и брюки были невообразимо грязны, и даже с десяти шагов Драго почувствовал запах застарелого пота. Он изменился за последние полгода, Рокуэлл... Но все равно это был он, это был друг, друг-дракон, и Драго невольно улыбнулся. Он шагнул к костру.

Рокуэлл привстал навстречу. Смятение мелькнуло и исчезло на его лице.

— Я не один, Драго...

Светловолосый стоял у входа. Кто действительно изменился — так это он. Прежнего подростка, кидающегося в спор каждую минуту, напоминала лишь чистая, опрятная одежда. Лицо заострилось, глаза быстро обшаривали Драго.

— Ну, здравствуй... Лучший из драконов!

Драго взглянул на Рокуэлла. Тот отвел глаза. В костре трепетало пламя. Корчились обугленные поленья, стаями светлячков вылетали искры.

— Где она?

Это место у нас называется Жжеными Холмами. Двадцать лет с Последнего Дня прошло — а тут до сих пор ничего не растет. Землю можно раскопать на полметра — она мертвая, буровато-серая, а плеснешь на нее воду — вода протекает насквозь, не задерживается. Вряд ли они оживут, Жженые Холмы...

Поднявшись наверх, мы перемазались мертвой землей. Особенно злился Принц. Его рыжеватая шерсть стала пепельной, он не переставая чихал. У меня тоже щипало в носу. И лишь Майк шел абсолютно спокойно. Монах чертов...

И тут до меня дошло. Какой же он, провалиться мне сквозь эти холмы до самой России, Брат Господен? Братья — мастера на пакости, это верно. Но своих они не предадут. Так кто же он? Фермер? Истинно Верующий? Главарь банды, растерявший подручных? Чушь... Принц скосил на меня настороженный глаз. Почувствовал растерянность. Нет, приятель, тут я разберусь сам.

Я тронул Майка за плечо:

— Смотри! Красиво!

Во все стороны до самого горизонта тянулись леса. Все оттенки желтого — яркий, полузабытый солнечный цвет; оранжевые, апельсиновые полосы; багровые, кровяные пятна. А под ногами черный и темно-синий пепел... Я поддел его ногой — в воздух поднялось сероватое, похожее на густой табачный дым облачко. Оранжевый лес пламенел внизу. Мой лес! Мой мир!

Наплевать мне на Братьев Господних! На верующих и неверующих. Я здесь повелитель!

Я даже выкрикнул что-то от полноты чувств. Взглянул на Майка и наткнулся на его задумчивый, изучающий взгляд.

— Вы как автомат.

Я не сразу понял.

— Ты о чем?

— Вы сейчас радовались, как автомат. «Красиво». Восторженный жест. Звериный рев. Вы когда-то пришли на эти холмы и закричали так... от восторга, потому что действительно страшно и красиво одновременно. И решили, что будете так радоваться. И убивали вы, как автомат. Даже не злились, просто играли в ярость. Автомат.

Как будто сам он не убивал... Вежливый мальчик в чистеньком комбинезоне, сбоку на куртке расстегнулась пряжка, штаны в пыли, левый рукав грязный, а так — сама аккуратность. Я не разозлился. Мне просто стало грустно. Зачем напоминать сегодняшнее утро...

— Майк... Ты никак не поймешь одного — я дракон.

Я постарался сказать это помягче. Майк смотрел по-прежнему. И наконец до меня дошло: никогда он не станет хорошим драконом. Он вообще не будет драконом. И тогда меня прорвало.

— Чего стоишь? Щенок! Мы к вечеру должны дойти до реки!

Он зашагал вперед — лишь столбики пыли вставали за ногами. Сопляк, мальчишка, а неукротим. Уж если кто из нас похож на автомат, так это Майк.

Все у него есть — и ум, и сила, и воля. Вот только дракона из него никогда не выйдет.

— Она никогда не стала бы драконом.

Светловолосый глядел нагло, уверенно. И ничего нельзя было прочесть в его глазах. Драго посмотрел на Рокуэлла, против силы посмотрел, даже не замечая, каким умоляющим стал его взгляд. А Рокуэлл заметил. И сказал торопливо, вызвав недовольную ухмылку на лице Светловолосого:

— Она чуть не убежала. Стреляй мы похуже...

В груди у Драго что-то сжалось и отпустило. Рокуэлл не предал. Друг всегда остается другом, даже если идет карать тебя как отступника. Они не мучили тебя, глупая девчонка, думающая, что дракон сам распоряжается своей судьбой. Что бы они с тобой ни сделали — ты уже была мертва. Мертва.

Светловолосый кончил улыбаться. Смахнул изгиб улыбки, заговорил:

— Ты знаешь наши законы, Драго. Ты проявил... — он помедлил, — доброту. Дракон, вспомнивший о доброте, должен уйти навсегда.

Рокуэлл отвернулся. Спокойно. Только спокойно, Драго. Ее не спасти. А себя еще можно...

— Дурак!

Драго заставил себя улыбнуться.

— Ты остался тем же кретином, что и раньше.

Он чуть подался к Светловолосому:

— Я хотел сделать из нее дракона. Первая женщина-дракон. Это разрешено!

— Да, но лишь в течение месяца! А она жила с тобой сорок дней.

Драго кивнул. И сделал голос доверительным.

— Но еще десять дней разрешается держать пленников для развлечений! Я не нарушил срока, Светловолосый. Я хотел убить ее сегодня. А ты помешал...

Светловолосый дернулся. Он понял, что попал в ловушку. Хотел что-то сказать, но Рокуэлл вдруг вставил как отрезал:

— Верно.

Драго кивнул. Заставил себя взять Светловолосого за плечи.

— Брат-дракон! Ты оскорбил меня ложным подозрением. Я могу это простить. Но ты лишил меня крови моей добычи! Ты знаешь закон.

— Знаю, — шевельнулись губы Светловолосого.

— Я хочу твоей крови, дракон.

Светловолосый встал. Его вялость длилась секунду. Он умел менять свои планы. Сгибая шею в ритуальном кивке, он негромко ответил:

— И я хочу твоей крови.

Они встали друг против друга, обнаженные до пояса, немного согнувшиеся, расставив безоружные руки. Рокуэлл медлил, и Драго зло взглянул на него.

— Согласны ли вы примириться чужой кровью, братья-драконы?

— Нет! — Два выкрика слились в один. Два прыжка взрыли песок. Две пары рук вцепились в чужие тела.

Когда драконы ведут ритуальный бой, их пальцы пусты. Автомат, нож — это для чужих. А для брата-дракона есть пальцы, сведенные яростью. Есть зубы, разжатые в крике. И ненависть, которая остается человеческой, сколько бы ты с этим ни спорил.

ЧАСТЬ ВТОРАЯ. ЧЕЛОВЕК

1. ПЕРЕПРАВА

Конечно, в тот вечер мы никуда не уплыли. Уже стемнело, и хотя Правый Приток — это далеко не Биг-ривер, но рисковать я не стал. Выбрал заросшую чапаррелью низинку, срезал десяток кустов, устраивая логово. Послал Принца на разведку.

Пока я возился с вещами, Майк уже уснул. А мне и спать не хотелось. Я порылся в его рюкзаке. Вот фонарик... Горит. Вот рация... Я щелкнул тумблером питания — засветилось несколько неярких огоньков, зашуршало в болтающихся на проводе наушниках. Ну зачем ему рация? Такая техника есть лишь у Братьев... Ну и в некоторых гарнизонах.

В общем-то гарнизонов вокруг много. Солдат и офицеров там почти не осталось, больше приблудные, из всяких шаек и разграбленных поселков. Но оружия у них много.

Вот, например, в Форт-Санта-Крус. Там когда-то была база бронетанковых войск. Горючка уже давно кончилась, танки врыты в землю по башни, широким кольцом опоясывая базу. По ночам в танках дежурят часовые, ходят патрули с собаками. В гарнизоне почти две тысячи человек, они держат контроль над огромным пространством. Двенадцать поселков и сотни полторы ферм снабжают их пищей, получая взамен надежную охрану. Молодежь отовсюду так и рвется к ним.

Я оставил рюкзак Майка в покое, улегся, расстелив на траве одеяло.

«Щенок» вполне может быть из гарнизона...

С этой мыслью я и уснул.

Меня разбудили вскрик Майка и рычание Принца. Спросонок я не понял, в чем дело, вскинулся, поднимая автомат...

Метрах в десяти от нас Принц гонял по берегу мокрицу. Огромную — больше метра в длину. Меня немного замутило. Потом разобрал смех.

Гладенькое, словно облитое коричневым лаком тело твари ловко увертывалось от ударов Принца. Тяжелые лапы со свистом трамбовали песок, ломали попавшиеся ветки... А мокрица понемногу пробиралась к кустам. Когда Принц совсем уже наглел, она останавливалась и угрожающе щелкала похожими на клюв челюстями. Принц сразу терял пыл. Когда он был щенком, его здорово тяпнула мокрица. Яд попал в кровь, и он чуть не погиб. С тех пор Принц не может спокойно пройти мимо мокрицы...

Я уже думал, что мокрица убежит. Но в это мгновение удар Принца достиг цели. С треском лопающегося яйца ракообразное выплеснуло на разбитый хитиновый панцирь студенистые внутренности. Я поморщился. Пес довольно взвыл. А Майк...

Он стоял на коленях. Его выворачивало наизнанку. А лицо было белее мела.

Драконы не знают жалости, ибо им не ведома ни злоба, ни доброта. Но снисходительность знакома и драконам. Я поднял парнишку с земли, оттащил к реке. Помог умыться и заставил выпить воды из фляжки. Вчерашняя неприязнь к нему прошла.

— Эх, щенок... Из какого ты гарнизона?

Он дернулся и сразу ожил.

— Откуда ты знаешь?

Все верно...

— Я дракон... Так откуда?

— Резерв-шесть.

Про такой гарнизон я не слышал. Но расспрашивать не стал.

— Плот вязать умеешь?

— Да, меня учили.

Учили его. Вот только пауков и мокриц не бояться его забыли научить.

Я довольно улыбнулся. А Майк умоляюще попросил:

— Давайте перейдем в другое место!

Я кивнул. Через полчаса мокрица начнет смердеть так, что без противогаза не выдержишь. И добавил:

— Рюкзак свой возьми. И автомат. Таскать твои вещи я не собираюсь.

Вначале я собирался переправиться на чужой берег Притока и сразу двинуть в горы. Река здесь неширокая, метров сто, но по лесу пришлось бы идти километров девяносто. Это минимум трое суток...

Карта предлагала и другой вариант. Спустившись по течению, мы могли высадиться на берег в том месте, откуда до гор оставалось не больше сорока километров. Это можно одолеть и за один переход... Правда, свой риск имелся и в этом случае — уже в предгорьях придется пройти вблизи монастыря Братьев Господних. Его точного местоположения я не знал — так, обрывки слухов, фермерская болтовня. Да к тому же потом, в горах, нам надо будет возвращаться к отмеченному на карте месту...

Я взглянул на плот. Пять не очень толстых бревнышек, неумело связанных вместе. Переправляться можно, а вот плыть по реке, хотя бы и десяток километров, не стоит... Пожалуй, эта мысль и определила выбор. Я всегда поступаю наоборот здравому смыслу.

— Мы будем сплавляться.

Майк спорить не стал. Он нагнулся, сталкивая плот в мутноватую воду.

Плот качнулся, начал поворачиваться, норовя уйти от берега. Майк прыгнул в самый центр плота, присел на корточки, удерживая равновесие.

Да, Майку повезло, что встретил меня, подумал я, глядя на его неуверенные движения. Недалеко бы он... Впрочем,

Майку повезло относительно. Он не станет драконом. А значит, дойдя до цели, я вынужден буду его убить.

Вместе с Принцем я запрыгнул на плот.

Плавания на плоту словно специально придуманы для отдыха в пути. Будь у меня под рукой лодка или даже такая полузабытая вещь, как катер, я бы на них сейчас не позарился. Раздевшись до пояса, я лежал на бревнах. Раньше так загорали, сейчас загорать не под чем — солнца не видно. Но какая-то иллюзия солнечного тепла осталась...

Майк сидел, обхватив руками колени, уставившись на проплывающие берега. Раздеваться он не собирался — в его десантном комбинезоне жарко не будет. Комбинезон замечательный, под любую погоду, способный смягчить удар и задержать радиацию. Лениво, мимоходом, я подумал, что комбинезон с мальчишки надо будет *потом* снять. Или вначале снять, чтобы не испачкать. Или...

— Дракон...

Это было что-то новенькое. Раньше Майк звал меня по имени.

— Ну?

— А как тебя зовут? Драго — это ведь кличка...

Я вздрогнул. Как меня зовут? В принципе никто и никогда не запрещал нам иметь настоящие имена. Клички — это так повелось. Пожалуй, я им и дал начало, своим «Драко — Драго».

— Или ты забыл?

Еще чего...

— Джекки... — Уменьшительное детское имя, которым меня в последний раз называли перед Последним Днем, прозвучало так неуместно, что я рассмеялся. — Джек... Чушь это. Меня зовут Драго, ясно?

— Конечно, я на всякий случай спросил.

Я посмотрел на Майка — не издевается ли? Нет, лицо его оставалось серьезным. И тут сквозь легкий плеск воды до меня донесся знакомый звук — короткие автоматные очереди. Стреляли далеко за деревьями, и стреляли, похоже, наугад — выстрелы были какими-то неуверенными, отрывистыми.

Повернувшись на живот, я устроил автомат поудобнее. Если стреляли не в нас, это еще не означало, что удастся отсидеться. Рядом растянулся Принц. И даже Майк без всяких подсказок лег на бревна. На берегу пока никого не было видно. Невысокие оранжевые деревья спускались к самой воде, но за тонкими стволами спрятаться было невозможно.

— Похоже, попали, — предположил я.

Выстрелы раздались снова и явно ближе к нам. Ответных не было.

«Кто-то с автоматом гонится за кем-то безоружным», — объяснил я сам себе.

— Может, дракон охотится? — спросил Майк.

— Драконы без нужды не стреляют... — Я хотел предупредить Майка, чтобы он оставил свой язвительный тон, но события вдруг завертелись с головокружительной быстротой. Из леса выметнулась человеческая фигурка, замерла у воды. Майк, уже с минуту рывшийся в рюкзаке, поднял к глазам бинокль.

— Девчонка...

В лесу опять защелкали выстрелы. Девчонка перегнулась и прыгнула в воду.

— Вот и все, — задумчиво сказал я. — Эта история так и останется для нас загадкой.

— Думаешь, попали? — быстро спросил Майк.

— Нет, дело не в этом.

Голова девчонки показалась над водой. Она плыла наперерез нашему неторопливому плоту. Из-под ее рук серебристыми веерами взлетали брызги.

— Лучше отвернись, — посоветовал я Майку. — И в Большой Реке, и в обоих притоках водятся такие маленькие рыбки... Их по-разному называют, но обычно зубастиками. Каждая не больше двух сантиметров. Но стая съедает человека за полминуты.

По спине Майка прошла ощутимая дрожь.

— Как пираньи... — прошептал он.

А девчонка еще продолжала плыть. Она не покрыла и половины расстояния к плоту, когда на берегу показался преследователь. Не старше Майка, голый по пояс, с автоматом в правой руке. Увидев плывущую девчонку, он что-то громко и зло крикнул, потом присел, целясь в нее с колена.

Девчонка нырнула, и пули бодро защелкали по воде. Это становилось совсем интересным. Преследователь не собирался ее ловить, что было бы вполне понятным. Он хотел ее убить, причем даже боялся передоверить работу зубастикам... Привстав, парень высматривал свою жертву. И тут он увидел плот.

— Драконы стреляют так, — только и успел сказать я Майку, спуская курок.

Первая пуля попала в приклад уже нацеленного на нас автомата.

Брызнула деревянная щепа. Парень прыгнул в сторону, выпуская оружие. Я выстрелил еще, целясь в голову. Увы, не попал. Но, похоже, пуля прошла совсем рядом — парень бросился бежать. Третьей я всегда закладываю в обойму пулю со смещенным центром тяжести, чтобы не рисковать. Стреляя, я уже понял, что попаду. Парень запрокинул голову и выгнулся в какой-то дикой судороге, словно пытаясь изобразить ту фигуру, которую описывала в его теле разбалансированная, крутящаяся, как фреза, пулька.

Принц одобрительно зарычал.

Я посмотрел на девчонку — и обомлел. Она оказалась метрах в трех от плота. Майк выгнулся, протягивая ей руку, а другой придерживаясь за загривок Принца. Как ни странно, пес не обращал на это никакого внимания.

Сделав еще пару гребков, девчонка вцепилась в протянутую Майком ладонь. И вдруг отчаянно взвизгнула. Майк дернул, втаскивая ее на плот, на ноги ему хлестнула вода. Я налег на противоположную сторону, удерживая равновесие.

Какую-то секунду мне казалось, что Майк вместе со своей подопечной окажется в воде, возможно, утянув туда и Принца. Или что перевернется весь плот, прихлопнув нас в воде сырыми, тяжелыми бревнами.

Плот выправился. Нас окатило волной, оставившей между бревнами десяток мелких серебристых рыбок. Принц с яростью забил лапами, давя рыбешек. Одна рыбка болталась у него на боку, намертво вцепившись в шерсть.

— Я думал, она постарше, — сказал я.

Девчонке было не больше двенадцати. Худая, с некрасивым, перепуганным лицом, на котором из-под воды выступали слезы, в мокром, липнущем к костлявому тельцу, не раз перешитом платье. По ногам текли тоненькие струйки крови. Правая нога, обутая в тяжелый мужской ботинок, казалась длиннее левой, босой. Представлялось невероятным, как это жалкое существо проплыло добрую сотню метров. Девчонка сидела у ног Майка, цепляясь за его руку, и с откровенным ужасом смотрела на нас с Принцем.

Что же. Не надо много ума, чтобы признать во мне дракона.

— Думал, постарше, — повторил я. — Ладно, не важно.

Лицо Майка вдруг перекосилось.

— Слушай, дракон, — почти прошипел он. — Если ты хоть что-нибудь ей сделаешь...

Повинуясь моему безмолвному приказу, Принц поднялся на задние лапы. А передними оперся на плечи Майка. Раскрытая пасть собаки застыла в сантиметре от его лица.

— Если еще раз попробуешь мне указывать, убью и тебя, и ее, — искренне пообещал я.

Майк молчал. Полюбовавшись секунду на его окаменевшую позу, я перевел взгляд на девчонку.

— Как звать?

— С-сюзи...

Сюзанна. Нет, тяга людей к красивым именам способна пережить даже ядерную войну.

— Кто тебя преследовал?

— Не знаю. Он из банды...

— А ты откуда?

— Из поселка...

— Какого?

— Тенистое Местечко...

Основатель поселка имел неплохое чувство юмора.

— Банда там?

— Ага...

— Ты убежала? Не реви! Сколько их?

— Шесть или пять...

— А мужчин в поселке?

Губы у Сюзи задрожали.

— Убили отца?

— Б-брата...

— Ясно.

Из рюкзака Майка я достал бинт. Кинул мальчишке:

— Чем вставать в позу, лучше перевяжи ее. Да отпусти его, Принц!

Пока Майк бинтовал девчонке искусанные ноги, я неторопливо растолковывал ей, что теперь следует делать.

— Ниже по течению есть фермы или поселки, в которых тебя не обидят?

— Ага...

— Мы сейчас пристанем к берегу. Иди к своим знакомым и не вздумай возвращаться обратно. Поняла? Там, где ты прежде жила, никого живого не останется.

Девчонка кивнула и поморщилась, словно опять собиралась реветь. Что ни говори, а дурой она не была — куда собирается идти, не обмолвилась ни одним словом. Будь у меня желание потрясти местных крестьян, я бы из нее это вытянул, но сейчас не до этого. Да и будь она чуть старше и чуть симпатичнее — тоже так просто не ушла бы...

— Драго, а ты боишься бандитов?

Все-таки я привык к Майку настолько, что уже не реагировал на дикость его вопросов.

— А если честно, кто сильнее — ты или, например, эта банда?

2. ТЕНИСТОЕ МЕСТЕЧКО

Поселок представлял собой пяток домов, обнесенных высоким забором. До Последнего Дня здесь скорее всего стояла ферма. А может, жил любитель тишины и покоя...

Единственный часовой неторопливо прохаживался между домов. Когда он в очередной раз скрылся из виду, я перемахнул через ограду. Следом бесшумной тенью двинулся Принц. Да, это не Братья Господни с их системой Кольца — пять часовых, движущихся кругом и наблюдающих друг за другом... Зайдя в тыл часовому, я несколько секунд крался следом, смотря на обтянутую короткой куртчонкой спину. У часового очень странно двигались лопатки, неестественно сильно ходили взад-вперед плечи. Мутант?

Достав нож, я рванулся вперед. Уже занося руку, почувствовал, что часовой меня заметил — начал приседать, уходя от удара...

Ломая позвонки, лезвие вошло в шею. Часовой беззвучно повалился, поворачиваясь ко мне лицом. Я отшатнулся. На лбу его, над переносицей, темнел затянутый пленкой третий глаз.

Мутант...

Нагнувшись над часовым, я извлек нож. Двумя ударами распорол живот. С мутантами лучше не рисковать, у них бывает жуткая жизнеспособность.

Подбежавший Принц обнюхал часового, зарычал — не зло, а скорее недоуменно. Потянулся к лужице крови.

— Потом! Не время!

Всем своим видом выражая обиду, Принц пошел за мной. Уже у дверей одного из домишек я обернулся. Черт, почему так мало крови? Я же должен был перебить сонную артерию...

В доме не оказалось никого. Только в одной из комнат, у окна, темнела на полу небрежно затертая лужа. Растрескавшееся стекло прошивали десяток мелких дырочек. Наверное, выстрелили с улицы, картечью.

Где же остальные бандиты?

Уловив непроизнесенный вопрос, Принц выскользнул из дома. Повернул морду в сторону самого внушительного из домов, построенного, пожалуй, до Последнего Дня. Тогда это был красивый приземистый коттедж, комнат на десять, не меньше. Сейчас дом скорее напоминал форт времен европейских поселенцев: окна закрывали огромные деревянные щиты или мелкие решетки, зато в стенах в изобилии пестрели узкие амбразуры. Держась так, чтобы меня нельзя было заметить хотя бы из окон — с амбразурами приходилось мириться, — я побежал к дому.

Дверь, как я и ожидал, оказалась полуоткрытой. До меня доносился негромкий булькающий звук. Выждав секунду —

звук не прекращался, — я взял автомат на изготовку и ногой распахнул дверь.

Эту комнату сделали, разрушив внутренние перегородки между тремя или четырьмя комнатами. Получился здоровенный зал с разнокалиберными обоями и пластиком на стенах, с грудой мешков и пирамидой ящиков по углам. У дальней стены высились рядком несколько набитых посудой шкафов и поблескивала никелем умопомрачительно роскошная плита. Какие-то кривые, со следами сварки трубы тянулись из плиты в потолок — кухонное чудо техники явно переделывали с газа или керосина на заурядные дрова.

У плиты, запрокинув голову, пил из чайника воду рослый здоровяк.

Обхватить ртом широкий короткий носик было невозможно, и вода несколькими ручейками стекала по его волосатой груди. Никакой одежды на мужчине не было.

— Пить из чайника некультурно, — отводя руку с ножом, произнес я.

Не издав ни звука, мужчина опрокинулся на плиту. Чайник, зажатый в левой руке, раскачивался над самым полом, затухающие глаза растерянно смотрели на меня. Пытаясь подняться, мужчина оперся о плиту, снова осел, напирая на рукоять впившегося в грудь ножа. На спине его вспухла бугорком кожа, затем беззвучно лопнула, выпуская кончик лезвия.

Я прошел еще несколько комнат — в них никого не оказалось. И когда у очередной двери я услышал смутно знакомый звук, то не сразу поверил в его реальность. Из-за ободранной двери загаженного дома в разграбленном поселке доносилась музыка? Самая настоящая музыка — негромкий гитарный перебор, и аккомпанемент каких-то инструментов, и сильный красивый голос.

«Yesterday...» Меня пронзил озноб. Это звучала песня из прошлого, из тех дней, когда в небе светило настоящее солнце... Эту песню пел какой-то знаменитый ансамбль, потому что ее часто передавали по радио и в телепередачах. «Yesterday».

Толкнув дверь, я вошел в комнату. И сразу почувствовал то неприятное ощущение, когда все вокруг кажется уже пережитым, испытанным, а сейчас, словно театральная постановка, разыгрывающимся повторно.

У стены, под затянутой решеткой окном, сидела на полу женщина. Рядом — старый уже мужчина, если бы не автомат на коленях, никогда бы не поверил, что он может быть в банде.

Женщина неотрывно смотрела на высокую узкую кровать, с которой почему-то были сброшены и простыни, и одеяло. На обтянутом грязно-серой материей матрасе двигались два обнаженных тела. У опирающегося на локти мужчины лопатки выступали над спиной сантиметров на пятнадцать. Еще один... Прижатая им к кровати девушка что-то сдавленно шептала, но музыка заглушала слова. Звук шел из портативного проигрывателя, болтающегося на поясе у последнего бандита. Тот стоял у кровати, одной рукой держа девчонку за волосы, другой перехватывая в кистях ее тонкие руки. Лицо его было безмятежно-невозмутимым, с тем едва заметным самодовольством, какое встречается у легких дебилов.

«Yesterday»...

Старик медленно повернул голову в мою сторону. Я приложил палец к губам, потом пригрозил им. Музыка еще продолжалась, в прозрачной коробке проигрывателя вращался радужно отблескивающий диск, и я хотел дослушать запись до конца... Но парень с дебиловатым лицом тоже поворачивался в мою сторону, и руки его, отпуская девчонку, скользили по поясу, нащупывая рукоятку пистолета.

Автомат в моих руках проснулся. Нехотя стукнул в латунный кружочек капсюля боек, ударили в ствол пороховые газы, выплевывая крошечную свинцовую пульку, передергивая затворную раму...

Короткая очередь пришлась в голову. Секунду парень еще стоял — жутковатая фигура с наполовину снесенным черепом. Потом стал валиться — не сгибаясь, прямой как столб, с фонтанчиком крови, плещущим из серовато-багровой каши в остатках головы. Тело глухо впечаталось в пол.

Раздался слабый хруст, и музыка смолкла. Так я и знал... Надо же было ублюдку упасть так, чтобы раздавить практически вечный лазерный проигрыватель с питанием от солнечных батарей. Мне всегда не везет в мелочах.

Теперь стал слышен шепот девушки. «Мама, мамочка... мама...»

Насилующий ее парень взглянул на меня, и я скривился от гадливости — над обычными человеческими глазами мутнел третий, немигающий, холодный, как у змеи, глаз. Сходство с часовым было полным — не иначе как близнецы. А трехглазый все смотрел на меня, еще не осознав происходящего и продолжая раскачиваться в уже затихающем ритме... Лицо его вдруг расплылось, приобретая блаженно-бессмысленное выражение, расслабляясь.

— Принц! Возьми!

Пес прыгнул к кровати, сжимая челюсти на босых ногах парня. Тот пронзительно закричал, выгнулся, пытаясь руками дотянуться до морды Принца. Пятясь, собака потащила его из комнаты.

— Не шуми! Но пусть он пожалеет, что дожил до этого дня, — крикнул я вслед Принцу. Повернулся к старику. Женщина вскочила, бросилась к кровати, обняла скорчившуюся, закрывающую лицо руками девушку. Мужчина продолжал сидеть. Расслабленные руки лежали поверх автомата.

— Оружие брось, — посоветовал я.

Автомат стукнул о пол. Старик повернул голову ко мне, знакомо ухмыляясь.

— Ты *очень* изменился, — с удовольствием сказал я. — Постарел.

Сам не насильничаешь, только любуешься на подручных... Но рожа у тебя все такая же мерзкая, Джереми.

— Ты тоже не похорошел, дракон.

Он понимал, что обречен. И выбирать выражения не собирался.

— Если бы ты знал, как мы тебя искали после... после Элдхауза. Он что, специально вас всех отослал?

— Конечно. Сказал, что собирается вечером выпустить драконов в полет. Сказал, что дает нам полчаса, за которое можно удрать, пока у драконов слабые крылья. — Джереми рассмеялся: — Драконы... Ничего человеческого в душе... Забывшие слово «добро»... Вот разочаровался бы Элдхауз, увидев тебя.

Он сознательно втягивал меня в разговор, в споры, тянул время.

Джереми не понимал, что это бесполезно.

— Почему разочаровался?

— Как почему?.. Лучший его ученик — и вдруг добрый. Добрый дракон.

Абсурд.

— Джереми, я искал тебя пятнадцать лет. И твои слова меня даже не злят. Ты рассчитываешь на возвращение шестого? Того, кто гнался за убежавшей девчонкой? Я убил его у реки.

Джереми вздрогнул. Он явно на это рассчитывал. Но ответил с издевкой:

— Вот и говорю — добрый дракон. Уничтожил бандитов, спас детей и женщин... Может, ты и спать с ней не будешь?

Он кивнул на девушку. Я невольно перевел взгляд. А девчонка действительно симпатичная... Она пыталась закрыться поднятым платьем, но это не мешало видеть чуть разведенные в стороны груди с маленькими острыми сосками; длинные прямые ноги с нежными, розовыми подошвами; тонковатые, но красивые бедра. Меня захлестнуло волной желания — бешеного, нестерпимого. И проблемы, в сущности, никакой не было...

— Не буду, Джереми. На ней еще не высох пот твоего трехглазого ублюдка.

— Узнаю Драго. Ты всегда отличался брезгливостью. Но чистеньких девчонок ты тут не найдешь — эта была последней.

Джереми загоготал. Видимо, мысль, что он успел напакостить мне напоследок, его утешала.

— Ну, стреляй же, Добрый Дракон Драго! В этом поселке тебя будут благословлять до скончания дней! И всем расскажут про самого хорошего, самого доброго на свете дракона!

Поднятый автоматный ствол снова опустился. Я молча рассматривал лицо Джереми. Ему не могло быть больше пятидесяти, хотя выглядел он полным стариком. Но сообразительности он не потерял...

— Ты меня ставишь в неловкое положение, Джереми, — задумчиво произнес я. — Чтобы доказать твою неправоту, а ты

не прав, мне придется убить здесь всех. — Я сделал паузу. —
Или всех пощадить. И этих людишек... И тебя, хоть ты и изде-
вался над будущими драконами.

Лицо Джереми напряглось, собралось. Он боролся за жизнь.
А разум в таких случаях отказывает.

— Если ты убьешь всех, — начал Джереми, — то докажешь, что в тебе нет доброты и мои слова — чушь. Но и если
всех пощадишь — докажешь, что просто развлекался, и... никакого добра в тебе...

Посмотрев на женщину — та помогала девчонке одеться, —
я спросил:

— Где ваши вещи?

Она молча, испуганно кивнула куда-то в глубь дома.

— Отпереть сможешь?

Опять кивок.

— Иди.

Женщина скользнула из комнаты. За ней — полуодетая
девчонка. Джереми настороженно посмотрел на меня.

— Слушай, Драго... А ведь тебе-то никаких причин нет на
меня злиться! Тебя я и пальцем ни разу не тронул!

— Ты меня боялся.

— Верно. — Джереми принужденно кивнул. — Я не мог
тебя понять. Рокуэлла понимал, Очкарика, Тюфяка, Светловолосого...

— Светловолосого? — Я вздрогнул. — Ты тоже его еще
помнишь?

— Помню... Не ты его кончил лет десять назад? Вы и
тогда враждовали... Он тебя ненавидел, как лучшего из драконов. Да он всех вас ненавидел, с Элдхаузом во главе. У него
пунктик был такой, с тобой разделаться, ну, словно он этим
вас всех...

— Хватит! — неожиданно для себя выкрикнул я. — Замолчи!

У нас не должно быть общих воспоминаний. Они защища-
ли Джереми вернее, чем жалкие хитрости с правилами поведения драконов...

С настоящими врагами расставаться так же трудно, как с
настоящими друзьями.

Послышался шорох. В комнату входили люди. Мужчины, подростки, несколько женщин — похоже, они собрались все, никто не осмелился не подчиниться приказу. Под моим взглядом они начинали ежиться, прятать глаза. Ничего похожего на оружие у них не было.

Подойдя к Джереми, я взял с пола автомат. Негромко произнес:

— Лучше бы ты тогда от нас не убегал, Джереми...

Люди замерли, ловя каждое мое слово.

— Я развлекался, Джереми. Просто развлекался. А теперь мне плевать и на этих людей, и на тебя. И ты, и они можете делать что хотите.

Я шагнул к двери.

— Э-э... — начал Джереми, протягивая мне руки. Люди еще ничего не сообразили и стояли неподвижно. — А как же...

Захлопнув дверь, я привалился к ней плечом. Секунду длилась тишина.

Затем послышался шум. Крик. И что-то, похожее на глухое рычание топчущейся на месте толпы. Надо же... А какими тихими казались секунду назад.

Отпустив дверь, я вышел из дома.

3. ВСТРЕЧА

Принц встретил меня довольным рычанием. Морда у него была перепачкана кровью. Я сморщился.

— Вымойся.

Пока он, встав на задние лапы у железной бочки с водой, передними по-кошачьи тер себе шерсть вокруг пасти, я отпер ворота.

Передо мной оказались Майк и Сюзи. Парочка выглядела более чем забавно: затянутый в десантный буро-пятнистый комбинезон юноша держал в правой руке автомат, в левой — ладошку жмущейся к нему мокрой босоногой девчонки. В свободной руке девчонка держала за шнурки тяжелый военный ботинок. Выбрасывать его вслед за утерянным Сюзи отказалась наотрез.

— Вы что здесь делаете? Я же сказал ждать, пока все не кончится!

Сюзи спряталась за Майка. Парнишка пожал плечами:

— Она заявила, что все уже кончилось и можно идти. Ну а еще я подумал... вдруг тебе нужна помощь.

— Драконам помощь не... — Я замолчал, отодвинул Майка, поставил Сюзи перед собой. — С чего ты взяла, что все уже кончилось?

— Он сказал... — Девчонка приготовилась зареветь.

— Он?

Я проследил ее взгляд. К нам подбегал Принц. И тут до меня дошло, что за весь день пес ни разу не зарычал на девчонку, даже когда она поскользнулась, сходя с плота и, удерживая равновесие, схватилась за его шерсть.

«Принц?»

«?»

«Девчонка».

«!»

От Принца повеяло каким-то смущением. Он даже говорить пытался не картинками, а просто эмоциональными всплесками «согласен», «не согласен», «доволен»...

— Почему тебя не сожрали рыбки в воде? — продолжал я допрос.

— Я корягой притворялась. Зубастики глупые, их обмануть легко...

— Корягой? А меня ты можешь так обмануть?

— Нет, Великий Дракон, как я могу посметь...

— То-то. Знаешь, что я с тобой сделал бы, если бы могла?

— Д-да.

Девчонка вздрогнула. Неужели «увидела»? Я послал ей картинку, словно разговаривал с Принцем, и картинку страшненькую...

— Ладно. Иди. Да иди, не бойся.

Сюзи уговаривать не пришлось. Она метнулась к дому, возле которого уже стояла маленькая молчаливая толпа. Всего их тут жило человек двадцать.

Наверное, несколько семей, уже давно породнившихся, слитых в один крепкий клан... Крепкий? Позволили шестерым... Впрочем, в банде был Джереми.

От толпы отделилась нерешительная фигура, приблизилась к нам. Уж на что меня поразил Джереми, но это был совсем дряхлый старик. Левой рукой он придерживал на лице сломанные посередке очки, и я невольно почувствовал к нему расположение. Очкарики в лесу такая редкость, что все они ассоциируются у меня с Бобом-очкариком, хорошим, но невезучим парнем, вечно попадающим в нелепые ситуации. Боба я не видел лет пять... да и слышать про него не доводилось. Наверное, очередная неудача оказалась для Боба последней.

— Великий Дракон... — начал старик. Голос у него был в меру почтительный, хорошо поставленный. Кем он работал раньше? Я невольно сделал знак рукой, останавливая его. Старик вздрогнул, замолчал.

— Чем занимался до Последнего Дня?

— Работал в университете.

Так я и думал. Сразу видно, что привык выступать с речами.

— Кем?

— Программистом.

— Говори.

— Великий Дракон, счастливой охоты в дороге... Мы простираемся ниц, мы замираем в тени твоих крыльев. Мы ждем твоих повелений.

Обычное приветствие. Но прозвучало оно как-то неожиданно. Словно бывший университетский программист действительно ждал моих повелений. Я посмотрел в небо. До вечера еще далеко, а уже наползает темнота... Тучи сгущались на глазах. Надвигался ливень.

— Нагрейте воды, и побольше, — коротко приказал я. — Мы хотим помыться. И приготовьте чистую комнату — мы переночуем у вас.

Майк вдруг вскрикнул, толкнул меня в плечо. Я обернулся и обомлел. На опоясывающей дома стене с внутренней стороны висел человек. Вытянутые метра на полтора руки цеплялись в гребень стены, медленно поднимая, подтягивая наверх обмякшее, кажущееся безжизненным тело.

— Мой недосмотр, — честно признался я, поднимая автомат. — Это часовой. Следующему мутанту, который мне попадется, я отрежу голову...

* * *

Дождь начался лишь к вечеру. Я уже засыпал, блаженствуя в чистой и мягкой постели, когда по крыше простучали первые робкие капли. Через секунду хлынул ливень. В полудреме я видел у окна силуэт Майка, темный и неподвижный, словно примагниченный несущимися за стеклом дождевыми струями.

— Драго... — тихо произнес он. — Не выходите ночью из дома. Это активный дождь.

Выходить я и не собирался. Кто же полезет под дождь без счетчика? Но в голосе Майка слышалась слишком большая уверенность...

— Откуда ты знаешь?

Он звонко шлепнул себя по правому плечу.

— Тут вшит датчик. Когда что-то излучает, он дает электроразряд... Плечо колет...

Я закрыл глаза. Ты еще все мне расскажешь, Майк с базы «Резерв-6».

Объяснишь, где тебе дали снаряжение, в каком загадочном госпитале вшили под кожу датчик радиации. И самое главное — почему именно тебя, щенка, мальчишку, отправили на верную смерть в лес...

Мы ушли из поселка на рассвете. Дракон должен исчезать бесследно, словно его и не было... Но когда, протискиваясь в узкую щель полуоткрытых ворот, я обернулся, то увидел в одном из окон неясный силуэт. Почему-то я был уверен, что это Сюзи. Фигурка в окне взмахнула рукой, прощаясь.

Взглянув на Принца, я без труда уловил его смущение. Встретив второго в своей жизни человека, способного с ним разговаривать, пес не удержался.

Он попрощался с ним, уходя из поселка.

— Ничего, Принц, — тихонько сказал я. — Нам вдвоем совсем неплохо.

Верно?

Пес ткнулся мордой в мою ладонь, лизнул пальцы. «Верно, хозяин...»

— Мы сюда еще как-нибудь заглянем, — пообещал я. — Поболтаешь в свое удовольствие.

Пес подпрыгнул на месте. Потом унесся вперед. Я усмехнулся. Мне слишком хорошо знакома немота, чтобы не понять собаку.

— Как они тут живут, а, Драго? — спросил Майк. Он шел впереди, ловко лавируя между ветками. Деревья здесь росли ненормальные — ветви отходили от стволов абсолютно горизонтально, тянулись к соседним деревьям, сплетались между собой. Когда я попробовал разъединить два таких сплетенных, закрученных спиралью сучка, на пальцы мне закапал густой оранжевый сок. Вытерев пальцы, я стал подныривать под ветки. Ломать их почему-то не хотелось. Неприятный лес... словно и не лес вовсе, а что-то полуживое.

— Нормально живут. Хотя я тут жить не рискнул бы, — рассеянно ответил я. Мне чудилось рядом чье-то присутствие. Неужели лес так действует на психику?

— У них же нет ни коров, ни свиней... никакой живности.

— А что яйца вечером лопал, забыл? Курицы у них есть.

— Этого мало.

— Тут повсюду поля дикой пшеницы. Они их обрабатывают потихоньку. Меняют зерно на мясо...

За спиной явственно хрустнула ветка. Я потянул с плеча автомат. И услышал глухой, сдавленный голос:

— Стой, дракон. Не трепещи крылышками.

Майк тоже замер. Мы стояли, не решаясь ни обернуться, ни метнуться в сторону. Я слишком уж хорошо представил нацеленный мне в спину ствол. А Принц? Неужели опять не почуял?

— Наконец-то попался, — продолжал голос. — Союз Святых Сестер давно искал тебя, греховодник...

Я с облегчением отпустил автоматную рукоять. Выдавил:

— Ну, Рокуэлл... Ну, зараза... Ты однажды получишь пулю со своими шуточками...

На Рокуэлле был короткий меховой жилет, под ним — остатки футболки.

Волосатые, бугрящиеся мускулами руки крепко прижали меня к пропахшему гарью и потом телу.

— Ну, медведь, — проговорил я, высвобождаясь из его объятий. — Где так закоптился?

— А... Есть еще любители подпалить дракону чешую.

Глаза Рокуэлла забегали, осматривая Майка.

— Это кто?

— Так... — Я почему-то смутился. — Кандидат.

Он сразу утратил к Майку всякий интерес.

— Пошли со мной, Драго. Нас ждет сюрприз.

Я вопросительно качнул головой.

— Дже-ре-ми. Джереми! — страшным шепотом повторил Рокуэлл. — Представляешь, он вернулся. Я за ним иду вторую неделю. Помнишь, как он нас гонял? Лечь-встать над лужей дерьма? А сколько он кончил ребят...

Настоящих драконов, без всякой причины...

— Я его уже встретил, Рокуэлл.

— К-как? Уже... все?

Рокуэлл как-то весь сник.

— Да забудь о нем. Мы же с год не виделись, Рокуэлл! Где ты пропадал?

— Ты его убил? У меня он полдня бы мучился...

— Его смерти тоже не позавидуешь.

Я коротко пересказал Рокуэллу недавние события. На мгновение он оживился.

— Да, шуточка неплохая. В твоем духе. А что за поселок?

— Ничего интересного. Даже девчонок симпатичных нет. Так откуда ты?

— Подымался вверх по Притоку. Миль триста прошел...

— И как там?

Рокуэлл пожал плечами:

— Как везде. Гарнизоны, фермы, монастыри...

— Наших видел?

— Да, больше из новых. Из стариков... Пит в тех краях охотится, но с ним не встречался.

— Пит-колючка, — усмехнулся я.

— Ага. Говорят, еще колючей стал.

— Куда уж дальше...

Разговор не клеился. Майк молчаливой тенью замер в стороне. От него словно веяло холодком. Рокуэлл натянуто улыбался.

— А ты куда собрался?

— Так, в горы. Блажь напала, — соврал я.

— В горы... Это хорошо.

Из зарослей вынырнул Принц. Неспешным шагом подошел ближе. Запах Рокуэлла он знал прекрасно и пороть горячку не собирался.

— О, твоя псина. Вымахал! Чем кормишь?

Принц ткнул мордой в живот Рокуэлла, давая понять, что признал его.

— Сейчас у многих наших собачки... Но такой нет.

— Такой ни у кого нет. Чего ты не заведешь?

— Да никак не соберусь... Значит, в поселок заходить не стоит?

— Ничего интересного, — повторил я. — Ну что, разобьем лагерь?

Рокуэлл удивленно посмотрел на меня.

— Здесь, в трех милях от монастыря?

Устраивать привал мне сразу расхотелось.

— Что за монастырь?

— «У Небесных Врат». Не знал?

— Нет. Не знал, что так близко.

Рокуэлл неопределенно махнул рукой.

— Там есть ущелье. Пробираться лучше по нему, меньше риска.

— Монастырь большой?

— Сотни три монахов.

— Ясно.

Ничего мне не было ясно. И главное — уговаривать ли Рокуэлла идти со мной. Интересно было узнать о его похождениях, но... Во-первых, это походило на трусость — словно я боюсь в одиночку идти мимо монастыря. Во-вторых... Наш с Майком поход не из тех, в которые приглашают даже лучших друзей.

Спас положение сам Рокуэлл.

— У тебя еще прежнее логово, Драго?

— Да.

— Можно мне поохотиться на твоих землях пару месяцев?

— Конечно.

— Я хочу двинуть к морю. Посмотреть, как там. Может, новенькое что-то... Но надо передохнуть.

Рокуэлл достал свой нож, повернул лезвием ко мне. Металл был зазубрен, словно клинком рубили стальные прутья.

— Может, присоединишься ко мне? Прогуляемся к морю?

— Может быть. — Я пожал плечами.

— Отлично. Я тебя жду два месяца. Удачи.

Толкнув меня в плечо, Рокуэлл улыбнулся и зашагал прочь. Пройдя десяток метров, обернулся, сделал неопределенный жест, адресованный то ли Майку, то ли Принцу и обозначающий прощание.

Принц взвизгнул — знак особого расположения, Майк — махнул рукой.

Потом я сказал:

— Ценю твое чувство юмора, Принц. Но в следующий раз предупреждай меня о приближении друзей.

Майк кинул на меня быстрый взгляд. Сказал:

— Мне его жалко.

— Ты чего? Совсем одурел? — Я взглянул на Майка как на помешанного. — Рокуэлл в жалости не нуждается. Он не то что тебя, он меня посильнее будет.

— Дело не в этом. Он весь безысходный.

— Это ты из-за его вида? Он просто неряха и лентяй. За ним с детства...

— Да нет же! Он не знает, чем себя занять. И эти его походы от бессилия. Похоже, он начал понимать, что весь ваш путь ошибочен...

— Это ты брось, Майк! Быть драконом — это способ выживания. Зло не может быть ошибкой, оно выше случайностей. Оно в основе человека, в его душе. И если признаешь это — то становишься драконом. А для дракона уже нет зла, нет... противоположного понятия. Дракон может поступать как угодно — он не становится ни злым, ни... другим.

— Любопытная философия. — Майк улыбнулся.

— Да ты жизни не знаешь, щенок! При чем тут философия? Либо ты человек — и вынужден поступать в соответствии с моралью, либо дракон — и поступаешь согласно своим желаниям. Но жизнь хитрая штука, она заставляет постоянно менять правила игры. Черное становится белым, а белое — красным.

Иначе — смерть. И люди живут по меняющимся правилам, убеждая себя, что так играли всегда. А для нас, драконов, правил нет. Я мог изнасиловать всех женщин в этом поселке, мог вообще его сжечь. А мог и пощадить. Я не связан правилами! И это честнее, чем меняться с каждым зимним дождем!

— Драго, ты не прав! Ты тоже связан правилами...

— Нет, постой! Хочешь, я расскажу тебе про одного... скажем так, мальчишку? Мы вместе воспитывались, был такой человек Элдхауз... Чушь, не о нем речь... Мы звали того пацана Светловолосым. Знаешь, он был не то чтобы такой яркий блондин, он был именно Светлый. Он ненавидел жестокость.

Он не хотел убивать. Он был готов любому помочь. Но ему пришлось становиться драконом. Он метался, пробовал нас переспорить... Не вышло.

Тогда он возненавидел тех, кто стал драконом без колебаний. Тех, кто нес в себе, как ему казалось, все зло нашего мира. И он попытался их уничтожить. Их же методами... И стал самым страшным драконом этих лесов.

Он придумывал самые жестокие пытки, чтобы уличить других драконов в запретных чувствах. В малейших признаках мягкости и понятия, противоположного злу. А уличив — уничтожить. За то, что они были жестоки!

Он попал в замкнутый круг, но не понял этого. Он, в сущности, даже не был драконом — он оставался человеком, знающим зло и... противоположное чувство.

— Он погиб...

— Да, я убил его.

— Я не о том. Он погиб, пытаясь победить драконов силой. Злом. Он погиб, когда принял это решение.

— Это доказывает мою правоту. Правоту драконов. Человек пришел к злу от его отрицания. Зло всегда в основе.

— Нет... — Майк отвернулся, словно понял, что спорить бесполезно. И тихо добавил: — В каждом человеческом сердце живет дракон. И если ты не убьешь дракона, он станет убивать людей вокруг себя. Но вначале... — Майк бросил на меня свой короткий, пронзительный взгляд, — вначале он сожрет твое сердце.

4. МОНАСТЫРЬ «У НЕБЕСНЫХ ВРАТ»

Ущелье мы нашли не сразу. Оно было узким и густо заросло деревьями.

Лишь по дну его тянулась полоска голых, обточенных камней — в зимние дожди или в весенние паводки здесь бежал стекающий с гор поток. Мы с Майком шли по этим камням, а Принц пробирался вверху. Вблизи монастыря Братьев Господних бдительность терять нельзя ни на минуту.

— Знаешь, Драго, пока ты крошил бандитов, я болтал с этой девушкой, Сюзи...

Девушкой? Я удивленно взглянул на Майка.

— Оказывается, ее в поселке считают колдуньей. Она умеет лечить болезни и предсказывать будущее. Звери ее никогда не трогают.

— Насчет зверей согласен.

— Ну, я спросил ее о нашем будущем. Дойдем ли мы до гор? Она ответила, что нас ждет опасность. Рядом с целью.

— Если в голове есть крошка мозгов, то ответить так несложно. На нашем пути монастырь. А как Братья Господни нас любят, ты видел.

— Она еще сказала, что до этого, в дороге, ты встретишь своего старого друга.

Я вздрогнул и ответил:

— Об этом тебе надо было сказать до встречи с Рокуэллом.

Майк пожал плечами:

— Я не вру. Хотя она, конечно, странная девчонка. И красивая. — Он усмехнулся.

Я продолжал идти. Потом спросил:

— А сколько ей лет, по-твоему?

— Пятнадцать-шестнадцать, не меньше... А что?

— И красивая?

Майк непонимающе смотрел на меня.

— Корягой она, значит, притворялась... Чтоб рыбки не съели, — сам себе сказал я. — А у плота пришлось переключиться на другого хищника, вот зубастики и пощипали колдунью. Коряга...

Не выдержав, я расхохотался. Ничего, с ней можно поболтать и на обратном пути. Пихнул в бок удивленного Майка:

— Чего встал? Ходу, ходу!

Лес начал редеть у самого подножия гор. Мы прошли не меньше тридцати километров, ущелье стало шире и мельче, почти полностью освободилось от деревьев.

— Отдых, — скомандовал я наконец.

Принц обежал пару подозрительных холмов поблизости и вернулся к нам.

Удовлетворенно растянулся у моих ног. Мы с Майком молча жевали твердые, спрессованные плитки концентратов.

— Устал?

— Норма. — Майк отрицательно помотал головой. — Главное, мы уже рядом. И неделя в запасе.

— Какая неделя?

— Мне надо быть там до шестого июля.

— Ну-ну.

Я отряхнул ладони и поднялся.

— Пошли. На ночлег станем уже в горах.

— Идем.

Принц, как обычно, побежал вперед. Мы стали карабкаться по склону, выбираясь из ущелья. Майк забросил автомат за спину, чтобы не мешал под руками, и, увидев это, я перехватил оружие поудобнее. Один ствол всегда должен быть наготове — это закон. Впереди что-то зашуршало. И вдруг взвизгнул Принц — ошеломленно, растерянно. Я поднимал голову, уже чувствуя накатывающуюся от него волну страха и беспомощности.

Перед ним стояли двое. Серые плащи мешками колыхались от легкого ветерка. В складках широченных рукавов поблескивали короткие автоматы.

— Поднимите руки и ложитесь, драконы, — бесцветным голосом сказал один.

— Поднимите и ложитесь, — эхом откликнулся другой.

— Может, что-то одно? — Я произнес это голосом наивного идиота, лихорадочно оценивая ситуацию. До них метров пять. Принц стоит ближе — ему метра три. Хватит прыжка... Но оба монаха держат нас на прицеле, а пес сможет сбить лишь одного. Напарник расстреляет нас прежде, чем лапа Принца снесет ему голову. Стрелять самому? Не успею... Или успею? Майк, может, и спасется, но меня изрешетят...

«Принц! Обоих?»

«Одного».

— Поднимите руки...

Мы стояли с Майком плечом к плечу — великолепная мишень. А перед нами — ощетинившаяся туша Принца. Тоже мишень... Я стиснул зубы. Надо выбирать.

Последний шанс всегда требует жертвы. Принц, прости...

«Встань на задние лапы. Напугай их».

Принц повернул голову, и я увидел его глаза. Испуганные, молящие...

Да он же все понимает! Кого я пытаюсь обмануть — его или себя?

«Не надо!»

Поздно. Принц с ревом поднялся на задние лапы, замолотил передними в воздухе. Братья Господни открыли огонь — то ли по нему, то ли по нам. Но тело собаки принимало в себя все пули. Падая на землю, стреляя в ненавистные серые тени, я видел, как кровавые клочья плоти отлетали от Принца. Мой автомат уже замолчал, скрюченные, утратившие форму красно-серые фигуры опускались на землю, а Принц еще стоял, покачиваясь и тихо, по-щенячьи, скуля. Потом он упал.

Ничего не соображая, я встал, сделал к нему несколько шагов.

Позвал:

— Принц! Песик...

Рядом застучал Майков «люггер». Горсть отработанных гильз прошлась по ноге, приводя меня в чувство. Я упал, скатываясь в овраг. Следом кувыркнулся Майк, пробормотал:

— Их... их там десятки...

— Быстро!

Мы побежали. На ходу я обернулся, увидел на краю обрыва четкий силуэт, дал очередь. Фигура осела.

«За тебя, Принц...»

* * *

Голос шел словно ниоткуда. Наверное, Братья установили динамики вокруг холма, где залегли мы с Майком. Бесплотный, безынтонационный, беспощадный голос.

— Драконы, выходите. Бросайте оружие — в борьбе нет смысла. Орден требует от вас покорности. Выходите, драконы...

— А если выйти? — спросил Майк.

Мы лежали спина к спине. Крошечная ложбинка на вершине холма, естественный окоп, пока еще спасала нам жизнь. Нас взяли в кольцо и заставили залечь у самых гор, на холмистой, с редкими деревцами, равнине.

Похоже, сюда нас и гнали через лес, зная, что до гор мы добраться не успеем, а из леса, где дракон может задать бой кому угодно, уже выйдем.

— Если выйдем — убьют не сейчас, а в полнолуние, — ответил я.

По склону ближайшего холма ползла серая тень. Снайпер. Хочет добраться до вершины и обстрелять нас сверху. Только чего же он лезет у нас на виду, балда? Я прицелился.

— Почему в полнолуние?

— И этого не знаешь? Полнолуние — день очистительной жертвы. Если нас сожгут вместе с ребенком, наши души очистятся и попадут в рай. Они нам зла не желают.

Спина Майка вздрогнула.

— Каким ребенком?

— Фермерским. Кто-нибудь из монахов выкрадет. Они так очищаются каждое полнолуние...

Короткая очередь остановила Брата Господнего на полпути. Последним усилием он раскинул руки, замер серым крестом. Как бы он не специально полез под пули: погибнуть от рук дракона — значит стать святым. Ходило у них такое поверье...

Майк дал длинную очередь, явно не целясь.

— Не психуй. Нам еще до ночи тянуть, — словно не понимая, что нас выкурят раньше, произнес я.

— Я думал, они... Но они же хуже вас!

— Хуже. Они — люди, — с удовольствием подтвердил я.

На порядочном расстоянии от холма, вне досягаемости даже моего АК, не то что «люггера», прохаживались Братья Господни. Их было десятка три, не меньше.

— Майк, бинокль.

Майк зашуршал рюкзаком. Чуть приподнялся — над нами тут же завизжали пули. Что и говорить, стерегут надежно.

— Бери...

Тяжелый бинокль дрогнул в моих пальцах, когда я навел резкость.

Братья Господни устанавливали километрах в трех от нас минометы. Надо же... Не пожалели для драконов даже мин.

— Теперь все, Майк...

— Что?

— У них минометы.

Не перестающий бормотать призывы к покорности голос умолк. Наступила тишина. Потом тот же, усиленный, мертвый голос произнес:

— Драконы, у вас есть четверть часа, чтобы сдаться.

Невидимый диктор вдруг кашлянул, смазывая все впечатление от своего замогильного тона, и замолчал.

— Майк!

— Ну?

— Попробуй выйти. Если докажешь им, что не дракон...

— Иди к черту!

Я рассмеялся, сказал.

— Я уходить не собираюсь. Учти, ты умрешь как дракон.

— Пока не спешу умирать...

Он завозился:

— Драго, мне нужно развернуть рацию. Прикрой...

Переспрашивать я не стал. Даже если он собирается докладывать на базу, что сейчас погибнет, мешать не имело смысла. Я подвинулся, давая ему место, чтобы вытащить из рюкзака рацию. Потом лег на спину, отставил автомат подальше и надавил на спуск. Нескончаемо длинная очередь пробарабанила по ушам. Автомат умолк. Я стал неторопливо перезаряжать обойму. Майк тоже улегся на спину и медленно вытягивал из рации антенну.

Тонкий телескопический прут вытянулся метра на полтора. Братья, похоже, заметили его отблеск — пули засвистели чаще.

Расслабившись, я стал смотреть в небо — в низкую серо-свинцовую пелену туч. Казалось, подпрыгни посильнее — и можно ухватиться за вязкую грязную облачную вату. Ухватиться, повиснуть и уплыть с облаками куда-нибудь далеко-далеко, где нет ни монастырей, ни лесов, ни тягучей, безнадежно однообразной жизни. На маленькие тропические острова, которые никто не удосужился закидать ракетами, или в холодные антарктические льды...

Майк все нажимал и нажимал какую-то кнопку на рации. Наверное, встроенный микропроцессор подавал сейчас кодированный сигнал вызова.

Против воли я повернулся, посмотрел на Майка. Этого не стоило делать — от вида его сосредоточенных действий появилась глупая, бессмысленная надежда на чудо.

На рации светились крошечные разноцветные лампочки. Вздрагивала стрелка, показывая излучаемую передатчиком энергию.

— Да! — закричал вдруг Майк. — Да, это я!

Крошечные диски наушников шептали, а может, кричали что-то неслышное мне.

— Нет! Я не мог раньше! Нет, времени мало... Парк, парк, подснежнику нужен дождь по окружности! Берите пеленг! Сильный дождь! Быстрее! Здесь очень, очень сухо!

Я лежал, вжимаясь в холодную землю. Мне было не по себе. Что-то в словах Майка, в его вздрагивающем голосе выворачивало меня наизнанку.

— Если можно, если успеете... В квадрат 17-ЭР — град.

В его карте я уже разбирался. В квадрате 17-ЭР находился монастырь «У Небесных Врат».

— Рон... — Майк всхлипнул. — Рон, здесь очень мерзко. Здесь... здесь страшно, Рон. И очень... Нет, не радиация. Рон, я постараюсь! Я дойду, я ее отключу... Рон... У меня больше не оставалось выбора, я не хотел тебя выдавать... Не чушь! Я хотел сам... Но слишком уж сухо.

Он замолчал. И уже другим голосом произнес:

— Парк, подснежник понял. Сильный дождь на пеленг, град в квадрат 17-ЭР. Отсчет десять секунд, время достижения шестнадцать... Плотность поражения в радиусе пятьдесят — пять тысяч метров максимальная. Шесть... Пять... Четыре... Три... Два... Один... Ноль. Дождь пошел, понял. Рон, прощай!

Майк откинул рацию — так выбрасывают огнемет, в котором кончился заряд и который уже никогда не перезарядишь.

— Драго, открой рот, могут лопнуть перепонки... Сожмись, чтобы не задело. Да поможет нам Бог!

В неосознанном ужасе я вцепился в Майка, в скользкую, гладкую ткань его комбинезона. И почувствовал, как он прижимается ко мне. Нам было одинаково страшно на серой земле и под серым небом...

Тонкий нарастающий гул послышался с неба. Монастырские минометы? Они звучат не так...

В серой облачной грязи сверкнул огонек. Другой, третий... Словно звезды продырявили тучи и стремительно падали на землю. Я закричал и не услышал своего крика. Сотни, тысячи светящихся точек парили под облаками, опускались на нас. Гигантский огненный круг... Нет, не круг, а кольцо. И отверстие в кольце, крошечный кружок серого неба, приходилось точно над нами.

Я успел еще различить под каждым огоньком темную тень, когда сверкающее облако осело на землю. Нас колыхнуло, словно рушились горы; огненные, багрово-дымные стены вскинулись вокруг. Казалось, что горел даже воздух. Волны темного пламени пронеслись над холмом. И тяжелый, нестерпимый удар от взрыва тысяч кассетных боезарядов погрузил меня в мглу беспамятства, прокатился по телу раскаленным воздушным прессом...

Я открыл глаза от боли в плече. Майк тащил меня за руки по скользкому, горячему пеплу, и каждое движение отдавалось болью. Лицо его казалось маской из копоти и крови, лишь глаза оставались живыми. На шее у Майка вразнобой покачивались два автомата — мой АК и его «люггер». Я хотел сказать, что мой автомат можно теперь выбросить, но сил на это не было.

Тогда я посмотрел вверх.

Разорванные, искромсанные тучи медленно расплывались прозрачной дымкой. На лицо оседала мелкая водяная морось. А сквозь редеющие тучи проступало небо — темно-голубое, даже скорее синее, вечернее. Над горизонтом, в самом краю облачной проталины, желтел ослепительно яркий краешек солнца. Его свет коснулся обожженной кожи, и я напрягся. Но боли не было. А в воздухе, наполненном испарившейся влагой, вспыхнула яркая, словно нарисованная семью щедрыми мазками художника, радуга; протянулась от мертвой выжженной пустыни к горам. Горы стояли спокойные и непоколебимые, лишь снег на вершинах сверкал синеватым холодком.

— Майк, небо, — выдавил я из себя. Я чувствовал, что просвет скоро затянет. Майк должен взглянуть, он же никогда не видел неба.

Своих слов я не услышал, да и Майк, наверное, тоже. В ушах стоял непрерывный гул. Сморщившись от напряжения, Майк наклонился ко мне. Потом, поймав умоляющий взгляд, посмотрел вверх. И опустился в черную гарь рядом со мной.

Мы лежали под голубым небом, которого не было над Землей долгих двадцать лет. Высоко-высоко, над проклятой серой пеленой, над пылью и копотью, плыли белые пушинки облаков — настоящих, *прежних* облаков.

Я смотрел на их розовые, подкрашенные солнцем края и думал о том, что всегда представлял небо без них. Я просто забыл об их существовании, мне казалось, что в распахнувшемся однажды небе не окажется ничего, кроме голубизны.

Потом я потерял сознание.

5. «ОТЛОЖЕННОЕ ВОЗМЕЗДИЕ»

Темнота несла меня в себе как ласковая, теплая морская волна.

Выныривать не хотелось. Болели лицо и руки, но боль казалась слабой, приглушенной. Когда я пытался что-то вспомнить, в памяти вставала клокочущая огненная стена, и я отшатывался, пугаясь собственных воспоминаний. Мир темноты был ласковым и спокойным, разум окутывала легкая дурманящая завеса. За ней пряталась боль, я чувствовал это и не пытался проснуться. Но снаружи, из сладкого дурмана, из обжигающего мира, где были боль, и движение, и ослепительный свет, меня звал чей-то голос.

Прошли тысячелетия, прежде чем я разобрал слова.

— Джек... Джекки... очнись...

Звали меня. Что случилось? Почему я здесь, в темноте, ведь я помню обжигающий свет. Свет... Залитый ослепительным светом вагон. Лицо мисс Чэйс, нашей учительницы, — белое, и каждая черточка видна так отчетливо, словно выкована из металла. Вагон дергается, я падаю... А надо мной — крик, и свет, и опаляющий жар, и нестерпимый ужас. Я хочу закричать — и не могу.

— Джекки...

Была катастрофа. Это точно. Поезд попал в аварию... или террористы подложили в вагон бомбу. Они всегда стараются положить бомбу туда, где много детей. А в вагоне ехало два класса — наш и тот, где учился Рокуэлл.

Откуда я знаю его имя? Мы же не разговаривали... Нет, это все ерунда. Я ранен и в больнице. Но я же слышу, как меня зовут? Значит, ничего страшного...

— Очнись, Джекки...

Это папа. Значит, он прилетел из Европы. А ведь там сейчас много работы. В последнем папином репортаже — мисс Чэйс читала нам его в гостинице, когда мы только приехали на экскурсию, — сказано, что происходит небывалое... Да, наш президент договорился с русскими уничтожить последние атомные ракеты. Мисс Чэйс сказала, что это многим не понравится...

— Ты слышишь меня, Джек?..

— Да...

Слова даются легко, трудно было лишь произнести первое.

— Я слышу. Я пока полежу, не раскрывая глаз, ладно?

Пауза. Может, мне надо раскрыть глаза?

— Конечно. Приди в себя.

— Я пришел.

В голове кружатся какие-то картины, реальные и фантастические одновременно..

— Мне снился такой интересный сон. Только он страшный. Ты будешь ругаться, скажешь, что я опять насмотрелся фильмов по кабельному каналу, но это неправда. Мне приснилось, что была ядерная война. А ее же не будет, президенты договорились, да? Войны никогда не будет... А мне снилось, что на небе вечные тучи и не видно солнца. Все заросло лесом, рыжим, словно его кипятком ошпарили. И такие пауки... Огромные, противные. А я в этом лесу брожу с автоматом... смешно, автомат был русским. Они там очень ценятся... ценились, это же сон... Он прошел, да?

Тишина, будто и нет никого.

— Ты не молчи, а то сон возвращается и страшно... Не молчи!

— Я не молчу.

— Знаешь, мне так стыдно. Ты же хотел, чтобы я был смелый? Ты никогда не трусил, даже в Иране... И в той республике, где гражданская война. А я оказался таким трусом. Я убивал, потому что трусил. Так получилось. Замкнутый круг, словно лента в штурмовом пулемете... Это ты мне рассказал про пулемет? Да? Не молчи! Ты?

— Не помню.

— Я же не знал про пулемет. Я это придумал, да? Ну не молчи же, папа! Я открою глаза! Не молчи! Мне страшно! Я открою глаза — а это не сон! И никого рядом. Только Майк, но он меня ненавидит. А я его понять не могу... Не молчи же! Я боюсь! Ну скажи — это сон, сон, сон!

Я кричал, уже слыша свой голос — взрослый мужской голос, куда сильнее, чем тот, который я принимал за отцовский. Майк сидел передо мной, стиснув пальцы на горле, словно хотел задушить сам себя.

— Что, я бредил? Какая-то чушь...

Вокруг полутьма. На лице Майка лежали лишь отблески костра, я слышал потрескивание веток в огне. Майк набрал сырых веток, они сильно дымят.

Надо брать нижние, они сухие... и жара больше.

— Ты есть хочешь?

— Да.

Майк наклонился, поднося к моему рту кружку. Я сделал глоток. Бульон из концентратов.

— Тебе обожгло лицо. Но не сильно, пузырей и то нет. Пальцы тоже, немного...

— А плечо?

В левом плече, над лопаткой, тупо болело.

— Осколок. Я его извлек, уже стало заживать.

— Я долго валялся?

— Три дня.

Мы замолчали.

— Что с тобой-то?

— Ерунда. Лицо обожгло... тоже не сильно.

Я посмотрел на костер, отвернулся.

— Что это было, Майк?

— Ракетный удар. — Он говорил сбивчиво, подбирая слова. — Кольцевой ракетный удар, с наводкой на рацию. Кассетные, осколочно-напалмовые заряды. Это мои друзья, с базы...

— Нет такой базы, с ракетами, — упрямо сказал я.

— Есть, Джек.

— Как ты меня назвал?

Мы опять замолчали. Наконец. Майк сказал:

— Завтра мне надо идти. Иначе не успею. Ты сможешь? Здесь недалеко, ближе, чем я думал.

— Помоги. — Я попытался сесть. К моему удивлению, это получилось довольно легко. — Смогу, — твердо сказал я.

— Давай тогда спать. Я устал ужасно.

Я кивнул и спросил:

— А где мы?

— В пещере. Это в горах, километров пять... от того места. А до цели не больше двадцати.

Майк лег рядом, бок о бок. Я нащупал кружку, сделал еще пару глотков.

— Что у нас за цель?

Он молчал так долго, что я уже собирался переспросить.

— Ракетная база «Отложенное возмездие».

Будь я в форме, остаток пути не стал бы для меня проблемой. Теперь же он занял весь день. Лезть на кручи или спускаться в пропасти не приходилось, мы и шли-то скорее в предгорьях. Но плечо давало о себе знать. Подтянуться или крепко держаться левой рукой я не мог, к тому же ныли обожженные ладони. Когда мы с Майком перебирались через каменную осыпь, ровные, предательски округлые камни разбежались у меня под ногами, и я упал. Удар пришелся на злополучное плечо. Боль, до этого сжавшаяся в маленькую точку, расправилась, огненной пружиной хлестнула по телу. Я застонал, замер, боясь пошевелиться. Почувствовал руки Майка на своем лице.

— Сделать укол?

Я отрицательно замотал головой и спросил:

— Да чего ты меня с собой тащишь? Давно уже дошел бы...

— Я же тебе обещал пулеметы и патроны...

Вначале мне стало смешно. Потом я подумал, что у него очень четкий моральный кодекс и он не успокоится, не вручив мне свои пулеметы.

— Майк, что из тебя не выйдет дракона, я понял давно. Но так, как ты, не поступают даже люди. Любой другой в лучшем случае оставил бы меня в пещере. В худшем — бросил на холме, всадив пару пуль для порядка.

— Я не «любой другой». Идем, мы почти у цели.

— Ты уже был здесь?

— Нет.

— А откуда знаешь?

Майк молча дотронулся до левого плеча.

— Тоже что-то вшито? Майк, в тебе очень много металлолома?

— Нет, больше ничего нет, — серьезно ответил он. — Под кожу поместили лишь самое важное, без чего я не смог бы обойтись. Здесь — универсальный ключ. Он уже сработал, значит, мы в окрестностях базы. Если бы компьютеры не приняли ответный сигнал, нас бы расстреляли сторожевые автоматы.

Меня обдало холодом.

— Какие компьютеры? Какие автоматы? Двадцать лет после войны! Если тут была ракетная база, она давно развалилась!

— Идем. Это где-то у тех скал.

Он даже не стал со мной спорить. Я поплелся за Майком, как побитый щенок. У скал ничего не было. Тут и сарай трудно разместить, не то что ракетную базу. Вздыбленные камни, узкие гранитные обломки, упавшие сверху; груды камней поменьше...

— Майк, тут был взрыв?

— Не здесь, километрах в пяти. Русские знали о базе, но не могли накрыть ракетами каждый из запасных выходов.

Майк остановился, рассеянно осматриваясь. Потом сказал:

— Это тут. Мне показывали стереоснимки. Давай подождем. Механизмы могут оказаться поврежденными, тогда выход откроется не сразу...

Куча камней, наваленная метрах в пяти от нас, зашевелилась. Под ноги мне откатился круглый, как ядро, камень. Из кучи поднимались, расходясь, две широкие бетонные плиты. С них торопливо осыпались миниатюрные лавины.

Через несколько секунд перед нами темнел квадратный проем, ограниченный с боков двумя параллельными, вставшими на ребро плитами.

— Почти как дома... — вполголоса произнес Майк.

— Ты вырос под землей? — утверждающе спросил я.

Майк кивнул:

— «Резерв-6» — подземная база.

Центр управления в критических ситуациях, в просторечии — база «Резерв-6», — создавался для членов правительства и руководства армии, а также их семей. Размещенный в карстовых пещерах, на полукилометровой глубине, он выдержал три последовательных термоядерных взрыва без особого ущерба. Были завалены почти все выходы и воздуховоды, но бедой это не грозило. Подобно межпланетному кораблю, Центр имел замкнутую систему жизнеобеспечения. Два атомных реактора снабжали его энергией, огромное подземное озеро — водой. Вот только управлять в создавшейся критической ситуации было некем — немногие уцелевшие гарнизоны медленно и мучительно агонизировали. Экипаж одной из подводных лодок, с которым удалось выйти на связь, перенастроил блоки управления ракет и выпустил оставшиеся «Трайденты» по базе. «Резерв» выдержал и это, тем более что точность попадания была невысокой. Но попытки продолжать войну Центр прекратил.

Основной задачей решено было сделать возрождение государства. Разумеется, не сразу... Через несколько лет, когда спадет радиация и рассеется облачный покров...

— Майк, — спросил я, — неужели вы никогда не пробовали выйти на поверхность?

— Пробовали. Через три года после войны, когда снизился уровень излучения и кончилась зима.

— Ну и что же?

— Нам... тем, кто вышел, не понравилось.

От попыток обосноваться в джунглях Центр отказался после гибели третьей разведывательной группы. Первая погибла в стычке с персоналом базы бронетанковых войск. Вторую уничтожил дракон Харпер — тщедушный близорукий парень с повадками истинного садиста. Он даже рассказывал Драго про удивительно хорошо снаряженных ротозеев.

Третья группа прошла по лесу, ощетиненная огнеметами и реактивными ружьями. Шестеро рядовых и сержант Бори сожгли ферму в Кривом Овраге (стрельба из дробовиков по ломящимся в ворота коммандос), семерых Истинно Верующих (обычная засада на врагов секты), более шестидесяти пауков (в их кровожадности солдаты не сомневались). Группой был допрошен и расстрелян дракон Черный Сэм (второе поколение драконов; перед смертью кричал: «Вы же должны меня бояться!») и капитан Беннет из приречного гарнизона (бывший дизайнер, один из восьми капитанов в гарнизоне из семидесяти человек).

В последнем сообщении докладывалось о намерении захватить четверых человек, устроивших привал в лесу.

Ручной пулемет сержанта Борна служил улепетывающему от драконов Джереми более семи лет...

Майк долго давил на кнопки у второй двери, но она не открывалась. Нас пустили лишь в первое помещение базы — узкую бетонную комнату со стальными шкафами в стенах и люминесцентными панелями на потолке.

— Будем ждать, — решил Майк. — База на консервации, в помещениях углекислый газ... В противопожарных целях, — разъяснил он.

Я молча осматривал комнату.

— Что здесь было?

— Переходник. Шлюз для выхода в зараженную атмосферу.

Майк подошел к одному из шкафов. Приставил ствол автомата к узкой прорези, отвернулся... Из-под дула ударил фонтан металлических брызг.

Дверца осталась неподвижной. Майк подцепил искореженный край ножом, надавил.

— Сломаешь, — предупредил я.

— Плевать, — весело отозвался Майк.

Дверца с противным скрежетом раскрылась. Действительно, плевать... В шкафчике лежали вещи, от одного вида которых забылась и боль, и мучительная дорога.

Комбинезон. Не такой, как у Майка, а потолще, с прозрачным шлемом — антирадиационный. Рация. Дозиметр. Какие-то сумочки на ремне. И оружие — ручной пулемет с ребристым диском магазина, пистолет, толстая труба капсульного огнемета.

— Бери, — просто сказал Майк. — Открывай другие ящики. Но они все стандартные...

— Тут что, никого нет? — глупо спросил я.

— Нет. Это автоматическая база. В случае ядерного конфликта гарнизон обязан был ее покинуть.

— Покинуть?

Я взял пистолет. Вытащил обойму — в ней желтели патроны. С оружием ничего не случилось, оно готово было убивать. Оно пережило своих хозяев и пришло ко мне.

— Майк, зачем ты сюда шел?

Он снова нажал кнопку у внутренней двери. Дверь не открывалась.

— Чтобы остановить часы, Джек.

На базе «Резерв-6» было две библиотеки и три бассейна, спортивный центр и бары. Был доступ в природные пещеры, тянущиеся на сотни метров вниз. Была оранжерея, скопированная с проектируемого марсианского корабля, и рассчитан-

ные на много лет склады. Здесь можно было жить. И бывшие
сенаторы, и бывшие генералы стали жить. Жить и ждать, пока
на поверхности рассеются тучи. На базе был госпиталь, и в
нем стали рождаться дети.

Одним из первых стал Майк.

— Понимаешь, компьютер продолжает работать, — объяснял мне Майк, пока в недрах базы вентиляторы откачивали из
коридоров углекислый газ. — Ровно через двадцать лет после
войны он должен выдать команду на ядерный удар по России.

— Зачем?

— «Отложенное возмездие». — Майк пожал плечами. —
Наши родители считали, что агрессором непременно будут русские. И хотели мстить даже после смерти.

— А кто начал войну? Мы?

Майк поморщился:

— В том-то и дело, что нет. Одна маленькая страна, где не
любили ни нас, ни русских, но уже умели делать ракеты. Они
считали, что их война не заденет. Идиоты...

— И что ты хочешь сделать?

— Отключить компьютер. Если получится. Если нет — за-
глушить реактор. Резервные батареи давно вышли из строя,
когда не станет энергии — здесь все остановится.

— А чего послали тебя? Мальчишку... Да не напорись ты
на меня, зубастики сожрали бы тебя еще на Биг-ривер.

— Я пошел тайком. Нас всего семеро, Джек. Семеро тех,
кто решил исправить ошибку. Рональд — он дежурил на ра-
кетном пульте нашей базы, теперь, наверное, попал под суд.
Возможно, и под расстрел. Залп демаскировал «Резерв-6», президент этого не простит.

— Президент?

Майк невесело улыбнулся:

— Да не тот, не настоящий. Заместитель министра обороны, он руководит базой. Его все так зовут... Да Бог с ним!
Главное — остановить ракеты. Их тут шестнадцать, с разделя-
ющимися головками.

— Пусть не они начали войну, но воевали-то мы с ними.
Чего ты лезешь? Шел через лес, под пулями... Россия далеко.
Пусть летят твои шестнадцать ракет.

Лицо Майка затвердело. Глаза стали колючими и яростными.

— Тебе что, мало, Джек? Мало того, что уже случилось? Там не лучше, чем у нас, зачем же сыпать еще эту ядерную дрянь?! Тебе серое небо нравится? Или пауки? Или звери эти... из монастырей? Те, кто начал, живут в убежищах. Ты не думай, там не плохо. Лучше, чем тебе здесь живется! Чего же ты говоришь, как они? Нам выжить надо, просто выжить, всем вместе. Может, поумнеем теперь...

— Мне плевать. Дракон я! Дракон! — заорал я на Майка. — Я другого мира и не помню уже! Я в этих лесах жил и жить буду!

— Не ври, Джек! Помнишь! И не дракон ты! Ты добрый!

Слова застряли у меня в горле.

— Ты что мелешь... Я... Да на мне чужая кровь высохнуть не успевает! Я своих врагов жрал, как бройлерных цыплят! Я же чудовище! — Меня затряс истерический смех. — Майк, спаситель России... Ты меня застрели, пользы людям больше будет. Я хуже любого зверя. Я пока сдохну, столько натворю... На!

Я протянул ему пистолет, не замечая театральности поступка — на шее Майка болтался «люггер».

— Не буду я в тебя стрелять.

— А если я... в тебя? Ты представляешь, что сказал? Ты назвал дракона добрым? За это полагается смерть.

Майк, не мигая, смотрел на пистолет.

— Знаешь что, Драго... Убей меня чуть позже. Если уж действительно полагается.

Он снова коснулся клавиши на стене. Дверь вздрогнула, что-то загудело в полу. Из-за отползающих створок пахнуло прохладой. Освещенный редкими лампами коридор наклонно уходил вниз.

— Стой! — Я шагнул к Майку. — Пойдем вместе. Мне еще не доводилось... убивать компьютеры.

Майк серьезно смотрел на меня.

— Нет. Прости, Джек. Тебя убьет автоматический пулемет на первом же повороте.

— А тебя?

— Автоответчик. — Он показал на плечо.

Коридор темным, бездонным зрачком смотрел на нас.

— Нет, — тихо сказал я. — Нет. Не пущу я тебя. Не вернешься ты, я чувствую... Да опомнись, половина ракет заржавела давно!

— Если хоть одна осталась — надо идти.

Я рванул его за руку.

— Майк! Ну ты тогда о другом подумай... Если *там* осталась подобная база. И она — *ответит*?

— Пусть! Какое мне дело?!

Майк вырвал руку:

— Я расплатился с тобой, дракон? Тогда оставь меня! Проваливай в свой лес!

Он шагнул в темноту.

— Майк! — Я замер у порога. — Я подожду тебя здесь. Слышишь? Скучно возвращаться поодиночке!

Секунду длилась тишина. Потом я услышал голос Майка:

— Хорошо, Джек. Я постараюсь не задерживаться.

В сумрачной полутьме коридора он зашагал вперед.

6. ВОЗВРАЩЕНИЕ К СЕБЕ

Я ждал очень долго. Давно уже стемнело, и бетонный склеп наполнял лишь свет электрических ламп. Свет казался неживым, но, может быть, я просто отвык от него. От нечего делать я принялся вскрывать шкафы. На пол ложились комбинезоны и рюкзаки, автоматы и аптечки, набитые в обоймы патроны и гладенькие цилиндры гранат. Увлекшись, я не сразу понял, что свет тускнеет.

Взглянув в коридор, я не увидел вообще ничего. Там стоял мрак, густой, как застоялая вода.

— Майк!

Мой голос провалился в темноту. Коридор рассосал его в обитых пластиком стенах.

— Майк!

Шаг за шагом я погружался в темноту. Потом пошел быстрее, вытянув перед собой руки. Немудрено и голову разбить...

За первым же поворотом я споткнулся о что-то мягкое. Наклонился — и ощутил скользкую ткань десантного комбинезона.

— Майк! Что же ты... А...

Он еле слышно застонал. Я провел ладонью по его лицу — оно было мокрым. Кровь? Все-таки ранили? Это чушь. Чушь... Не самое страшное, что могло случиться.

— Щенок. Ну, щенок... Знал же, нельзя тебе одному туда соваться... — шептал я, неся тело Майка к выходу.

Света уже не было и в «переходнике».

— Сейчас, Майк... Сейчас разберемся, — пробормотал я, укладывая его у открытого люка. Метнулся назад, на ощупь нашел два огнемета. Вернулся на поверхность. Мрак был полнейшим — сквозь тучи не пробивались ни звезды, ни ущербная четвертинка луны. Так, скалы были правее люка...

С десятиметрового расстояния я всадил в скалу две огнеметные капсулы.

Полыхнуло жаркое белое пламя. Я повернулся к Майку.

На лице его была не кровь — рвота. Так быстро начинает тошнить лишь от смертельного лучевого удара.

— Майк... Зачем?

Он вдруг открыл глаза и отчетливо произнес:

— Это реактор.

— Тебе больно?

— Плечо... Это датчик... колет. Здесь радиация? Мы еще внутри?

— Нет...

— Значит, я... излучаю. Отодвинься.

— Что же ты, Майк...

— Там система дурацкая, надо проходить сквозь горячую зону... Непременно... Отодвинься, облучишься...

— А компьютер?

— Его не остановишь... Мы знали, я к реактору и шел. Единственный шанс... Отодвинься, ты же себя губишь...

— Так ты знал? Заранее?

Огонь начал гаснуть, и лицо Майка погружалось в тень.

— Они же не стоят тебя! Не стоят!

— Откуда ты знаешь? Может там... сейчас... их, русский, Майк останавливает свои... ракеты... Все повторяется... и зло... и добро...

Он замолчал. А потом отчетливо произнес:

— Ты добрый. Стань человеком, Драго...

Там негде было вырыть могилу. Я обложил его тело камнями, а на одном, в изголовье, выцарапал имя. Когда я положил сверху «люггер», меня начало подташнивать.

Я плыл в багровом тумане. Ярко-алые деревья, шелестя черной листвой, качались вокруг. Они то подступали совсем рядом, вслушиваясь в мои шаги, то испуганно отшатывались. И чего они боятся? Я же дракон. Я не трогаю деревья и травы. Я не рву цветы. Я дракон...

Озноб выхлестывался из груди с каждым толчком сердца. Я уже забыл, как оно бьется. А сердце стучало часто, напряженно, словно вспрыгивая по какой-то лестнице все выше и выше. Что там, наверху? Обрыв? Дверь?

Однажды я поймал себя на том, что стою на коленях и трусь лицом о бугристую осыпающуюся сосновую кору. Багровый туман при этом отступал, и становилось легче. Потом я ловил себя на этом еще несколько раз. Но мне даже не становилось страшно. Вот когда я увидел возле губ свою руку, а в сложенных чашечкой пальцах — воду, а в воде — зеленоватых водянистых личинок, вот тогда я испугался. Я выплеснул воду и отошел от смертельной лужи, тщетно пытаясь вспомнить, успел ли я напиться...

На второй или третий вечер мне стало почти хорошо. Туман исчез, и голова тоже прояснилась. Лишь слабость не проходила. Я развел костер, развесил вокруг мокрую насквозь одежду. Пот высыхал, оставляя на ткани белесые узоры. Я стал рыться в рюкзаке. И тут наткнулся на пистолет Майка...

Я что-то выл и катался по земле, пока не попал рукой в огонь. Но и потом продолжал сидеть и скулить. А пистолет удобно улегся возле моей руки. Я вспомнил, как тяжело и удобно ложится в ладонь рукоять, вспомнил мягкую упругость курка...

Вскочив, я закричал: «Не выйдет!» А потом долго вытрясал пистолетную обойму в огонь. Патроны рвались у моих ног, разбрызгивая искры и головешки. Но я знал, что в меня пули не попадут. Когда я стал одеваться, снова накатил багровый туман. Потом меня вырвало в огонь.

...Они шли вдоль берега реки. Откуда здесь река? Наверное, я заблудился... Или уже Правый Приток? Я упал в траву, а руки сами стянули с плеч автомат. Я услышал щелканье затвора, почувствовал касание приклада.

Драконы умирают в бою. Я смогу стрелять и больным, и даже мертвым. Пока не истлеет кожа на пальцах, они отыщут курок! Я дракон! А те, их было трое, уже шли ко мне. Останавливаясь, снова делая шаг... Нет, я не умру! Я убью их и напьюсь горячей крови. Или просто убью... Я дойду до своего леса.

Пальцы мягко тронули курок. Сейчас...

— Стань человеком, Драго...

Он же мертв! Почему я слышу его голос? Он мертв!

— Стань человеком, Драго...

Автомат выскользнул из рук. Я закрыл глаза. Как хорошо... А шаги были все ближе и ближе. Чьи шаги? Кто-то вынул автомат из моих пальцев, перевернул на спину...

— Добрый дракон... Это добрый дракон! А вы не верили!

Я никак не мог вспомнить, где слышал этот полудетский голос. Меня осторожно подняли с земли, положили на что-то, понесли. Чья-то рука все гладила меня по лицу.

Почему у них всех руки Майка? Я разжал веки и долго смотрел через край самодельных носилок. Моя рука болталась над самой землей, касаясь желтых метелок травы. И последние клочья багрового тумана стекали с разжатых пальцев...

ОТ СУДЬБЫ

Среди новых рассказов я уже начал выделять отдельный... даже не цикл, а просто «тип» рассказов. Для себя я называю их «шеклианские». Конечно, не только Роберт Шекли писал что-то подобное, но именно на его рассказах я понял золотой принцип классического американского фантастического рассказа: сочные детали, легкий налет условности и, самое главное, парадоксальная и неожиданная, будто в хорошем анекдоте, концовка.

«Вечерняя беседа с господином особым послом» была первым из таких рассказов. Случившийся одним из первых читателей критик и журналист Александр Ройфе немедленно взял рассказ для «Книжного обозрения», сделав к тому же очень ценное замечание. В 2001 году, к моему огромному удивлению, рассказ получил премию «Странник» как лучший фантастический рассказ 2000 года. Видимо, в таких рассказах и впрямь ощущается потребность — ведь все мы воспитаны на рассказах Шекли и Саймака в не меньшей мере, чем на книгах Стругацких.

За «Беседой» последовали «Переговорщики» и «Ахауля ляляпта». Видимо, будут и другие рассказы такого типа.

Но от судьбы, как известно, не уйдешь, и рассказы хочется писать разные. Рассказ «От судьбы» — один из тех, к которым я отношусь с легким смущением. Он «не мой». Нет, писал его, конечно же, я, и сюжет был придуман мной. Просто он выбивается из общего ряда моих рассказов, мне кажется, что в творчестве некоторых коллег он смотрелся бы более органично. Но — так уж получилось, что я его написал. Спасибо журналу фантастики «Если», который очень упорно требовал от меня рассказ в юбилейный, сотый номер и превозмог все же мою лень.

Рассказ «Шаги за спиной» — самый странный, пожалуй. Это единственный мой рассказ за последние десять лет, который я не смог никуда пристроить. Отказались все периодические издания, с которыми я постоянно сотрудничаю, и не потому, что рассказ показался им плохим. Рассказ «не вписывался» ни в один номер, смущенно объясняли мне, и я не могу не согласиться.

Ну что ж, рассказ этот странный, рассказ-настроение, рассказ-эскиз, но мне он нравится. Я его волевым решением вписываю в этот сборник и заключаю, что он замечательно здесь смотрится!

Вечерняя беседа
с господином особым послом

Прежде чем войти в лифт, Анатолий не удержался и посмотрел в окно еще раз.

Разумеется, корабль Чужих был на прежнем месте — прямо над памятником Петру Первому, на высоте ста четырнадцати с половиной (проверено) метров, непоколебимо удерживаемый в ночном небе антигравитационными (заявлено) двигателями, и цепочка оранжевых огней, обозначающая боевые рубки (предположительно), все так же опоясывала края огромного диска.

Да и куда ему деваться?

А внизу, под чудовищной машиной смерти и разрушения, второй месяц парящей над Москвой, мерцала иллюминация, ехали по улицам машины, гуляли, изредка задирая голову к небу, люди. Человек — очень пластичное создание. Человек может привыкнуть ко всему, причем удивительно быстро.

Анатолий вздохнул и вошел в лифт.

— Добрый вечер, господин особый посол, — приветствовал его охранник. Немолодой уже человек, наверняка в чине не ниже майора. Какой-нибудь «альфовец», вероятно.

— Добрый вечер.

Охранник нажал на кнопку, и лифт пополз вверх. Какого дьявола Чужие облюбовали именно это здание?

— Как успехи? — вежливо поинтересовался охранник. Это был ритуальный вопрос, и ответ Анатолия был не менее стандартным:

— Работаем.

В лифте наверняка стоял десяток подслушивающих устройств. И в амуниции охранника — еще пяток. И у Анатолия — семь звуко-, видео- и черт-знает-что записывающих приспособлений, про которые он знал, три — про которые знать был не должен, и неизвестно сколько слишком хорошо замаскированных. Говорить о чем-то было нелепо, да он и не собирался делиться тайнами с охранником... пусть даже тот был проверенным и преданным до мозга костей профессионалом. Но сегодня охранник решился еще на один вопрос:

— В новостях... там было интервью с... — легкий кивок вверх, — так они сказали, что вообще не собирались вести переговоры... что только господин Анатолий Белов убедил их не торопиться с захватом Земли...

Анатолий промолчал. Да и охранник, видимо, сообразив, что за эту вырвавшуюся реплику ему еще придется отвечать, замолчал.

Лифт остановился.

— Удачи вам, — пожелал в спину Анатолию охранник. — Удачи!

Похоже, человека и впрямь проняло...

Глубоко вздохнув, посол по особым поручениям при президенте России Анатолий Белов шагнул на территорию инопланетного посольства.

Исходя из общепринятой дипломатической практики — на территорию чужого, а исходя из грубой правды — стоит добавить «и враждебного» государства.

Еще два месяца назад здесь был какой-то офис. Впрочем, после того, как граги выбрали именно это здание под свое посольство в России, от офиса не осталось и следов. Чужие очистили весь этаж до состояния голой бетонной коробки за неполный час. А еще через час, когда Белов впервые вошел в посольство, оно уже имело этот вид.

Стены — лениво шевелящийся оранжевый материал, похожий на встрепанный войлок. Пол и потолок — то же самое, только красноватого цвета. Немногочисленная мебель — непривычных форм, хотя ее назначение угадывается легко, разбросанные по потолку наросты светильников излучают хотя и неяркий, но абсолютно чистый белый свет.

Конечно, если белый свет можно считать чистым...

— Добрый вечер, господин особый посол, — вежливо сказал граг, сидящий у двери. Его функция была приблизительно определена как охранник-секретарь. На вздернутых почти к подбородку тонких коленях грага лежал лучемет, в воздухе перед ним парил, стремительно меняя окраску, маленький шар... предположительно — голограмма, предположительно — информационный терминал, предположительно — работающий в видимом, инфракрасном, ультрафиолетовом и радиодиапазонах.

— Добрый вечер. — Анатолий кивнул, на несколько секунд задерживая взгляд на шаре — чтобы спрятанные в стеклах очков записывающие устройства, новейшая и секретнейшая разработка ученых, собрали побольше информации. — Я не слишком рано?

Он знал, что пришел на три минуты раньше назначенного срока. Именно для того, чтобы попробовать поговорить с охранником... предположительно — менее искушенным в дипломатических играх.

Как ему надоело это слово — «предположительно»! Никакой точной информации, ни о чем! Разве что о высоте, на которой парят над Москвой, Вашингтоном и Пекином летающие тарелки. Да и то... с чем связаны периодические колебания этой высоты: плюс двенадцать сантиметров, минус восемнадцать и выход на прежний уровень?

— Господин особый посол пришел на три минуты раньше, — сообщил граг. Чешуйчатая челюсть подергивалась, выплевывая слова чужой речи, в пасти трепетал узкий раздвоенный язык. Глаза грага, выпуклые, лишенные век, казалось, видели Анатолия насквозь. — Господин посол может занять время беседой со мной. Господин посол может выпить чашечку чая или прочесть газету.

Тонкая рука грага протянула Анатолию «Аргументы и факты», разумеется, заполненные на девяносто процентов домыслами о природе и намерениях Чужих.

— Спасибо, я уже читал этот номер, — вежливо сказал Анатолий. — А вам интересно читать человеческие газеты?

— Любая информация интересна. — Казалось, что граг удивился. — Это ведь возможность развития. А вам интересно читать наши газеты?

— К сожалению, я лишен этой возможности, — ответил Анатолий.

— Вы не смогли пока выучить наш язык? — Язык грага затрепетал в пасти. Ученые предполагали, что это означает не смех и не угрозу, а сочувствие.

— У меня пока не хватает на это времени. — Анатолий улыбнулся, надеясь, что граг правильно поймет мимику. — И я не имею ни одной вашей газеты, чтобы ее попытаться ее прочесть.

Считалось, что на Земле уже есть семеро человек, способных понимать язык грагов. Сразу же после контакта, когда граги любезно передали людям полные словари своего языка — граго-английский, граго-русский, граго-китайский, — у всех лингвистов мира началась веселая жизнь. Каждое правительство сочло своим долгом упрятать более или менее способных ученых, тихо трудившихся в своих институтах, и выступающих на эстраде чудо-полиглотов, знающих десятки и сотни языков, в комфортабельные и хорошо охраняемые заведения. Там они поныне и находились, пытаясь понять чужую психологию — исходя из чужого языка, а также готовя кадры переводчиков. Странно, но полиглоты в общем-то не подвели. Анатолий знал, что по их практически единодушному мнению язык грагов был богатым, емким, но не слишком сложным. Труднее китайского, но легче русского, одним словом. Может быть, Анатолий действительно сумеет им овладеть... если человечество выживет.

— Это плохо, — сказал граг. — У меня только старые газеты. Они вас устроят?

Только весь опыт дипломата помог Анатолию сохранить спокойное выражение лица.

— Да, наверное.

— Возьмите.

Рука грага скользнула куда-то под высокое сиденье, до смешного напоминающего крутящееся кресло из бара. И вернулась с тонким диском, напоминающим музыкальный или компьютерный компакт.

— Вот так... — сказал граг, касаясь какого-то значка на диске.

В воздухе появился еще один мерцающий шар.

— Это скорость восприятия.

Касание еще одной... кнопки?.. да, наверное, кнопки. Шар засветился мутным белым светом.

— Вам пора, — внезапно сказал граг, прерывая демонстрацию. Протянул диск Андрею.

Провокация? Дезинформация?

— Вы уверены, что можете дать мне этот предмет и ваше руководство не будет иметь претензий ко мне и всем людям? — спросил Анатолий, не поднимая руки.

Чешуя на голове грага зашевелилась. Признак раздражения, почти явный — дословный перевод фразы «разгневаться» звучал как «шевелить лобной чешуей». Хотя, разумеется, перевод мог быть сознательно искажен...

— Да, уверен. Вы обвиняете меня в намеренном желании причинить зло?

Эти чертовы граги очень быстро соображают. И очень любят подчеркивать свою честность... слишком уж любят!

— Нет, разумеется, не обвиняю, — сказал Анатолий. — Я просто стремлюсь исключить возможность малейшей неправильности в своей оценке информации.

Вот это грага сразу успокоило. Наверное, потому Анатолию и удавалось удержаться на этой работе все два месяца — хотя у американцев послы менялись дважды, а у китайцев — трижды. Умение интуитивно найти правильный подход — главное для дипломата.

— Все правильно. Все разрешено. Это старая технология, мы больше не скрываем ее от вас. Берите. — Граг продолжал протягивать диск, и Анатолий понял, что выхода нет. Вздохнул и взял «газету».

Диск был твердым, прохладным, шершавым на ощупь. Обычная пластиковая пластинка...

Какая, к черту, технология! Дайте Леонардо да Винчи телевизор, и что? Допустим, он научится его включать. Допустим, разберет и осмотрит все детали?

Слишком велика пропасть, чтобы этот артефакт чужой цивилизации в чем-то помог земным ученым. А вот содержание диска — дело другое. Газеты! Чужие источники информации! Вряд ли там есть описания технологических секретов... но по крайней мере появился шанс понять их психологию! Конечно, если в этих «газетах» есть хоть слово правды. Если они не содержат одну лишь специально подготовленную «дезу».

— Спасибо, — сказал Анатолий.

С часто бьющимся сердцем он пошел по коридору. Граг-охранник вернулся к лицезрению своего шара. Может быть, задействовать экстренную связь? Или отказаться от встречи, покинуть посольство?

Нет. Нельзя. Лучше вести себя так, будто ничего особенного не произошло.

И, наверное, не стоит скрывать факт неожиданного презента от инопланетного коллеги.

Перепонка, заменяющая грагам двери, расступилась перед Анатолием, и он вошел в кабинет особого посла планеты Граг.

— Здравствуйте, мой дорогой. — Посол встал из-за узкого, в форме полумесяца, стола. — Рад вас видеть в добром здравии, Анатолий!

Встал — это слабо сказано. Выпрямился. Вырос! Вознесся! Когда граг сидит, он ростом с рослого человека. А выпрямляясь — превращается в трехметровую, устрашающего обличья тварь.

Вот только думать так про него не стоит... не тварь, а коллега! Никто не знает, может быть — граги способны читать мысли?

— Здравствуйте, Дкар! — Анатолий улыбнулся, широко и радостно, с неподдельной искренностью, будто встретив лучшего друга, с которым несколько лет не виделся. — Как ваше здоровье? Как ваша печаль по родным?

Ритуал приветствия был исполнен, и обе высокие договаривающиеся стороны уселись на чем-то, напоминающем то ли узкий диван, то ли обитую мягкой тканью скамейку.

— Я принес очередные предложения от нашего президента, — сказал Анатолий. — Очень хорошие предложения!

— Я проявляю слабый энтузиазм, — любезно сообщил граг.

— Вот смотрите. — Анатолий достал из портфеля карту. Раскинул в воздухе — и как обычно напрягся, ощутив, что под картой образовалась невидимая — да и неосязаемая руками — опора. — Мы хотим предложить вам следующие территории...

Граг вежливо ждал.

— Костромская, Ульяновская, Архангельская области. — Анатолий указал на отмеченные красным районы России. — Это мы уже предлагали. Но!

Он попытался придать голосу бодрость и оптимизм. Сволочи. Твари. Нет, не может он думать о них иначе, и никто не сумеет. Пусть граги отступили от первоначального плана... сгона всех людей в резервации... в резервации в Антарктиде и Гренландии... Все равно. Твари, твари, твари...

— Мы предлагаем вам Псковскую область, и... внимание! Это очень большая уступка с нашей стороны, поймите! Краснодарский край! Вы же любите теплый климат, не так ли?

Чужой посол молчал, глядя на карту. Будто ему не солидный кусок России предлагали... а огрызок яблока.

— Поймите, что для нас самих весьма важны эти территории. Там проживают десятки миллионов людей, там расположены важнейшие заводы, сельскохозяйственные угодья...

Граг щелкнул языком. Покачал головой — явно копируя человеческий жест.

— Нет.

— Мы также не будем возражать против полной аннексии цивилизацией Граг Украины, за исключением полуострова Крым, и Кавказа, — с видом человека, идущего на последнюю жертву, сказал Анатолий.

— Нет.

Анатолий посмотрел в холодные глаза грага. На самый крайний случай у него были полномочия предложить грагам еще часть из требуемых ими территорий. Даже Москву. И Красноярский край.

У человечества нет сил сопротивляться захватчикам. Есть силы лишь торговаться... и то по причине «свойственной расе Граг доброты и уважения к чужой жизни».

— Мы далеко ушли от своего первоначального предложения — отобрать лучших представителей человечества и поселить их в охраняемых резервациях, — сказал Дкар. — Проявляя уважение к младшим братьям по разуму, мы начали переговоры. Нашим последним требованием было предоставление каждой страной половины своей территории для беженцев с планеты Граг. Желательно — той части, где климат наиболее теплый.

Анатолий молчал. Да, именно так. И мы готовы. На самом деле — мы уже давно готовы отдать вам половину своей планеты. Мы просто пытаемся торговаться...

— Поскольку нашим ученым удалось создать дестабилизатор пространства и уничтожить черную дыру, угрожающую нашей звездной системе, — граг говорил, будто вколачивал доски в крышку гроба, — мы получили время для этих переговоров. Но наша раса молода, энергична и отныне — нацелена на экспансию. Нам необходимы пригодные для белковой жизни планеты. Эти планеты — большая редкость в Галактике. По последним данным с Грага, нам необходима территория не меньшая, чем планета Земля.

Все. Приехали.

Вот чем объясняется «подарок» охранника. Какая разница, что люди поймут из старой газеты, если планета обречена? Выпустят граги свой давно разрекламированный «хомо-вирус», и через трое суток на Земле не останется ни одного человека. Ну... может быть, дрожащие от страха президенты в герметичных бункерах...

Ему вдруг захотелось сделать то, на что дипломат просто не имеет права. Никогда. И ни с кем. Ни с людоедом Бокассой, ни с Чужим, готовым сожрать всю человеческую расу.

Вцепиться в чешуйчатую шею. Умереть, но попытаться убить эту тварь. Самодовольную, наглую, происходящую из какого-то их важного рода — предок Дкара сделал что-то очень важное. Наверное, уничтожил предыдущую беззащитную планету...

— Логика экспансии неумолима, — продолжал граг. — Уничтожение чужого разума претит нам, но мы были вынуждены предъявить Земле свой ультиматум. К счастью, три дня назад завершились успехом испытания первого планетного завода.

К счастью?

— Боюсь, что не понимаю вас, господин особый посол, — прошептал Анатолий. Кажется, он утратил всю выдержку... кажется, прослушав и просмотрев записи, эксперты неодобрительно покачают головами...

— Мы хотим просить у человечества планету Венера и планету Марс. Как наиболее подходящие для преображения в необходимую нам среду обитания.

— А Земля? — не веря собственным ушам, спросил Анатолий.

— Земля остается вам. — Дкар развел длинными руками. — Вся. В качестве жеста доброй воли и в качестве извинения за памятный и прискорбный инцидент мы также предоставим стране США участок на планете Венера или планете Марс, равный бывшей территории Калифорнии.

Этого просто не могло быть...

Анатолий смотрел в глаза грага, будто пытаясь найти в них подтверждение сказанному. Но, похоже, граг истолковал его молчание по-другому.

— Галактика — жестока, мой дорогой. Вам повезло, что первыми на Землю прилетели именно мы, всегда трепетно относящиеся к огонькам зарождающегося разума. И еще более повезло, что мы успели уничтожить черную дыру, вынуждающую нас к переселению... а теперь и научились преображать планеты. Мы будем добрыми соседями, друг мой. Ведь если на Землю захочет претендовать иная раса, молодая, энергичная, стремящаяся развиваться, — мы сможем сказать свое веское слово в вашу защиту.

Анатолий сглотнул.

— У меня нет полномочий немедленно принять ваше предложение, господин особый посол, — сказал он. — Но... я немедленно передам его правительству России и надеюсь, что наши переговоры приобретут значительный импульс в правильном направлении. От себя лично, а не для протокола, скажу, что... что ваше предложение мне нравится.

Дкар вновь изобразил улыбку.

— Я рад, друг мой. Вы разделите со мной легкую трапезу и чашечку чая?

— С удовольствием, Дкар.

Жестом, исполненным глубокого символизма, Дкар снял с невидимой опоры карту России, аккуратно сложил и протянул Анатолию. Тот поспешно спрятал ее в портфель — дешевенький портфель из ткани, так как было решено, что изделия из кожи животных могут натолкнуть грагов на неприятные мысли в отношении человечества. У него было такое чувство, что он забирает у грага не раскрашенную бумажку, а всю страну. Всю огромную страну, оставшуюся людям.

Черт, а ведь американцам в каком-то смысле повезло! Получат территорию на Марсе или Венере, рядом с Чужими! Бизнес, обмен технологиями! Черт! Тут пожалеешь, что ракетами по садящемуся кораблю шарахнули именно из Калифорнии, а не откуда-нибудь с Чукотки!

Слуга-граг — людям так и не удалось пока выяснить социальное устройство Чужих, но выполнял он именно функции слуги, — принес еду и чай. Сервировал он на этот раз обычный, материальный столик, чему Анатолий был очень рад. Для грага были поданы полоски слегка прожаренного мяса и чай, для Анатолия — восточные сладости и чай. Метаболизм у грагов, видимо, походил на человеческий, но земную пищу Дкар при нем не употреблял. Лишь чай.

— Мы были очень удивлены, наткнувшись на вашу планету, — тем временем сказал Дкар. Бросил в пасть кусочек мяса. Посмотрел на стену — и в ней возникло окно: не застекленное, настежь открытое в теплую летнюю московскую ночь. Интересно, остались ли на этом этаже обычные бетонные стены, или и они преображены техникой грагов?

— Удивлены? — Сейчас, когда внезапно схлынуло двухмесячное напряжение, Анатолий был более чем расположен к светской беседе.

— Да, конечно. Этот район космоса не является неисследованным. Здесь проходили трассы Тиуа... это любопытная раса амфибий, которая, к сожалению, семьдесят земных лет назад покинула материальный мир.

— Погибла? — уточнил Анатолий.

— Нет, нет! — протестующе покачал головой граг. — Нет! Очень развитая раса. Могли творить звезды и планеты из вакуума. Достигли пределов развития для биологических существ. Они перешли на иной уровень существования, и мы не можем... пока не можем... понять их новую сущность. Может быть, они создали новую Вселенную, более их устраивающую, кто знает? Освободившийся район стали занимать другие цивилизации, в том числе и мы... мы очень неспешная раса, мы домоседы и склонны к простому созерцанию жизни... но едва не случившаяся катастрофа вынудила нас принять логику звездной экспансии. Мы надеялись занять освободившиеся планеты Тиуа, ведь им они уже не понадобятся, но мы опоздали.

Граг помолчал, глядя в окно.

— Все планеты Тиуа уже были заняты... это такая редкость — теплые планеты с кислородной атмосферой... И тут мы обнаруживаем Землю! Мы долго размышляли, почему на территории Тиуа существует отсталый разум, почему планета не захвачена ими.

— Вы же сказали, друг мой, — осторожно заметил Анатолий, — что эта раса способна была творить звезды и планеты из вакуума? Что им маленькая планета Земля?

— Да, конечно. Но раньше? Когда Тиуа только развивались, когда они были неумелыми и неопытными, как мы? Им тоже нужны были планеты! Но они не стали захватывать Землю. Удивительно! Именно поэтому мы решили сохранить человечество... насколько это было возможно без ущерба для Грага. Предлагали вам резервации, а потом и целую половину планеты!

Мысленно Анатолий возблагодарил неведомую сверхцивилизацию, не тронувшую Землю.

— Вы очень мудры и добры, — сказал он.

— Спасибо за хорошие слова, друг мой, — церемонно изрек граг. Хлебнул чая. Помолчал и доверительно сказал: — Теперь вам не следует бояться. Мы поняли, в чем дело, и вас никто больше не тронет!

— А если к Земле прилетит раса, более сильная, чем вы? — рискнул уточнить Анатолий.

— Тогда, быть может, беда грозит нам, — сказал граг. — Хотя теперь мы пересмотрели свою политику и станем развиваться быстрее. А вы в любом случае уцелеете. Мы объясним, в чем дело, и вас не обидят.

Анатолий отпил чая. Его раздирало на части между долгом, повелевающим немедленно сообщить правительству о полученном от грагов помиловании, и жгучим любопытством. Он спросил:

— И вас послушают?

— Конечно.

Граг прошествовал к окну. Посмотрел на парящую в небе тарелку.

— Если вы не против, — сказал он, — мы подарим вам эти три корабля. Возможно, это значительно подстегнет развитие человеческой расы. Я не испытываю даже вялого энтузиазма от этого предположения, но попытка — не пытка.

У Анатолия вспотели ладони.

— Вы говорите серьезно, господин посол по особым поручениям?

— Да.

— Но, насколько я понимаю, эти корабли являются основой звездного флота планеты Граг!

— Являлись. — Граг лениво взмахнул рукой. — Хлам, устаревшая технология. Памятники. Нет, наверное, мы оставим себе один. Как памятник. У людей замечательная традиция оставлять памятники.

Он шумно выдохнул, развел руками. Наверняка сейчас в него целились десяток снайперов из спецназа, а сверхчувствительные микрофоны и сверхмощные телекамеры, лучшее из созданного человеческим гением, жадно подглядывали в окно...

— Этот город... — сказал граг. — Сплошной памятник.

— Ему восемьсот с небольшим лет, — вставил Анатолий. — У нас есть куда более древние города.

— Восемьсот земных лет, — повторил граг задумчиво. — Потрясающе. Неслыханно. В ту пору мой прапрадедушка, к сожалению, покинувший мир до моего рождения, изобрел колесо. Я до сих пор считаю, что именно это было главным стимулом к развитию Грага. Восемьсот лет! И вы едва успели за этот срок выйти в космос!

Посол по особым поручениям планеты Граг шагнул к оцепеневшему Анатолию. Опустил ему на плечо цепкую трехпалую руку.

— Друг мой, вас бережно охраняли Тиуа, теперь этот святой долг примем мы. Не бойтесь ничего: вас никто не обидит. У кого же поднимется рука обижать вас — таких... таких...

Он на долю секунды замолчал, сочувственно подергивая языком, подыскивая подходящее слово, и оно, конечно же, нашлось:

— Таких убогих...

26.06.1999

От судьбы

Он боялся, что контора окажется похожей на больницу — каким-нибудь невнятным едковатым запахом, чистотой оттертых стен, строгими одеждами и заскорузлым цинизмом в глазах персонала.

Еще не хотелось попасть в богатенький офис: стандартный и комфортабельный, с натужными постмодернистскими картинами полупризнанных полугениев на стенах, мягкими коврами, кожаной мебелью (и не важно, что кожа обтерлась, обнажая пластиковую изнанку), с вежливыми до приторности девочками и хваткими молодыми менеджерами.

Ну а больше всего он боялся увидеть нечто с «домашней обстановкой» и не дай Бог — в духе «а-ля рюс». Книжные шкафы с туго вколоченными книгами (как известно, западные муляжи книг стоят чуточку дороже, чем собрания сочинений многочисленных российских классиков), герань в горшочках, толстый сонный кот на диване, чаек из самовара и бормочущий в уголке телевизор.

Да он и сам не понимал, что его, собственно говоря, устроит. Мрачная пещера ведьмы? Лаборатория алхимика? Церковь?

А как должно выглядеть место, где можно поменять судьбу?

Нет, не снаружи, — тут все как обычно. Обычная офисная дверь с видеоглазком, электронным замком и скромной вывеской. Старая московская улица, узенький тротуар и столь же узкая проезжая часть, спешащие прохожие и едва ползущие машины...

Выход был только один — войти. Стоять на улице до бесконечности, под пронизывающим сырым ветром и при февральских минус пятнадцати, — удовольствие невеликое. Дотлевшая в руке сигарета уже обжигала пальцы. Видеоглазок, казалось, ехидно следил за ним. Тепло ли тебе девица, тепло ли тебе, синяя... нет, не так. Страшно ли тебе, маленький ослик?

Страшно. Ох как страшно...

Он нажал кнопку под объективом. Замок сразу же щелкнул, открывая дверь. Помедлив секунду, он вошел.

Лестница на второй этаж, будочка с охранником. Против ожиданий на вошедшего он даже не посмотрел — с увлечением читал какую-то книгу, все еще неторопливо убирая руку с пульта. Тусклый синеватый экран монитора, демонстрирующего увлекательный фильм «московская улица зимой», охранника тоже не интересовал.

— Простите...

— На второй этаж, пожалуйста, — сказал охранник, на мгновение отрываясь от книги. — Туда.

Он стал подниматься.

Если предбанник наводил на мысли о «богатеньком офисе», то второй этаж разочаровывал. Больше всего это походило на небогатую государственную контору. Что-нибудь вроде НИИ по проектированию самоходных сноповязалок. Длинный коридор, на полу — протертый линолеум, стены выкрашены коричневой масляной краской и на метр от пола покрыты пластиком «под дерево», на часто натыканных вправо-влево дверях — таблички. «Инженер». «Инженер». «Старший инженер».

Он обернулся:

— Простите, но...

— Вам во вторую дверь направо, — сказал охранник, откладывая книгу. — Проходите, не стесняйтесь.

— К инженеру? — полувопросительно спросил он.

— К инженеру.

По крайней мере это не походило ни на одну из его догадок.

Вторая дверь направо была приглашающе приоткрыта. На всякий случай он постучал и, лишь дождавшись «да-да, входите», переступил порог.

Сходство с бедным НИИ на полном гособеспечении усилилось. Стол из ДСП, дешевый крутящийся стул, старый компьютер с маленьким монитором и совсем уж неприличный матричный принтер, телефон... Господи, телефон с диском!

Но сам хозяин кабинета, молодой и розовощекий, выглядел куда приличнее. Костюм неброский, но явно не хуже, чем «Маркс энд Спенсер», шелковый галстучек баксов за пятьдесят, часы на руке — пусть средняя, но Швейцария.

— Вы не удивляйтесь обстановке, — сказал хозяин кабинета. — Так принято.

— У кого?

— У нас. Вы — Сорс, верно? Вы звонили утром. Садитесь...

Он кивнул, усаживаясь на шаткий венский стул. Именно так он и представился, без фамилии и отчества, всплывшим вдруг в памяти латинским словом, умом понимая всю наивность маскировки при звонке с домашнего телефона... и все-таки...

— А меня зовут Иван Иванович, — сказал молодой человек. — Нет, вы только не подумайте, что я шучу! Меня действительно так зовут, вот паспорт. Иван Иванович. Причем Иванович — фамилия. Ударение на последнем слоге. Это важно.

Паспорт был немедленно выложен на стол, но Сорс не рискнул взять его в руки. Пробормотал:

— Я не хотел бы называть свое имя... настоящее...

— Разумеется, — с готовностью согласился Иван Иванович. — Для меня вас зовут Сорс. Какая разница?

— Ну мало ли... бухгалтерия не пропустит...

Иванович строго погрозил ему пальцем.

— Бухгалтерия вас никоим образом не касается! Мы не вступаем с вами в товарно-денежные отношения.

— А как же...

— Мне как-то неудобно вас звать только по имени, — вдруг заявил Иван Иванович. — Как же мне вас называть? Товарищ

Сорс — напоминает Щорса. Господин Сорс — так это почти Сорос... Можно — мсье Сорс?

Человек, которого теперь звали мсье Сорс, согласно кивнул.

— Итак... — Молодой человек подпер подбородок рукой, на миг задумался. — А как вы узнали про наше учреждение?

— Из газеты «Из рук в руки»...

— Да-да, вы же упоминали по телефону... — Иванович рассеянно взял свой паспорт, спрятал во внутренний карман пиджака. — Мы занимаемся исключительно гуманитарной деятельностью. По юридическому статусу мы — общественное объединение «От судьбы». Все наши услуги носят некоммерческий характер.

— Знаете, — честно сказал Сорс, — когда я слышу про гуманитарную деятельность и некоммерческий характер, то хватаюсь за бумажник.

Иван закивал, грустно улыбаясь:

— К сожалению... так часто самыми благими словами прикрываются... Так вот, мсье Сорс, все, что мы вам предлагаем, — обменять некоторое количество своей судьбы на некоторое количество судьбы чужой. Мы не взимаем денег ни с одних, ни с других участников сделки.

— Тогда — какой ваш интерес?

— Благотворительность.

Иван Иванович улыбался. Иван Иванович был рад посетителю.

— Хорошо. — Сорс кивнул. — Допустим, я вам верю. Объясните, что это такое — сменить судьбу?

— Пожалуйста. Допустим, судьба готовит вам какой-либо прискорбный факт... например — упавшую на голову сосульку. Или крупные проблемы в бизнесе... или тяжкий недуг... или ссору с любимой женой... или подсевшего на наркотики сына...

Называя какую-нибудь очередную гадость, Иванович постукивал костяшками пальцев по столу, будто утаптывал ее в смеси опилок и формальдегида.

— Причем для вас наиболее печальными будут проблемы в семье. А для другого человека — его собственное здоровье или коммерческий успех. Для третьего — проигрыш любимой футбольной команды. От судьбы, как известно, не уйдешь, сама неприятность неизбежна... но можно ее заменить. Итак! Вы боитесь, что жена узнает о существовании у вас любовницы. Кого-то другого это совершенно не волнует! Зато он боится провалить важную коммерческую встречу. И вы меняетесь *риском*.

Последнее слово он выделил голосом настолько сильно, что Сорс невольно повторил:

— Риском?

— Именно. Если неприятность еще не случилась, если вы только ожидаете ее — то вы приходите к нам и говорите: «Я боюсь того-то и того-то, что может случиться тогда-то и тогда-то». Мы подбираем вам взамен совершенно другую неприятность с той же вероятностью осуществления. Вот и все.

— Я могу выбрать эту другую неприятность? — быстро спросил Сорс.

— Нет. Вы избавляетесь от какого-то совершенно конкретного страха, понимаете? Взамен у вас будет определенный риск, но совершенно другого плана.

— Как вы это делаете? — спросил Сорс.

— А вы долго держались. — Иванович улыбнулся. — Многие начинают с этого вопроса... Скажите, что такое ток? Как работает телевизор?

— Я не физик.

— Но это не мешает вам включать свет, смотреть новости, пользоваться холодильником?

Сорс беспокойно заерзал. Чего-то подобного он и ожидал.

— Я понял аналогию. Но мне хотелось бы быть уверенным...

— В чем? Вы верите в Бога? Боитесь, что здесь попахивает дьявольщиной? — Иван Иванович усмехнулся. — Могу вас уверить...

— Тогда в чем дело? Кто вы? Что это, секретные эксперименты?

— Господи, да где же тут секреты? — Иванович развел руками. — Наша реклама по всей Москве, в каждой крупной газете.

— Тогда...

— Только не говорите про космических пришельцев! — воскликнул Иван. — Ладно?

— Тогда вы — аферисты, — твердо сказал Сорс.

— Мы не берем денег. Не требуем подписывать какие-либо бумаги. Вам ничто не мешает проверить. Ведь... вы чего-то боитесь?

Сорс кивнул. Ах как все было нелепо. Дурацкое объявление, которое он с удовольствием зачитывал знакомым. А потом этот нелепый страх... и случайно попавшийся на пути офис.

— Мне надо лететь. В Европу. По делам.

— Так, — доброжелательно кивнул Иванович.

— И я боюсь.

— Коммерческие проблемы?

— Я боюсь летать! — выпалил Сорс. — Аэрофобия. Это не смешно, это такая болезнь...

— Даже не думаю смеяться, — сказал Иванович. — Билеты уже куплены?

— Да...

— Даты?

Он назвал даты, назвал даже номера рейсов.

— У вас нет врагов, которые могут подложить в самолет бомбу? — деловито осведомился Иванович.

— Да вы что!

— Тогда ваш риск на самом деле абсолютно минимален. Хорошо, мы найдем человека, который поменяется с вами судьбой на эти три часа с четвертью... и обратно три с половиной... итого шесть часов сорок пять минут... давайте учтем люфт в полчаса на каждый взлет и посадку?

— Давайте час, — пробормотал Сорс.

— Хорошо. Итак, ничтожный риск, но зато с большой вероятностью гибели, длительностью десять часов сорок пять минут... Можете лететь спокойно!

Сорс скептически покачал головой.

— Это вовсе не психотерапия, — обиделся Иванович. — Все, теперь с самолетом ничего не случится! Если вдруг риск и впрямь был — то неприятность настигнет вашего партнера по обмену.

— Какая именно неприятность?

— Откуда мне знать? Отравиться вареной колбасой. Быть укушенным бешеной собакой. Мало ли есть смертельных, но редко случающихся опасностей? Кстати, колбаса — куда более реальная опасность! И на каждый предмет, на любое понятие, поверьте, найдется своя фобия. Кто-то боится дневного света — это фенгофобия. Кто-то боится есть — это фагофобия. Кто-то боится идей — идеофобия, кто-то боится числа тринадцать — тердекафобия, кто-то путешествий в поезде — это сидеродромофобия... — Иванович перевел дыхание и зловеще добавил: — А самая интересная, на мой взгляд, это эргофобия. Боязнь работы.

Сорс невольно улыбнулся:

— Вы психиатр?

— Я? Что вы. Я инженер. Просто нахватался за время работы...

— Какой инженер?

— Человеческих душ.

— Вы шарлатаны и аферисты, — сказал Сорс. — Честное слово, я не пойму лишь, какую выгоду вы хотите получить...

— Слетаете — и заходите снова, — дружелюбно сказал Иванович. — Вдруг мы снова понадобимся?

— Если я слетаю благополучно... а так скорее всего и будет, — быстро добавил Сорс, — это еще ничего не докажет.

— Докажет. Вот увидите.

На этих словах они и расстались. Сорс все-таки пожал «инженеру» руку, но говорить «до свидания» было глупо, а «прощайте» — слишком уж патетично.

Все-таки аферисты... но в чем смысл?

Выйдя в коридор, он не удержался, прошел до конца — там обнаружился маленький чистенький туалет, потом обратно — стараясь идти рядом с дверями в кабинеты. Все двери были прикрыты, из-за каждой доносился негромкий разговор. Посетители у общественного объединения «От судьбы» были.

На лестнице навстречу ему прошла женщина с заплаканным усталым лицом. Даже не глянула в его сторону... интересно, что за беду она собирается отвести? Может быть, ее ребенку предстоит операция? Или муж собрался уйти к другой?

Это ведь только от судьбы не уйдешь.

* * *

В Шереметьево было грязновато. Хорошо хоть, зима — нет духоты, которую не встретишь ни в одном аэропорту мира, кроме африканских и российских.

Сорс стоял с таможенной декларацией в руках и искал глазами, куда бы приткнуться. Слишком людно. Слишком шумно. Слишком грязно. И никто здесь не боится летать на самолетах... только он один...

— Дяденька, — тихонько позвали его со спины. — Подайте, сколько не жалко...

На миг Сорс забыл обо всех своих страхах. Уж слишком нелепая была картина — маленькая, лет восьми — десяти девочка, красиво причесанная, дорого и модно одетая, с маленькими золотыми сережками в ушках — и с протянутой рукой.

Хотя чему удивляться? Обычных побирушек из международного аэропорта быстро выдворили бы секьюрити. Это вам даже не «солидный Господь для солидных господ». Это солидные нищие для солидных господ.

— Шла бы ты в школу, девочка, — проникновенно сказал Сорс.

— У нас с девяти часов занятия, — сообщила девочка и, мгновенно утратив интерес, двинулась к следующему потенциальному спонсору.

Сорс смотрел ей вслед, разрываясь между желанием сказать что-нибудь укоризненно-ехидное и брезгливой жалостью — к маленькой, совсем не бедной, но уже профессиональной попрошайке.

И тут мир раздвоился.

Он уже отвернулся от девочки. Он нашел кусочек стола и быстро заполнял строчки декларации... оружие... наркотики... валюта... книги... антиквариат... компьютерные носители информации...

Он сидел в темной комнате, а пыльные шторы превращали раннее утро в ночь. Телефон стоял на столе перед ним, обычный старенький телефон, от которого нельзя было оторвать взгляд, потому что если сейчас он позвонит... если он позвонит...

Сорс прошел к регистрации, нырнул в пискнувшие воротца металлоискателя (опять забыл вытащить ключи), присел на лавочке в накопителе.

Сорс сидел, поглаживая белый матовый пластик телефона. Боролся с желанием снять трубку и услышать гудок, убедиться, что линия исправна.

Сорс шел по длинной кишке пристыкованного к самолету трапа.

Сорс опустил голову на стол и смотрел на телефон. Как жалко, что на аппарате не написан номер.

С кем он поменялся судьбой? Кто ждет звонка и чем этот звонок столь страшен?

Не важно. Теперь самолет не упадет. Он поменялся судьбой с тем человеком, кто ждет сейчас звонка. Сменил риск авиакатастрофы на риск звонка... очень маленький риск, если верить Ивановичу...

Он не боялся телефонных звонков. Он вообще терпеть не мог, когда телефон отключен. Сорс смотрел на телефон с любопытством и ленивым ожиданием.

А тот, с кем он поменялся судьбой, не боялся летать. Сорс смотрел, как уносится вниз земля, как самолет закладывает вираж, как подрагивает кончик крыла.

Когда стюардессы стали разносить завтрак, он сидел и улыбался, глядя на плывущие за иллюминатором облака.

Второй визит дался куда легче. Сорс больше не мялся у входа. Коснулся кнопки звонка, открыл приветливо щелкнувшую дверь.

— Проходите, — дружелюбно сказал охранник. Как ни странно, но казалось, что он узнал посетителя.

Сорс не стал уточнять номер кабинета. Вторая дверь направо — она вновь была приоткрыта. Инженер человеческих душ Иванович стоял у окна и смотрел на серый подтаявший снег.

— За вчерашний день два человека сломали ноги на этой улице, — сказал он. — Представляете? Трезвые нормальные люди. Шел, упал, очнулся — гипс... Здравствуйте, мсье Сорс.

— Здравствуйте, Иванович.

Руки инженеру он все-таки не протянул. Что-то удерживало. Это было словно признаться в полной капитуляции.

— Все прошло нормально? У вас нет претензий?

Иван Иванович вовсе не иронизировал. Смотрел пристально, с любопытством, будто даже надеясь услышать упреки.

— Нет. — Сорс покачал головой. — Никаких претензий... все и вправду работает.

Широко улыбнувшись, Иванович указал на мягкое кресло, занявшее место ветхого стула. Да и телефонный аппарат на столе оказался нормальным «Панасоником». Дела у фирмы явно шли в гору.

— Я что-либо должен вашему... объединению? — спросил Сорс, прежде чем сесть.

— Ничего. У нас гуманитарный некоммерческий проект.

Сорс сел. Хозяин кабинета занял свое место напротив.

— Так не бывает, — сказал Сорс. — Я не понимаю, как вы это делаете... я даже не понимаю, что, собственно говоря, вы делаете! Но бесплатного сыра не бывает. В конце концов, содержание этого офиса...

— Мсье Сорс, — укоризненно сказал Иванович. — Прошу вас, не надо предлагать нам деньги или услуги. Иначе мы будем вынуждены прервать с вами все отношения.

— Какие еще отношения?

— Будущие. Ведь вы хотите произвести обмен судьбы еще раз?

Врать было бессмысленно. Заготовленная заранее речь: «Мне это не столь уж и важно, но я хотел бы еще раз ощутить, что именно и как вы делаете» показалась Сорсу до невозможности фальшивой.

— Да. Я хочу... обменять свой риск.

— Опять полет?

— Нет... — Сорс замялся. — Это глупо звучит, вероятно...

— Любовь? — негромко спросил Иванович. — Что вы, мсье Сорс. Любовь — это самое чудесное из человеческих чувств. Сколько прекрасного и сколько трагического сплелось в одном слове. Божественная чистота и низкие интриги, святое самопожертвование и гнусные предательства... Очень, очень часто к нам приходят люди, спасающие свою любовь... Какова вероятность?

— А? — Переход от высокого стиля к сухой арифметике был слишком резок. — Какая еще вероятность?

— Того, что вам откажут.

— Я не знаю.

— Расскажите мне все, мсье Сорс.

О таких вещах говорят либо близким друзьям, либо совершенно незнакомым людям. Но Сорс начал рассказывать. Все, без утайки. В какой-то момент он поймал себя на том, что достает из кармана фотографию, а Иван Иванович, участливо обняв его за плечи, кивает и говорит что-то одобрительно-успокаивающее.

История, старая как мир. История, банальная как мир. Он уже год как развелся с женой. Хорошо развелся, по-мужски, интеллигентно. Оставив и квартиру, и машину, позванивая по праздникам и посылая цветы к дню рождения. Сорсу повезло — ему вообще часто везло. Их любовь умерла раньше, чем он полюбил снова. Детей не было. Квартирный вопрос не успел его испортить — он *хорошо* зарабатывал.

Вот только та, ради которой он ушел от умной, красивой и удобной во всех отношениях женщины, не торопилась выйти за него замуж.

Показалось — или глаза Ивановича и впрямь стали оживленно поблескивать?

— Я бы оценил ваши шансы как двадцать — двадцать два процента, — сказал Иванович наконец. — Это такой тип женщин... нет, я не хочу сказать ничего плохого... но семейная жизнь редко их привлекает. Она должна по-настоящему вас любить.

— Вот я и хочу, чтобы она любила.

— Не любовница, а жена. — Иванович кивнул. — Это очень здорово, мсье Сорс. Это так редко сейчас встречается! Итак — у вас один шанс из пяти. Вы согласны обменять свою судьбу, исходя из этих условий?

Что-то царапало. Что-то смущало.

— Какой риск я получаю взамен?

— Давайте оценим последствия отказа, — неожиданно легко стал объяснять Иванович. — Вы ведь не покончите с собой, если она откажет. Не сопьетесь, не уедете на край света. Вы просто будете страдать — около года, возможно — полтора. Итак, вашим риском станут тяжелые душевные страдания на протяжении полутора лет... впрочем, что я говорю! На протяжении года.

— Почему я буду страдать?

Иванович развел руками.

— Это не болезнь, вероятно, — рассуждал Сорс вслух. — Не смерть кого-то из близких... я не прощу себе, если поменяю свое счастье на чужую беду.

— Разумеется, — быстро вставил Иванович. — Мы не затрагиваем других людей. Это исключительно ваш выбор и ваш риск.

— Она будет со мной? — еще раз уточнил Сорс.

— Да, — быстро ответил Иванович. — Да.

— Я согласен.

На этот раз все было иначе. Они встретились в ресторанчике на Таганке, в приличном, пусть и шумноватом месте. Едва увидев ее, Сорс понял — она знает. Чувствует, зачем он позвал ее сюда, на место их первой встречи (два года, а словно все было вчера, когда он был моложе, то не верил в такие сравнения). Женщины часто чувствуют загодя, когда им признаются в любви, а уж предложение выйти замуж почти никогда не застает их врасплох.

Они выпили по бокалу вина, Сорс говорил о какой-то ерунде, она отвечала... и все сильнее и сильнее ему становилось ясно, каким будет ответ на еще не произнесенный вопрос.

А раздвоения не было. Может быть, на этот раз его и не должно было быть, ведь Иванович не спрашивал насчет времени?

— Ты выйдешь за меня замуж? — спросил Сорс.

Она долго смотрела ему в глаза. Ну что же ты медлишь, — хотелось крикнуть Сорсу. Твои родители спят и видят, что мы поженимся. Твои подруги сходят с ума от зависти. Все твои тряпки куплены на мои деньги. Ты студентка заштатного вуза, а я еще не стар, я обеспечен, я люблю, я обожаю тебя...

Она медленно покачала головой.

В кармане Сорса зазвонил мобильный телефон.

Он выхватил трубку, чтобы хоть как-то оттянуть ее ответ. Изреченное слово становится правдой, но пока оно еще не произнесено — возможно все.

— У нас проблема, — даже не здороваясь, сказал его компаньон. И голос был таким, что сразу становилось ясно — и впрямь проблема. — Вагоны остановили на таможне... что-то не в порядке с декларацией...

Он знал, что именно не в порядке. Знал это и Сорс. Но о таких вещах не говорят по телефону.

— Я занят, — сказал Сорс.

— Да ты что! — закричал его компаньон, с радостью переходя от уныния к злобе. — Ты понимаешь, что случилось?

Сорс выключил аппарат. Снова посмотрел на девушку. И сказал:

— Кажется, моей фирме конец. Допрыгались. Ладно. Ты выйдешь за меня замуж?

— Ты это серьезно?

— Да.

— О фирме?

Сорс кивнул. И увидел, как теплеют ее глаза.

— Тогда что ты здесь делаешь? Тебе теперь не до игрушек.

— Ты никогда не была для меня игрушкой, — сказал Сорс. И подумал — пораженно, растерянно, — что она и впрямь не понимала того, что для него казалось само собой разумеющимся. Она не игрушка, с которой он ездит на теплые тропические острова и ходит по кабакам. Она для него — весь мир. Вся жизнь.

Она взяла его руку в ладони и прошептала:

— Сядешь в тюрьму — разведусь. Понял? Я женщина молодая и горячая.

В тюрьму Сорса не посадили.

До этого было близко. Фирма трещала по швам, бухгалтер пила валокордин столовыми ложками. Сорса вызывали на допросы по два-три раза в неделю. Потом взяли подписку о невыезде — как раз накануне свадьбы. Веселья на свадьбе не было, родственники сидели словно пришибленные, большинство деловых партнеров проигнорировали приглашение, компаньон быстро и умело напился. Арестовали, а потом выпустили бухгалтера. Компаньон внезапно исчез из Москвы, прихватив немногую оставшуюся наличку. Следователь, молодой и энергичный, не то из этой, новой, очень честной породы юристов, не то хорошо имитирующий государственность своего подхода, сказал: «Я бы поставил десять к одному, что вы сядете. Может быть, ненадолго. На год — полтора. Но сядете».

Но Сорса не посадили.

Выходя из двери под скромной офисной вывеской, он поскользнулся на невесть как долежавшем до середины апреля клочке подтаявшего снега, упал и получил тяжелый сочетанный перелом. Боль была дикая, он даже потерял сознание. Его оперировали, соединили сломанные кости таза, посадили на титановый болт головку бедра, почти полгода он провалялся в больнице — пусть и в дорогой, комфортабельной палате, но все-таки не вставая с койки. Жена приходила к нему каждый день, сразу после института, глупенькая девочка, что так неудачно вышла замуж за разорившегося бизнесмена. Приносила фрукты, бульон, какие-то неумелые, подгорелые пирожки. Искусно делала минет — на большее Сорс еще долго был не способен. Приохотила его к чтению Вудхауса и Гессе. Жаловалась на то, как одиноко и грустно в большой квартире, рассказывала «вести с фронтов».

Следователь утратил интерес к Сорсу. Его компаньон, чьи подписи и стояли под большинством незаконных контрактов, был объявлен в розыск Интерполом. Бухгалтер уволилась. Но фирма кое-как жила, даже приносила небольшую прибыль, и, уходя от Сорса, его молодая жена до поздней ночи просиживала в офисе — пыталась склеить треснутое доверие и связать порванные нити.

Сорс лежал на кровати, смотрел телевизор и вспоминал Ивана Ивановича. «Вы согласны поменять судьбу из расчета восьми процентов удачи? В тюрьму вы не сядете, это я гарантирую».

Десять к одному.

Восемь процентов.

Сорс улыбался.

* * *

Октябрь был теплым, неожиданно теплым для Москвы. Сорс оставил машину за два квартала от офиса, у метро, припарковаться ближе было бы трудно, да и врачи советовали ему больше ходить. Поздоровался с охранником и прохромал на второй этаж.

Инженер человеческих душ Иван Иванович (с ударением на последнем слоге) встретил его у двери. Пожал руку, даже сделал попытку подвести к креслу.

— Не надо, — сказал Сорс.

Иванович кивнул. Печально сказал:

— С вами было интересно работать. Вы ведь зашли попрощаться?

Сорс кивнул. Поинтересовался:

— Всем хватает трех раз?

— Кому как, — уклончиво сказал Иванович. — Нет, ну вы скажите мне, мсье Сорс, почему всех так раздражают эти два процента? Ведь это совсем небольшие комиссионные. За услуги, подобные нашим, плата была бы столь высока... я боюсь — не по карману большинству граждан. А тут — всего два процента!

— Я и сам не знаю, — ответил Сорс. — Я много думал. Ведь и впрямь — мелочь. Два процента риска. К тому же основное обещание вы выполняете. Но есть в этом что-то...

Иванович напряженно слушал.

— Что-то бесчестное, — кое-как сформулировал Сорс. — А сколько получаете вы лично?

— Полпроцента с каждого клиента, — признался Иванович. — Остальное идет *выше*. Вы же сами понимаете. Как часто сильные мира сего гибнут в катастрофах, болеют неизлечимыми болезнями, теряют близких, попадают в скандальные истории?

— Ну, всякое бывает, — не удержался Сорс.

— Эх, вы бы знали, мсье Сорс, что должно было происходить на самом деле, — таинственным шепотом сказал Иванович. — Что ж... удачной вам судьбы.

— Спасибо. — Сорс встал, тяжело опираясь на подлокотник. — И вам счастливой судьбы.

Они пожали друг другу руки вполне по-дружески.

У дверей Сорс все-таки остановился и спросил:

— Скажите, Иванович, а приходят к вам счастливые люди? Менять ненужное счастье на нужное?

— Что вы, мсье Сорс! — Иванович развел руками. — Разве бывает счастье ненужным? Это уже не счастье, это горе. Мсье Сорс, все-таки рано или поздно...

— Нет. — Сорс покачал головой.

— От судьбы не уйдешь, — напомнил Иванович.

— А вы не судьба. — Сорс уже шагнул в двери, но все-таки не удержался и добавил: — Вы только два процента судьбы.

Шаги за спиной

Когда он подъезжал к городу, день уже умирал.

Съехав на обочину с эстакады, бетонной петлей захлестнувшей дорожную развязку, он остановил машину. Мотор взвыл — жалко, умирающе, прощально, — и наступила тишина.

Он открыл дверцу, сел, спустив ноги на серую от пыли и желтую от осени траву. Достал пачку сигарет, сорвал целлофан, закурил. Миг — и гаснущее пламя жадно облизнуло белый кончик сигареты, превращая ее в окурок.

Он выпустил первый клуб дыма и посмотрел на город.

Падающее за горизонт солнце было невидимо под пологом туч. Он просто чувствовал его — так же легко, как остывающий мотор, как чахнущую траву, как плещущий на дне бака бензин. Кончался еще один день.

Тоскливо и одиноко.

А в ушах — будто бился незримый метроном, все чаще и чаще, разгоняясь, захлебываясь собственным стуком...

Очень хотелось напиться. Он даже представил, как это будет. Маленький номер в дешевой и ветхой гостинице, остатки бренди на дне бутылки, гулкая пустота в голове, скомканное шершавое покрывало, в которое можно уткнуться лицом, даже не разбирая постели...

Солнце, невидимое сквозь тучи, скрылось за горизонт.

— К черту... — прошептал он, выбрасывая недокуренную сигарету. — К черту, к черту...

Он повернул ключ, мотор зашуршал — мягко, радостно, удивленно. Город рванулся навстречу. На улицах вспыхнули фонари, расчертили путь желтыми стрелами. Будто посадочные огни аэропорта, стремительно набегающие под колеса...

Он въехал на проспект, когда вечер окончательно вырвался на свободу. В серой полутьме вставали дома, вспыхивали желтые пятна окон — будто невидимый великан щедро осыпал стены сияющим конфетти.

Вечер начался.

Он не мог не смотреть в проплывающие мимо окна. В окна с теплым светом настольных ламп под цветными абажурами, в окна с рядами цветочных горшков под белыми трубками дневного света, в окна с ослепительным блистанием хрустальных люстр, в окна со стыдливыми желтыми огоньками голых лампочек, в окна с неярким мерцанием ночников. Люди садились за обеденные столы, люди переодевались в домашнее, люди собирались в гости, люди укладывали спать детей, люди включали телевизоры и компьютеры, разворачивали газеты и доставали припасенную на вечер книжку.

Ему стало хорошо.

Он остановил машину у первого же ресторана, маленького и уютного, словно бы прячущегося между жилыми домами. Запарковался. Мотор умиротворенно умолк.

Метрдотель — спокойный, солидный, снисходительно-доброжелательный, отвел его к столику — подальше от оркестра, в мягкий полумрак, к столику на двоих. Официант — молодой улыбающийся парень, не прислуживающий — а словно играющий в услужение, подал винную карту и меню. Поднес массивную зажигалку, когда он раскупорил новую пачку и закурил, принял заказ и ушел — неторопливо, но быстро.

Вначале он утолил голод. Чашка картофельного «деревенского» супа. Молодая телятина с рассыпчатым рисом, острый пахучий соус, бокал красного вина — в меру терпкого, хранящего солнечное тепло. Потом — официант наполнил бокал, прежде, чем он успел об этом подумать, и вновь исчез в отдалении — откинулся на стуле, посмотрел в зал.

Заиграл оркестр — негромко, ласково. Что-то из Тинсли Эллиса. И это было правильно — сейчас он хотел именно блюз...

Потом он увидел девчонку за соседним столом. В простом светлом платье, скорее симпатичную, чем красивую, — одинокую девчонку, что, утопив лицо в ладонях, слушала блюз.

Поднявшись — собственное тело сейчас казалось ему мягче, пластичнее, вечернее, чем обычно, — он подошел к ее столику. Может быть, это шутило с ним вино. А может быть — вечер. Склонив голову, он не произнес ни слова — но девочка поднялась, вложила руку ему в ладонь щедрым движением королевы. Он обнял тонкие хрупкие плечи, они закружились в танце — самом простом, который только танцем и можно назвать.

— Все мужчины сволочи, — сказала девочка, запрокидывая голову. Глаза у нее были синие. Глаза юной королевы, которой не требуется быть красивой, чтобы оставаться прекрасной.

— Не все, — сказал он на всякий случай.

Ее плечи дрогнули под его руками — в снисходительном отрицании. Минуту они кружились молча.

— На самом деле я знала, что он не придет, — сообщила девочка. — Позвонил, когда я уже собралась... очень извинялся. Сказал, что столик заказан, что все хорошо... но он не рассчитал время — и уже не успеет приехать. Скорее всего не успеет. Представляешь?

— Это плохо, — сказал он. Не для того, чтобы опорочить незнакомого соперника, а потому что и впрямь так думал. — Нельзя не рассчитывать время.

— Он всегда такой... — думая о чем-то своем, сказала девочка. — А я решила, что сегодня слишком хороший вечер... чтобы быть одной.

— Сегодня очень хороший вечер, — подтвердил он. Не для того, чтобы понравиться незнакомке. Он и впрямь так считал. — Лучший вечер недели.

— Ты кто? — вдруг спросила она.

— Беглец.

— А от кого ты бежишь?

— От... — Он осекся. Как объяснить то, что не поддается объяснению? — От смерти, наверное. От себя.

— Тогда ты и есть смерть.

Он покачал головой и улыбнулся.

Оркестр все играл и играл блюзы. Они танцевали под Джона Кэмпбелла и под Петера Грина. Говорили о чем придется и пили вино...

Вторая бутылка кислила. Он поежился, ощутив, как давит воротничок рубашки. Расстегнул верхнюю пуговицу. Оркестр устал и начал фальшивить. Плешивый старичок, сидевший с двумя молодыми девушками, что не мешало ему бросать взгляды и на его собеседницу, заказал оркестру что-то тягучее, полузабытое, давно и заслуженно погребенное. Молодой официант со слащавой улыбкой педераста косился в их сторону совсем уж неодобрительно — ресторан был полон, а они заказывали слишком мало. Чавкали — уже не от аппетита, а по инерции сытые рты, звякали заляпанные жирными пальцами бокалы, люди полусонно таращились друг на друга. И туго, туго бился в висках ускоряющийся метроном...

Он посмотрел на свою тарелку — в месиво из соуса и остатков пищи. Вытер руки, комкая салфетку. Поднял глаза на девочку, сидящую перед ним, и сказал:

— Вечер кончился.

Девочка кивнула. Понимающе.

— Я могу отвезти тебя домой, — предложил он. — У меня машина.

— Хорошо, — легко согласилась она.

Метрдотель — одутловатый, обрюзгший — недовольно принял из его рук купюру, всем видом показывая, что чаевые слишком мелки. Они торопливо вышли из ресторана.

Машина не хотела заводиться. Хрипел, кашлял, постанывал остывший мотор. Было холодно и неуютно. Но девочка сидела спокойно, приоткрыв окно, задумчиво глядя в небо.

— Сколько звезд, — сказала она неожиданно. — Будто мы и не в городе. Ты любишь ездить ночью между городами?

— Да, — признался он, осторожно проворачивая ключ еще раз. Мотор смирился и заработал ровно и мощно.

— Какая красивая ночь, — сказала девушка. — Удивительная ночь.

Он тоже опустил стекло, вдохнул свежий и чистый, будто после грозы, воздух. Посмотрел в усыпанное звездами небо. Признался:

— Это самая лучшая ночь месяца. Честное слово.

Машина мягко скользнула на проспект. Пустой, лишь редко-редко проносились навстречу те, кто тоже знал — это лучшая ночь месяца.

— Сейчас вперед и направо, — сказала девушка. — У тебя есть сигарета?

Он открыл одной рукой пачку, протянул ей.

— Спасибо. — Будто извиняясь, она добавила: — Я вообще-то не курю... А где ты живешь?

— Пока не знаю. Я еще не искал гостиницы.

— Ты можешь переночевать у меня.

Он посмотрел на нее — мимолетно, согласно, но она все-таки уточнила:

— В такую ночь нельзя быть одному. Не подумай, что я всегда... так.

— И мысли такой не было.

Они остановились у здания — высокого, темного, лишь в двух окнах горел свет. Лифт бесшумно, интеллигентно свел створки дверей, девушка не глядя надавила на кнопку.

Он чуть наклонился, ловя ее губы. Глядя в ее глаза, чуть сощурившиеся, потемневшие, в их густую, глубокую синь. Они целовались долго, а лифт послушно ждал, не закрывая дверцу.

В прихожей она скинула туфельки, и он взял ее на руки — снова найдя губами ее губы. Девушка лишь успела сказать:

— Вперед и налево...

Под ногами был мягкий ковер, на стенах — маленькие акварели, полуоткрытое окно задернуто тюлем. Он опустил ее на кровать, но она осталась сидеть — позволяя раздеть себя. Ночь коснулась их своим дыханием — жаркая, щедрая, осенняя ночь. Он остановился на миг — пытаясь запомнить именно этот миг, но тонкие пальцы вцепились в плечи, и он вскрикнул, когда лучшая девушка этой ночи стала его — безраздельно.

Ему показалось, что он слышит, как где-то далеко-далеко невидимый метроном застывает, погруженный в липкую патоку; как изгибается, плавясь и падая, неумолимый маятник; как время — беспощадное и·бесконечное — взрывается, исчезая навсегда. Лучшая девушка лучшей ночи целовала его губы, и он ловил ее дыхание, сладкое и горячее, вне времени, вне звуков и красок, вне всех миров.

И время умерло — на целую мгновенную вечность.

И умирало вновь и вновь этой лучшей ночью.

Потом она уснула, а он лежал рядом, касаясь ее бедер, поглаживая одной рукой, которая будто зажила собственной жизнью, и иногда подносил к губам почти полную бутылку шампанского, пытаясь вспомнить и пережить все заново. Три часа — пик ночи. Ему не хотелось спать. Иногда он поворачивался, касался губами ее волос, ловил мочку уха, просто прижимался — щека к щеке. Девушка спала.

А потом где-то в комнатах ее квартиры ударили очередной раз часы. И сквозь их затихающий звон он уловил биение метронома.

Ночь умирала.

Неохотно, сопротивляясь, прячась в темных переулках и за тяжелыми шторами. Отползая в прокуренные залы ресторанов и клубов, всасываясь в последние сны, подтягивая к городу плотный щит дождевых туч.

Но в окно пробивался бледный свет, и кровь колотилась в висках все чаще и чаще. Он повернул голову — зная, что делать этого не стоит, и посмотрел на девушку, что лежала рядом с ним. На приоткрытый рот, на спутанные волосы, на узкую полоску белков из-под полуопущенных век. На размазавшуюся тушь, на синяки под глазами, на красную полосу, оставленную на щеке скомканной подушкой. Он вдохнул ее запах — запах алкоголя, пота и любви.

И осторожно поднялся.

В тесной, неухоженной ванной он долго смывал с себя прелый прах этой ночи. Вымыл голову шампунем из пластиковой литровой бутылки. Метроном стучал все чаще и чаще, но он все-таки вернулся в комнату, подошел к окну. Он не мог и не хотел уйти так. Откинул шторы, до половины перегнулся через подоконник. Его едва не стошнило вниз, в стылый осенний рассвет. Но он стоял, цепляясь за облупленное дерево рам, то закрывая глаза, то пытаясь смотреть вдаль — чтобы хоть на миг забыть о победно грохочущем метрономе.

А потом первый розовый луч вспыхнул на востоке, и он понял, что родилось утро.

Процокали по мостовой чьи-то каблучки. Задорно, пусть и устало. Торжествующе и радостно. С вызовом.

Он улыбнулся.

Светлели стены домов, вспыхивали окна — будто салютуя утру. Облака таяли, расползались. Проехала поливальная машина — скользя струями воды по тротуарам.

Он отдернул штору, прикрыл окно и присел на кровати.

Посмотрел на самую красивую женщину этого утра, что куталась в одеяла, ни о чем не думая и ни о чем не тревожась во сне. Красивую так, как только может быть красива любимая женщина. На милые спутанные волосы, на устало прикрытые глаза, на пухлые от поцелуев губы. Не удержался, наклонился, целуя ее — нежно, ласково, вдыхая запах ее тела, шампанского, любви.

Он подумал, что хотел бы остаться с ней навсегда. До скончания вечности. Строить дом, растить детей, сажать деревья...

Счастливы те, кто не видит течения времени. Кто никогда не слышит неумолимого метронома. Кто не слышит шороха рассыпающихся кирпичей, едва уложенных в стену. Кто не замечает подслеповатого прищура старика в невинных глазах младенца. Кто не видит дырявой осенней желтизны в едва развернувшемся клейком листочке. Кому не нужно бежать — всегда, всегда, всегда.

— Я не сволочь, — прошептал он на ухо самой красивой женщине прошлой ночи. Тихо, чтобы она не проснулась. — Честное слово. И я не смерть. Я лишь тот, кто слышит ее шаги. Шаги за спиной.

Время уже кончалось. Время спешило, старя лица и осыпая листья. Время не могло остановиться. Время шло за ним — беглецом и проводником, способным видеть рождение заката и смерть рассвета, увядание и расцвет мира. Всегда нужен кто-то, умеющий слышать шаги времени. Кто-то, обреченный бежать.

Он поцеловал женщину еще раз и вышел из спальни. Дверь не предала его, это была юная, утренняя дверь, она закрылась совершенно бесшумно. Он спустился по лестнице пешком, сел в машину, завел мотор. Открыл пачку сигарет, пока машина прогревалась, закурил.

И выехал из города навстречу еще не рожденному дню.

13 октября 1999 г.

Переговорщики

Планет у этой звезды не было. Ни одной. Зато имелся роскошный пояс астероидов и две группы гипертоннелей — по и над плоскостью эклиптики. Поэтому звезда G-785 и служила общепринятым местом ведения переговоров. В случае опасности можно было попытаться отступить, скрываясь за поясом астероидов.

— Сегодня что-то решится, Давид.

Это сказала Анна Бегунец, главный экзопсихолог Флота. Должность ее, много лет бывшая синекурой, последний месяц оказалась востребована в полной мере. В глубине души Давид восхищался тем, как держится эта маленькая немолодая женщина — на чьих плечах ныне лежала ответственность за судьбу человечества.

— Да? — кратко спросил Давид. Гример, занимавшийся раскраской лица, неодобрительно покосился на пилота, но ничего не сказал. Он тоже был профессионалом — лучшим голливудским гримером из числа немногих прошедших медкомиссию. Ему приходилось заниматься макияжем капризных кинозвезд, ни на минуту не закрывавших рта... только это было на Земле.

— Вы же знаете, Давид, какое сакральное значение придают д-дориа числу шесть. Сегодня шестой тур переговоров.

Самоназвание Чужих прозвучало из уст Анны очень чисто. Д-дориа. Комки разноцветных щупальцев. Сухопутные осьминоги...

Гример полюбовался разукрашенным лицом, отступил на шаг, кивнул. Потом присел на низенький стульчик и занялся паховой областью.

— Сегодня гениталии должны быть белыми, — сказала Анна. Голос ее был невозмутим и лишен даже тени иронии. — Это знак добрых намерений и надежды на скорое завершение спора. Меня не оставляет ощущение, что д-дориа почему-то не доверяют нам.

Гример покосился на Анну. Несмотря на молодость, этот импозантный негр не боялся высказывать свою точку зрения.

— Белые? А как же красные ободки? Вспомните дополнительное толкование к кодексу цветов, мисс Бегунец!

— Один ободок, — согласилась Анна, поколебавшись. — И не больше!

Давид тоскливо смотрел в зеркало. Гримерная на космическом корабле! Боже мой... И он — голый мужик, раскрашенный в немыслимые цвета, должные что-то символизировать. Пять дней назад, после первого тура переговоров, Бегунец рассказала ему русский анекдот про ковбоя и зеленую лошадь. Анекдот не показался Давиду смешным, но запомнился.

И ничего нельзя поделать. Переговоры должны вести те, кто осуществил первый контакт. На переговоры надо приходить обнаженными и в символической раскраске.

Можно, конечно, отказаться. Заявить, что люди не приемлют подобных условий. Но не станет ли это поводом к войне?

Как бы ни старались сейчас на Земле правительства и корпорации, строящие Глобальную Сферу Обороны, но у Земли лишь один межзвездный корабль. Первый, экспериментальный, так легко и так не вовремя встретивший чужую разумную жизнь...

У одних лишь д-дориа — сотни космических кораблей.

И вот он, прославленный пилот и немолодой, кстати, человек, ветеран НАСА и участник первой марсианской, идет на переговоры, посверкивая ягодицами. Согласно этикету Чужих — то, на чем сидишь, должно блестеть!

Позор. Стыд. Унижение.

Но лучше унизиться, чем погубить человечество.

— Вы не переживайте так, Давид, — сказала Бегунец. — В одном из первых русских фантастических романов при первом контакте с Чужими люди раздевались догола... демонстрировали красоту человеческих тел.

— Как может оценить человеческую красоту сухопутный осьминог? — тоскливо спросил Давид. Покосился на гримера. Тот трудился безропотно и отрешенно. Профессионал... все мы профессионалы.

— Вспомним нудизм и боди-арт, роспись по телу, — продолжала Анна. — Опять же — североамериканские индейцы...

— Я старый волосатый мужик с отвислым брюхом и кривыми ногами! — не выдержал Давид. — Мусорная урна — и та красивее меня.

Анна суховато улыбнулась, будто давая понять — «разговор закончен». Сказала:

— Вы должны быть уверены в себе, Давид. Насколько нам известно, девять разумных рас мирно сосуществуют в космосе. Девять рас! Они не воюют, они уважительно отзываются друг о друге. Неужели мы не сумеем войти в их число?

— Какой из меня дипломат, Анна? Я и с женой-то с трудом общий язык нахожу. — Давид не удержался от ехидства и добавил: — Вот если на переговоры позволят прийти вам... уверен, все сразу наладится.

— Как только это станет возможно, я разденусь догола, намажусь краской и пойду на переговоры, — серьезно ответила Анна. — Смотреть на меня будет не так приятно, как лет сорок назад... но что поделать. Рональд, время!

— Все, все... — забормотал гример, быстрыми взмахами кисточки нанося на колени бесформенные желтые пятна. — Последний штрих...

Давид еще раз глянул на себя в зеркало. Вздрогнул и отвел глаза.

Если проклятые журналисты сумеют раздобыть видеозаписи переговоров — его весь мир осмеет.

Конечно, если мир еще будет существовать.

«Колумб» занимал полнеба. Длинные топливные баки, вынесенные на консолях реакторы, медленно вращающееся коль-

цо жилых палуб, решетчатая антенна гипердвижка. Давид последний раз оглянулся на единственный звездный корабль человечества — и у него защемило сердце. Всего двадцать лет
понадобилось Соединенным Штатам, чтобы при посильном
участии остального мира построить этот чудесный звездолет.
Энтузиазм, охвативший американцев после открытия прин-
ципа туннельного гиперперехода, ничуть не схлынул за два
десятилетия. Словно вернулись времена Дикого Запада, фрон-
тира, отважных переселенцев... Уже не казались фантастикой
«Звездные войны» и «Вавилон-5». Будущее стучалось в двери.
Даже сам Давид, лучше других понимавший, как долог будет
путь от первых кораблей к завоеванию Галактики, ловил себя
на совершенно диких фантазиях. Вот он вместе со старшим
сыном странствует инопланетными джунглями... вот, плотно
пообедав расплодившейся в прериях чужой планеты индей-
кой, едет на джипе к космопорту... чтобы пропустить стакан-
чик-другой в компании знакомых пилотов и смешных, отста-
лых, плохо цивилизованных аборигенов...

И вдруг — такая беда... голый разукрашенный человек в
тесной кабине космошлюпки. А впереди — причудливые формы корабля д-дориа, гораздо меньшего размером, но при этом
куда более совершенного...

Зал переговоров построили д-дориа. Десятиметрового диаметра прозрачный купол на металлической платформе. В ку-
поле была пригодная для дыхания атмосфера. Еще там была
гравитация. Настоящая, а не тот суррогат, который создавало
вращающееся жилое кольцо «Колумба». Человечеству оставалось надеяться лишь на доброту Чужих. Ну... и на умение пя-
тидесятилетнего пилота блефовать.

Шлюпка мягко коснулась металлического диска. Сколь-
нула, втыкаясь носом в прозрачный купол. Неведомый материал расступился, обтекая нос шлюпки, герметизируя люк. Появилась сила тяжести.

Давид тяжело поднялся, открыл люк и ступил на теплый
пол купола.

Д-дориа сидел напротив. Его шлюпка тоже наполовину
вползла в купол. Земной и чужой звездолеты болтались в отдалении, над головой искрился пояс астероидов. Случайных

метеоров Чужие словно бы и не боялись. Наверное, у них есть силовое поле...

— Сколько можно ждать? — раздраженно спросил д-дориа. Устройство перевода было встроено в купол. Еще одно напоминание о технологической пропасти...

— Я опоздал меньше чем на минуту, — сказал Давид, усаживаясь на корточки перед инопланетянином. Д-дориа обладал горизонтальной симметрией — бочонкообразное тело с кольцом зрительных и обонятельных рецепторов, шесть мощных щупальцев сверху, шесть — снизу... Верх и низ, как Давиду уже доводилось убеждаться, был понятием условным.

— Мы заняты серьезным делом, мы закладываем основы мира и процветания наших народов! — продолжал возмущаться д-дориа. Устройство перевода либо было безупречным, либо казалось таким. Ни малейшей задержки, ни одной корявой или непонятной фразы...

Давид вздохнул. Самым обидным было то, что раса д-дориа вовсе не страдала излишней пунктуальностью. Чужому ничего не стоило опоздать и на пять минут, и даже на четверть часа, после чего бросить пару слов о трудностях с церемониальной окраской, интересной информационной передаче с родины или любопытном споре с товарищами. Это можно было счесть издевательством, высокомерием... но почему-то Давиду казалось, что причина совсем иная.

— Давай же займемся этим делом? — предложил он, уходя от спора. От д-дориа шел густой растительный аромат, чем-то даже приятный. Может быть, так пахло тело Чужого. Может быть — краски, которыми было разрисовано тело.

— Нет, ну ты всегда будешь опаздывать? — возмутился д-дориа.

— Больше опозданий не будет, — сказал Давид.

Как ни странно, но этого вполне хватило, чтобы закрыть тему.

— Все разумные расы с тревогой следят за переговорами, — изрек д-дориа. — Друг мой, ты должен понимать — космические войны невыгодны и опасны. Выходя в Галактику, мы поневоле становимся миролюбивы...

— Земляне совершенно согласны! — с готовностью подтвердил Давид. — Вчера правительство моей страны...

— Ты можешь выслушать не перебивая? — возмутился д-дориа.

Давид замолчал.

— Так вот, все мы жаждем мира! — продолжил Чужой. — Пусть д-дориа не похожи на кульх, пусть атенои дышат хлором, а зервы вообще не дышат...

Крохи драгоценной информации. Давид надеялся, что установленные в шлюпке микрофоны записывают все откровения Чужого.

— Но все мы боимся того, что в космос вырвется раса слишком молодая и энергичная, чтобы принять принципы мирного сосуществования. Вот почему знакомство с каждой новой расой — процесс трудный и болезненный. Мы знаем, на вашем корабле есть лазер и три ракеты с термоядерными боеголовками!

Поставленный перед фактом, Давид не стал спорить.

— Да, есть. Неужели ваши корабли не вооружены?

— Вооружены! — признал д-дориа. — Но только для защиты от неведомой опасности!

— Наши — тоже.

Д-дориа развел щупальцами. Горестно произнес:

— Вопрос веры! Что может означать наличие у вас столь примитивного оружия? Возможно — знак миролюбия. Но, может быть, это коварная попытка утаить оружие вообще!

«Это значит, что мы отсталые дикари, дурак!» — подумал Давид. Но смолчал.

— Не знаю... — вдруг пролепетал д-дориа. В голосе появилась печаль. — Вопросы переговоров — так трудны. Я простой пилот! Я не умею общаться с Чужими!

— Я тоже, — признался Давид. — Но если мы поручим общение специалистам...

— Нельзя, — грустно сказал д-дориа. — Мы не можем ставить вас в невыгодное положение. Ведь наши переговорщики имеют опыт общения с чужими расами. У вас таких специалистов нет. Правило справедливо — договариваются те, кто осуществил первый контакт. Мы должны принять решение. Мы должны объявить — опасны ли наши расы друг для друга.

Оба они замолчали.

Проклятые правила! Давид готов был согласиться, что в словах Чужого имеется здравое зерно. Подобная щепетильность даже умиляла...

— Сегодня у тебя замечательная окраска, — пробормотал он, пытаясь занять неловкую паузу. В отличие от русской женщины-психолога и голливудского гримера пилот так и не разобрался во всех тонкостях цветовой азбуки. Но надо же было хоть что-то сказать...

— Правда? — спросил д-дориа.

— Очень красиво, — сказал Давид. — Синие щупальца и эти зеленые пятнышки...

— Я очень переживал перед встречей, торопился, второпях все делал... — Чужой досадливо покачал верхними щупальцами. — Ты просто высказываешь комплимент, да?

На самом деле так оно и было. Давид ляпнул первое, что пришло в голову, как порой поступал, отправляясь с женой на скучный, но обязательный светский раут.

И ответил он по тому же наитию:

— Я совершенно искренен. Блестки вокруг дыхалец — восхитительны.

Пряный запах от д-дориа стал сильнее.

— Спасибо, это была импровизация... действительно красиво?

— Очень... — Давид едва сдержал волнение.

Мысль была чудовищной.

Мысль была гениальной!

Неужели перед ним — женская особь д-дориа? То немногое, что людям было известно о Чужих, ничуть не противоречило подобной гипотезе. Все Чужие были двуполы — наиболее удобный способ размножения, обеспечивающий обмен генетическим материалом и легкость рекомбинации генов. Все Чужие не страдали предрассудками, и оба пола были равноправны — в разговоре о своих товарищах на корабле д-дориа использовал местоимения «он» и «она» одинаково часто.

Но ведь о себе д-дориа всегда говорил «он»!

— Не будет ли нарушением протокола поговорить немного о нас, переговорщиках? — спросил Давид.

— Не будет, — согласился д-дориа.

— Есть ли у тебя семья, уважаемый друг?

— Да, дома у меня осталась жена и трое детей.

Гениальная догадка рассыпалась в прах.

— А я был женат дважды, — грустно сказал Давид.

— Ничто не вечно, даже любовь, — высокопарно, но с пониманием отозвался Чужой. — Как бы хотелось мне вернуться на корабль и сказать: «Наши расы близки и могут жить в мире!»

— Что же мешает тебе?

Д-дориа заколебался. Но все же ответил:

— Подозрение, человек. Страшное подозрение о сути человечества.

Давида охватила паника. Неужели просочилась информация о войнах, революциях, голоде, религиозных разногласиях? Неужели Чужие сочтут людей кровожадными и опасными?

— Говори, друг мой, — сказал Давид. — Я отвечу на все вопросы. Чем мы обидели вас?

— Вы слишком хорошо ведете переговоры, — выпалил д-дориа. Слегка привстал на кончиках щупальцев — это был знак предельного волнения.

— Слишком хорошо? — растерялся Давид.

— Между нашими расами — пропасть, — грустно сказал д-дориа. — Физиологическое и психологическое несходство. Разные среды обитания. Значительная культурная несовместимость... ты ведь сам говорил, что обычай эмоциональной раскраски считаешь архаичным... Нет, не перебивай! Хоть иногда можешь выслушать нормально? Так вот... любая раса, входя в первый контакт, испытывает ужасающий социокультурный шок. Никакие догадки ученых, никакое искусство фантастического вымысла не способны подготовить к контакту с Чужим. Я дружен с многими кульх, я общался с представителями всех девяти рас. И потому твой облик не вызывает у меня отторжения. Но ты, ты, человек! Как можешь ты сидеть рядом с существом столь непохожим, общаться с ним, говорить о семейных ценностях и тайнах макияжа?

— Возможно, дело в том, — начал Давид, волнуясь, — что наша родная планета населена различными формами жизни. Мы привычны к любому внешнему облику...

Щупальца сжались в жесте сомнения.

— Животные твоей планеты разумны?

— Нет... насколько нам известно.

— Тогда это не объясняет странности.

— Люди и сами бывают разными. Цвет кожных покровов у людей...

— Явление цветового диморфизма имеется у всех рас, — отмел его возражения д-дориа. — Но оно не спасало от социо-культурного шока. Нет! Мы боимся другого!

— Чего? — обреченно спросил Давид.

— Мы подозреваем... — д-дориа даже запнулся от волнения, — что люди уже встречались с иными расами. Но в силу чудовищной извращенности своей психики — уничтожили их или низвели до положения бесправных рабов!

— Неправда! — Давид почувствовал себя по-настоящему оскорбленным. — Такого не было! Да, люди воевали между собой, объединяясь по признаку общего языка...

— Бывало у всех.

— Общей территории...

— Бывало у всех.

— Цвета кожи!

— Бывало...

— Религии!

— Еще как.

— По экономическим причинам...

Д-дориа лишь горько вздохнул.

— У людей раньше была дискриминация по национальному, половому, возрастному признаку...

Д-дориа печально произнес:

— Мы изучили все материалы, которые вы сочли возможным предоставить. В них нет ответа. Ваша цивилизация идет обычным путем разумных рас. Но почему-то не испытывает удивления от контакта с нами. Даже ты, рядовой пилот, великолепнейший переговорщик! Вывод печален — вы уже сталкивались с иной формой разумной жизни. Раз вы не говорите об этом — значит судьба этой расы печальна. Мне очень хочется дать благоприятный отзыв, друг. Но я боюсь!

Наступила тишина. Сквозь едва заметные щели в полу сочился прохладный чистый воздух. Сияло астероидное кольцо, висели вдали корабли. Давид пробормотал:

— Оказаться бы сейчас дома... махнуть на рыбалку...

— Ага... — тоскливо отозвался д-дориа. — Тихая речушка... сидишь рядышком с женой на берегу, остроги наготове...

— Мы удочками ловим...

— Азарта мало. А спортивные состязания у вас развиты? Давид кивнул.

— У нас хорошая ложа на центральном стадионе города, — похвастался д-дориа. — Если за ближайшие сутки придем к какому-нибудь решению — я еще успею на финал. Жена очень надеялась, что посмотрим вместе.

— Мою супругу ни на рыбалку, ни на футбол не затащишь... — пожаловался Давид. — Вот какой-нибудь прием или благотворительный вечер...

Д-дориа пошевелил щупальцами — жест сочувствия. Сказал:

— Любовь — загадочное чувство у всех разумных рас. Печально, когда она возникает при несходстве интересов.

— Нет, у нас много общих интересов, — проклиная себя за то, что взялся посвящать инопланетного осьминога в вопросы семейной жизни, сказал Давид. — Но рыбалка, спорт... не женское это дело.

— Почему? — удивился д-дориа. — Друг мой, в вас говорит неизжитый половой шовинизм! Нехорошо запрещать женщинам занятия охотой или спортом...

Давид поднял голову. Посмотрел на д-дориа. И заговорил...

Ему едва дали вымыться. Проклятая краска оттиралась с трудом, Давид израсходовал тройную норму воды, прежде чем рискнул выйти из-под душа. Оделся и вернулся из санитарного блока в свою каюту.

Капитан — старый славный Эдд Куверг — и загадочная русская женщина Анна Бегунец ждали. Напряжение уже покинуло их лица, теперь там осталось лишь любопытство.

— Итак? — Первой, вопреки субординации, заговорила Анна.

— Все в порядке. — Давид уселся в кресло, поколебался, но все-таки вытащил из чемоданчика с личными вещами фляжку виски. Эдд покачал головой, но потом достал свою. Бегунец молча приняла от Давида стаканчик.

— Ну? — спросил Эд.

— Они нас боялись, — объяснил Давид. Глотнул, блаженно закрыл глаза. Первая капля алкоголя за последний месяц. И первая спокойная минута. — Они нас ужасно боялись. Знаете почему? Мы слишком хорошо вели переговоры! Слишком легко адаптировались к их облику, к их обычаям.

— Что же в этом могло не понравиться? — удивился Эдд.

— Д-дориа решили, что у нас уже есть опыт контактов с чужими разумными расами. Но поскольку мы это отрицали — Чужие заподозрили нас в обмане. В том, что мы уничтожили тех, с кем встречались.

Капитан единственного земного звездолета Эдд Куверт засмеялся, схватившись за голову. Бегунец саркастически улыбнулась.

— По их мнению, никак иначе мы не могли приобрести достаточную гибкость сознания, — пояснил Давид. — Расовые, религиозные различия — недостаточная причина. Д-дориа стремились к налаживанию контактов... они ведь очень убедительно объяснили, почему война в космосе невозможна и не нужна, почему полезнее всего — мир и торговля технологиями. Но им нужно было хоть какое-то объяснение нашей... как это сказать... контактности? Именно контактности! Поэтому я позволил себе вспомнить какую-то научную гипотезу... о том, что кроманьонцы и неандертальцы длительное время существовали вместе, порой воевали, а порой мирно сосуществовали... пока не слились в одну расу. Я предположил, что с тех пор у человечества и сохранилась повышенная контактность. Вы бы видели, с каким энтузиазмом д-дориа согласился!

— Эта гипотеза не выдерживает критики. — Бегунец покачала головой.

— А я и не утверждал, что она верна. Предположил. — Давид плеснул себе еще немного виски. — Все! Мы признаны вполне достойными равноправного общения!

— Давид, я тебя знаю двадцать лет. — Эдд покачал головой. — Хорошо, с д-дориа ты разобрался. Но я же по лицу вижу, у тебя еще одна гипотеза. Настоящая. Которую ты считаешь верной.

Давид торжествующе улыбнулся:

— Да. Понимаете, в разговоре возникла пауза... и я похвалил церемониальную раскраску Чужого. Просто чтобы хоть что-то сказать! А он так оживился... ну, вроде как когда заметишь, что у жены новая губная помада, и похвалишь цвет...

— Д-дориа была самкой? — воскликнула Бегунец. — Прошу прощения... женщиной?

— Да нет же! — Давид покачал головой. — Вовсе нет. Самец. Но потом мы стали говорить о семьях... он вспомнил, как ходит с женой на рыбалку, на какой-то их инопланетный футбол... Понимаете?

Лицо Анны помрачнело. Эдд крякнул.

— Мужская и женская психология разная, — торжественно сказал Давид. — Маленьких детишек возьми: мальчики возятся с машинками, дерутся, лягушек разных ловят, а девочки крутятся перед зеркалом, сплетничают, хихикают невпопад. Мы к этому привыкли. Нам кажется, что только так и может быть. А у них различие мужчин и женщин — только физиологическое! Психология одинаковая! Психологически — они одна-единственная раса! А мы, люди, фактически — две расы, живущие в симбиозе! Мы с младенчества привыкаем контактировать с Чужими! Мы идеальные переговорщики, нас ничем не удивить — ни цветной раскраской, ни беспочвенными спорами, ни непониманием партнера! Мы с кем угодно во Вселенной найдем общий язык!

Бегунец встала. С негодованием посмотрела на Давида. Возмущенно выпалила:

— Неандерталец!

Ошеломленный Давид молчал. Главный экзопсихолог земного космофлота пулей вылетела из его каюты. Эдд Куверт иронически улыбнулся.

— Ну... или почти с кем угодно... — пробормотал Давид.

Ахауля Ляляпта

— Чего-чего? — спросил Павел подозрительно.

— *Ахауля ляляпта!* — повторил Андрей, демонстрируя клиенту что-то маленькое, волосатое, черное, сморщенное — похожее на высушенную обезьянью лапку. — Сувенир. Купил у старого индейца.

— Убери ты эту гадость от стола! — рявкнул Павел. — Она же обезьянья...

— Да кто этих индейцев поймет, — пряча лапку в карман, заявил Андрей. — Может, человеческая?

Он облокотился на перила и уставился вниз с балкона. Не иначе как высматривал человеческих особей, похожих на свежеприобретенный сувенир.

Павел только презрительно фыркнул и налил себе вина. Нет, отношения у них сложились хорошие, в чем-то даже дружеские. Индивидуальный тур в Чили стоил немалых денег, и к выбору персонального гида Павел Арсенов подошел очень внимательно. С ходу отмел смазливых девочек — кто же ездит в Тулу со своим самоваром? Понравился было средних лет интеллигент, выпускник МГИМО, успевший и дипломатом поработать, и свой бизнес завести, и прогореть. Но вовремя выяснилось — бывший мгимошник подорвал здоровье на дипломатической ниве и теперь вынужден цедить безалкогольное пиво. Разве это достойный товарищ для двухнедельного вояжа по Чили?

Андрей же был всем хорош — и языки знал в совершенстве, и по миру успел помотаться, и водку готов был пить наравне с клиентом, при этом не утрачивая ни бдительности, ни дружелюбия. Немного настораживала его непрерывная веселость и слабое чувство дистанции. Арсенов даже заподозрил гида в нетрадиционной ориентации. Но нет, и тут все было в порядке. Просто такой характер. Выбор был сделан, и вначале Павел не мог нарадоваться на своего гида. Мотаясь по всей стране, от горнолыжного курорта Портильо до пустыни Атакама, от Огненной Земли до заросшего виноградом каньона реки Майпо, молодой гид оставался энергичным, деятельным и компанейским. Вот только стоило Арсенову постановить, что последние три дня они проведут в Винья дель Мар, как Андрей заметно сник.

Ну не умел этот парень спокойно отдыхать! Не понимал, что есть свое удовольствие в трех днях, проведенных в спокойном чилийском захолустье, когда ожидающие в Москве проблемы уже приближаются во времени, но все еще остаются отдаленными в пространстве — на целых семнадцать тысяч километров. Ему требовалось действие, все равно какое — взбираться на склон вулкана, вести машину по зажатой между океаном и горами автостраде, знакомиться с чилийками или попросту напиваться с клиентом.

Арсенову же хотелось сейчас только покоя...

— Вот и еще одна мечта детства исполнена, — сказал он, глядя на океан. — Веришь, с детства мечтал в Чили побывать.

— Верю, — согласился Андрей. — А я в Россию хотел. Папаню из Перу отозвали, когда мне шесть лет было... ох как же я радовался!

Все это уже было не раз сказано. И про юность Андрея, безалаберного сына дипломатических работников. И про детскую мечту Арсенова — побывать на Огненной Земле, посмотреть на пингвинов.

Ну — посмотрел. Местный гид с готовностью привез их на огромное стойбище... или как оно там называется? Гнездовье? Лежбище? Птичий базар? Да не важно. Посмотрели они на пингвинов. А потом Арсенов поймал взгляд гида, болтающего с аборигенами, пока они с Андреем ловили пингвинов в объективы камер И представилось ему, как приехавших в Россию туристов везут посмотреть на местную экзотику — воронье гнездовье. И как стоят богатые южноамериканцы, с восторгом фотографируя каркаюшее воронье... а окрестные мужики крутят пальцами у виска...

Что русскому экзотика, то немцу банальность. Вот что обидно по-настоящему — прошло время уникальных впечатлений. Даже на Южный полюс с парашютом прыгнуть — всего лишь вопрос денег и бесшабашности.

— Покажи-ка свою... ахулю... — попросил Павел.

— *Ахаулю*, — поправил Андрей, с готовностью извлекая скрюченную лапку. — Индеец называл ее *ахауля ляляпта*.

— Как переводится? — со скукой разглядывая сувенир, спросил Павел.

Гид неожиданно засмущался.

— Честно говоря, не знаю. Индеец по-испански совсем не говорит. Наверное, настоящий мапуче. Их на лицо и не отличишь-то особо, это не североамериканцы.

Павел внимательно рассматривал лапку. Потом положил ее на столик и сообщил:

— Фальшивка.

— Чего? — обиделся Андрей.

— Фальшивка, говорю. Нагрел тебя индеец.

— Почему? — хватая лапку, возмутился Андрей.

— Да ты глаза открой, — объяснил Павел. — На этой лапке — шесть пальцев! Два противостоящих пальца, понимаешь? И еще — в каждом пальце по четыре сустава.

— Ну... — вертя лапку и осторожно пробуя согнуть черные скрюченные пальцы, произнес Андрей. — Это...

— Я, дорогой ты мой, МГУ заканчивал, — пояснил Павел. — Биофак. Животных с такими конечностями не существует.

— Может, ящерица? — предположил Андрей.

— Покрытая шерстью? Да и у ящериц нет таких лап. Так что, Андрей, *ахаулю* эту сшила бабка твоего мапучи специально для идиотов-туристов.

— Все равно забавно, — сказал Андрей, изучая опозоренный сувенир. — Нет, постой, ну как это — сшила? Нет тут никаких швов... сейчас!

Он бросился в гостиничный номер, хлопнула дверь. Оставшись на балконе в одиночестве, Павел снова взял в руки *ахаулю*.

Да, швов не наблюдалось — кроме зашитой тонким шнур
ком культи. Павел подковырнул шнурок — внутри лапка ока
залась аккуратно набита сухой травой.

— Нет таких животных, — повторил уже для себя Павел и
отложил лапку. Но в душу начало закрадываться сомнение
Для чего старому индейцу сооружать такую правдоподобную
фальшивку? Туристу вполне сгодится высушенная обезьянья
лапа...

Вернулся Андрей — с огромной лупой в руках. На недо
уменный взгляд Павла пояснил:

— Купил внизу, в газетном киоске. Хорошая лупа, да?

Минут пять он простоял, изучая лапку вооруженным гла
зом, после чего гордо заявил:

— Никакая это не фальшивка. Нет тут швов.

Павел почувствовал азарт:

— Давай лупу сюда, Паганель хренов! Сейчас покажу, чем
профессионал отличается от любителя!

Через четверть часа Павел был вынужден признать (ко
нечно, лишь себе самому), что в данном случае профессионал
от любителя не отличается ничем. Андрей, надо отдать ему
должное, тактично молчал и об опрометчивом обещании не
напоминал. Можно было просто вернуть обезьянью лапку и
объявить ее сделанной на заводе в Китае...

Но Павел уже был задет за живое.

— Выпотрошим? — предложил он.

Андрей пожал плечами:

— Давайте.

Шнурок был распущен, сухая трава вытрясена, лапка —
вывернута наизнанку. Павел еще раз осмотрел *ахаулю* изнут
ри, и его прошиб пот.

Не выглядел этот дрянной сувенир фальшивкой! Похоже
было, будто кожу и впрямь содрали, словно перчатку, с лапки
животного.

— Я вот помню, — задумчиво произнес Андрей, — что
когда чучело утконоса первый раз в Европу привезли, ученые
его обозвали подделкой. Не бывает, мол, таких зверей...

— Помолчи, — сказал Павел очень серьезно. — Вопрос
серьезный...

Конечно, на дворе — двадцать первый век. Да и Чили — не Австралия. Но вот же лежит перед ним лапа существа, которого не может существовать в природе!

— Что еще продавал индеец? — спросил он.

— Камешки какие-то, — начал вспоминать Андрей. — С дырочками, на шнурках... вроде как амулеты. Еще какие-то лапки, шкурки...

— Пошли. — Павел поднялся, подтянул живот, заправляя его в штаны. — Будем трясти твоего индейца. Он у нас живо испанский вспомнит.

Ну где может приложить свои силы современный биолог, жаждущий оставить след в истории? Разве что искать новые виды тараканов и глубоководных рыб. А вот открыть настоящее животное, дать ему гордое имя вроде «Шестипал Арсенова»... Даже в наивные годы далекой юности Арсенов такими амбициями не страдал.

Но вот, вот же она, шестипалая четырехсуставчатая лапа невиданного зверя!

— Пятнадцать баксов, между прочим, отдал, — тараторил Андрей, идя рядом с Павлом. — Я еще удивился, с чего индеец столько денег ломит, но решил — редкий какой-то сувенир...

— Головой чаще думай, — сурово сказал Павел. — Если цена слишком высокая или слишком низкая — сразу насторожиться следует.

Индейца они нашли на окраине городка, в месте совершенно нетуристическом — и как туда забрел неугомонный Андрей? Все здесь было неприглаженное, нетуристическое, обшарпанное. Маленький местный рынок, никак не рассчитанный на туристов. Всякая экзотическая жратва, несколько магазинчиков с единым для всего мира выбором товаров...

И скромно сидящий в пыли у дороги индеец. И впрямь — очень старый, спокойный, никого к себе не зазывающий, будто дремлющий над разложенными на земле сувенирами. Старая соломенная шляпа на голове, неподвижное морщинистое лицо, грязное пончо, торчащие из-под него босые ноги.

— Здорово, отец! — добродушно сказал Павел, покосился на Андрея — тот затараторил по-испански, потом — на каком-то знакомом ему местном наречии.

Индеец, похоже, ничего не понял. Но неспешно кивнул.

А Павел уже склонился над его товаром.

Да, сувенирчики и впрямь — дрянь дрянью. Камешки с дырочками на шнурках, вроде «куриных богов», что любят собирать на Черном море детишки. Примитивные фигурки, вырезанные из дерева.

И еще одна *ахауля*. Андрей купил левую, а эта была правая.

Павел поднял с земли странный сувенир, внимательно изучил. Спросил:

— Сколько?

Индеец неторопливо нарисовал в пыли пальцем цифры. Лукаво посмотрел на покупателей. И добавил значок доллара.

— Пятьдесят? — растерялся Андрей. — Павел Данилыч, он мне утром за пятнадцать продал, честное слово...

— Подожди, — велел Павел. Сел перед индейцем на корточки. Внимательно посмотрел в глаза.

Черт, ничего не разберешь, будто стеклянные. Душа индейская — потемки.

— Много хочешь, Виннету, — сказал Павел. — Пятнадцать.

И, зачеркнув назначенную цену, начертил в пыли «15».

Индеец покачал головой. И повторно написал «50».

— Издевается, — решил Андрей.

— Нет, парень, — сказал Павел. — Он не дурак. Ты думал, он с тебя много слупил за первую *ахаулю?* Он тебе крючок закинул. Нарочно продал задешево... чтобы ты присмотрелся и снова прибежал.

Индеец молчал и улыбался. Будто понимал по-русски.

— Откуда оно? — потрясая сушеной лапкой, спросил Павел. — Что за зверь, где живет?

Индеец разгладил пыль морщинистой рукой и принялся рисовать. Вокруг потихоньку собиралась толпа аборигенов — глядели, похохатывали, то ли над старым торговцем, то ли над чужестранцами-покупателями. Подошел полицейский, постоял, изучая обстановку, проследовал дальше.

Павел и Андрей ошарашенно смотрели на схематичный рисунок.

Была на нем цепочка холмов, и деревья, нарисованные со старанием пятилетнего ребенка. Было два странных существа, неподвижно лежавших на земле. «*Ляляпта!*» — провозгласил индеец, указывая на них.

А еще было нечто большое, округлое, наполовину воткнувшееся в землю — из этого округлого шел дым. Индеец внимательно посмотрел на Павла — понял ли, что ему показывают. Потом одним взмахом руки стер рисунок.

— Я же тебе говорил, нет на Земле таких животных, — сообщил Павел гиду. — Дошло?

— Павел Данилыч... — Андрей полез в карман, вытащил первую *ахаулю*. — Так это что же... мне руку инопланетянина продали?

— Спрячь! — скомандовал Павел. Он был сейчас в своей стихии. Требовалось действовать. Требовалось уломать посредника и выйти непосредственно на товар. Требовалось решить проблемы с властями, таможней... не позволить оттереть себя в сторону. Требовалось при всем этом остаться живым. Это даже не «Шестипал Арсенова»! Это Нобелевская премия, это настоящая слава, это настоящее положение в обществе. Да это, если на то пошло, маленькие дивиденды для одного человека, но огромный кредит для всего человечества!

— Отведи нас туда, старик, — сказал Павел. — А? Я заплачу. Много заплачу. Сто баксов. Нет, шучу, пятьсот. Файф хандред. Понял?

Индеец покачал головой.

— Значит, так, Андрюша, — велел Павел. — Тащи нам по бутылочке пивка, вискарика какого-нибудь поприличнее... и потрись в толпе. Поговори с аборигенами, узнай, откуда этот старичок взялся, где живет. Одна нога здесь...

— Другая уже там, — исчезая в толпе, отрапортовал Андрей.

Через полчаса Павел был вынужден признать свое поражение.

Индеец не отказался от пива. Индеец глотнул виски. Индеец согласился принести *тутитоку* — нижнюю конечность существа. Индеец сумел жестами объяснить, что одного инопланетянина при падении разорвало на куски — которые он сейчас и продает, другой почти целый, но из него тоже при шлось набить чучело. Жара, мухи, личинки... все это он продемонстрировал с настоящим актерским мастерством, хоть сейчас его в ГИТИС принимай.

А еще индеец наотрез отказался отвести покупателя к месту падения тарелки.

— Значит, так, Андрей, — подвел наконец итоги Павел. — За две *тутитоку* старый хрыч хочет по сотне. За вторую лапу полтинник. Это все фигня. За целое чучело требует штуку. Что ж, придется покупать.

— А как же сама летающая тарелка? — жадно спросил Андрей.

— Вот когда он нам чучела продаст, тут и до тарелки дело дойдет, — уверенно сказал Павел. — Какие-то штуки оттуда он уже доставал... но не хочет пока ничего говорить.

— Он вообще испанский не знает...

— Да все он знает, ему торговаться так удобнее! — в сердцах сказал Павел. — Пошли в отель. Завтра утром он все принесет...

— А если проследить за ним? — предложил Андрей, когда они отошли от старого индейца.

— Нет, не стоит. — Павел строго глянул на гида. — Тут самодеятельность вредна... дикий-то он дикий, но мозги у него работают. Заметит слежку — ничего больше не получим.

— Не заметит, — самоуверенно сказал Андрей.

— Если дальше будет упираться — попробуем в.детективов поиграть... — решил Арсенов. — Что ты про него выяснил?

— Неделю уже ходит на рынок, продает всякую дрянь, — сказал Андрей. — Кто такой, откуда — никто не знает.

— Умен, — согласился Павел. — Умен и осторожен. Искал настоящего покупателя.

Вечером пили. По такому случаю — не вино, а хорошую русскую водку. Под копченное на ветру, на испанский манер, мясо ламы водка шла замечательно.

— Павел Данилыч, — захмелев, начал Андрей разговор на волнующую его тему. — А ведь это дело большими деньгами пахнет... и не только деньгами.

Арсенов усмехнулся.

— Не бойся, в стороне не останешься.

— Нет, я все понимаю, — гнул свое гид. — Вы человек знающий, опытный... а у меня и денег-то нет, чтобы целую *ляляпту* выкупить. И все-таки...

— Гарантий хочешь? — Павел с живым интересом наблюдал за гидом. — Ладно, объясняю, чем ты мне дорог в этом деле. В посольстве связи есть?

— А? — насторожился Андрей.

— Как повезем чучела через границу? А если удастся инопланетные железяки добыть? Бластеры всякие? Нас же на таможне повяжут.

— Повяжут, — согласился Андрей.

— Так вот, ты у нас мальчик из дипломатической семьи, родители твои в этих краях трудились... завязки остались?

Андрей мигом протрезвел и задумался:

— Что же... дипломатической почтой?

— С государством делиться все равно придется, — философски заметил Арсенов. — И уж лучше со своим, точно? Можно к американцам пойти, но те нас сразу в сторонку отодвинут. А то и прикончат. «Секретные материалы» смотрел? То-то...

— Так-так-так... — воодушевился Андрей.

— Все, что добудем, сдадим в посольство, — продолжал Арсенов. — Ну или почти все. Решим. Под гарантии. Под очень большие гарантии!

— Под совсем большие? — с детским восторгом спросил Андрей.

— Под самые большие! Будь мы с тобой, Андрей, американцами, тут бы завтра морская пехота высадилась, весь район оцепила, и никто бы не пикнул! Но мы граждане России, страна у нас не столь сильна. Пока не столь сильна! — Он выразительно покосился на сушеную *ахаулю*, лежащую на столе. — А вот с неземными технологиями...

— Может быть, нам еще памятник поставят, — предположил Андрей. — Как Минину и Пожарскому! За возрождение славы и силы Отечества!

Арсенов усмехнулся. Нет, все-таки при всей положительности гид оказался совсем еще мальчишкой.

— Может быть. Давай, гражданин Минин, еще по одной...

— Почему это я Минин... — запротестовал было Андрей, но развивать вопрос не стал. Зато задал другой, который волновал и Арсенова: — Павел Данилыч, а нет у вас ощущения, что нас все-таки дурачат? Тут ведь уже большие деньги...

— Это не подделка, — мрачно сказал Павел.

— А все-таки? Вдруг — телепередача какая-то, съемки скрытой камерой. Дурачат туристов, потом с извинениями деньги возвращают. Вот будет позорище...

Арсенову сразу же вспомнился один серьезный человек, надолго потерявший деловую репутацию из-за подобной телепрограммы. И всего-то объяснял симпатичной иностранке, потерянно стоявшей возле своего «мерседеса», как проехать к Кремлю. Там ехать-то было — два поворота! А оказалось, что странная карта, по которой он водил пальцем, указывая дорогу, была выкройкой из журнала мод. Мелочь, казалось бы, а сколько возникло проблем...

— Ничего, Андрей. Придется рискнуть, — решил Арсенов. — Так что с посольством?

— Папе надо позвонить, — признался Андрей.

— Только аккуратно говори, хорошо? — напомнил Арсенов. В глазах Андрея вдруг появилась легкая ирония.

— Павел Данилыч, вот с этим не беспокойтесь. Папа у меня хоть и в отставке, но с его работы насовсем не уходят.

«Как бы не получилось, что и ты там подрабатываешь», — обеспокоенно подумал Арсенов. Впрочем, в нынешней ситуации это было даже удачно.

Он взял со стола *ахаулю* и убрал в шкаф. Пояснил:

— Нехорошо получается, все-таки представитель высшего разума.

— Да и не схарчить бы ее по пьяни, — хихикнул Андрей и достал телефон.

Утром индеец был на прежнем месте. Рядом с ним лежал грязный мешок. При появлении новоиспеченных Минина и Пожарского индеец изобразил подобие улыбки.

Арсенов открыл мешок и внимательно изучил его содержимое. Да, индеец не соврал. Тут лежали две *тутитоку* — шестипалые, перепончатые нижние конечности. Была и аккуратно содранная с несчастного пришельца шкура — жаль только, что без головы.

— Куда голову дел, зараза? — поинтересовался Павел.

Индеец на себе показал, что голову у *ляляпты* оторвало, и ее пришлось выбросить.

— Ведь врешь, отдельно хочешь загнать... — обреченно сказал Арсенов. Но спорить не стал, расплатился. Деньги перекочевали куда-то под пончо, индеец дружелюбно улыбнулся и встал.

— Эй, старикан, ты куда? — забеспокоился Андрей, хватая индейца за локоть. — А как же все остальное?

Индеец улыбался, но рисунков в пыли больше не делал и в объяснения не вступал.

— Пусть идет, — процедил Павел. — Захочет еще денег — вернется.

И незаметно подмигнул компаньону. Его все сильнее и сильнее одолевало дурацкое подозрение, что индеец понимает русский язык.

Андрей выпустил продавца, сказав вслед:

— Вали... чучельных дел мастер. Еще разобраться надо, не живых ли пришельцев ты потрошил!

Индеец неспешно удалялся. Он даже ни разу не оглянулся.

— Эх, сюда бы пару-другую хороших топтунов из наружки... — сказал Андрей. — Ну...

Павел раскрыл сумку и протянул гиду приготовленную заранее яркую рубашку. Через несколько секунд Андрей уже надел ее поверх футболки, на голову нацепил легкомысленную кепочку — и двинулся за индейцем.

Павел шел следом, стараясь не терять Андрея из виду. Молодец все-таки гид. Только бы старик не заметил слежки...

Старик слежки не заметил. Он свернул в ближайший переулок, Андрей выждал десяток секунд и двинулся следом.

Павел наткнулся на Андрея сразу за поворотом. Гид стоял, вытаращив глаза и безмолвно озирая короткий грязноватый тупик. Сюда выходила лишь пара дверей, но давно и основательно заколоченных. Интернациональный запах наводил на мысль, что окрестные жители и продавцы с рынка используют этот тупик для самых низменных потребностей. То же самое следовало из взгляда потасканной девицы, стоящей чуть в сторонке и нетерпеливо поглядывающей на Андрея. Павел подергал висячие замки, почему-то будящие воспоминания о российских селах и старых амбарах, потом повернулся к Андрею. Толкнул его в плечо:

— Где дед? Куда он делся?

— Нет его, — сообщил Андрей. — Куда же он...

Бросившись к девице, даже шарахнувшейся от такого напора, Андрей быстро заговорил по-испански. Разговор длился не больше минуты, после чего гид вернулся к Арсенову и убитым голосом сообщил:

— Никого она тут не видела! Говорит, что я первым зашел, что никакого старика не было... предлагает обслужить нас обоих за десять баксов...

Арсенов сплюнул и сообщил:

— Руссо туристо, облико морале...

Они еще раз изучили тупичок. Три стены. Две двери, которые явно не открывались несколько лет. До крыши никак не допрыгнуть. Никаких люков в земле.

Девица получила свои десять долларов и подверглась допросу. Получив деньги, она от восторга готова была признать что угодно: и зашедшего в тупичок старика, и то, что старик до сих пор тут. Арсенову даже пришла в голову нелепая мысль, что сама потаскушка и притворялась стариком, а зайдя за угол, быстро и ловко переоделась. Вот только старый индеец был выше девицы сантиметров на двадцать...

— Павел Данилыч, нас кинули, — обреченно сказал Андрей. — Как детей развели.

— Кинуть — не кинули, — честно признал Павел. — Что старик обещал, то и продал, о другом речи не было. А развести — развели.

Девица, еще раз предложив свои услуги, обиделась и ушла. Компаньоны проверили тупик снова.

Никаких следов старого индейца.

— Знаете, Павел Данилыч, — вдруг сказал Андрей, тихо и убежденно, — а ведь они его забрали!

— Кто они?

— Пришельцы. Прилетели своим на помощь, обнаружили, что трупы подверглись поруганию... выследили индейца, да и втянули в тарелку силовым полем! Все, конец старику!

Арсенов посмотрел в горящие энтузиазмом глаза гида и промолчал.

Они толкались у рынка еще два дня. Арсенов даже подумывал, не продлить ли поездку, но интуиция подсказывала ему — бесполезно. Нобелевскую уже не получить. Отечеству не придется рассчитывать на чудеса внеземной техники и тратиться на памятник новым героям.

С «Шестипалом Арсенова» тоже вышло кисло. Оказалось, что шкура *ляляпты* для насекомых является невиданным деликатесом. Через два дня расползающуюся на куски шкуру пришлось залить каким-то местным дихлофосом. Остатки пришельца были спасены, но идти с ними в посольство или в аэропорт уже не стоило. Проклиная все на свете, Павел и Андрей зарыли шкуру за городом.

Уцелело только две *ахаули*, которые Павел в сердцах отдал гиду.

На Андрея случившееся произвело очень сильное впечатление. Через пару месяцев он заглянул в гости к Арсенову — хотя тот, разумеется, и не оставлял ему адреса. Был вежлив, тих и корректен, одет в скромный неприметный костюм. Очень убедительно попросил бывшего клиента собственноручно описать все, свидетелем чего довелось быть в Чили. От виски отказался, объяснив, что не пьет на работе. Расспрашивал, не случалось ли с Арсеновым иных странных происшествий, не возникало ли провалов в памяти.

Павел о случившемся вспоминал неохотно. Жалко было не денег, выброшенных на ветер. Обидно было, что так и не смог понять логику индейца. Чувствовал какую-то хитрую игру — но так и не понял, в чем она заключалась.

Впрочем, со временем досада притупилась, и чилийское недоразумение превратилось в одну из тех занятных историй, что так приятно рассказывать друзьям после третьей рюмки чая. Единственное, чего не хватало рассказу, — так это вразумительной концовки.

* * *

...Избавившись от двух назойливых русских, потаскушка отправилась в ближайший магазин электроники. Там, расплачиваясь наличными, она купила почти четыре килограмма различных электронных компонентов, собрать которые воедино не рискнул бы самый опытный радиомеханик.

Далее путь потаскушки лежал в недалекую деревеньку, в холмах за которой, надежно укрытое маскирующим полем, лежало поврежденное *атуано*.

Прежде чем приступить к ремонту корабля и предстартовой подготовке, единственный *ляляпта*, не пострадавший при крушении, заглянул в реанимационную камеру. Там, в сосудах с жидким гелием, дожидались возвращения на родную планету и новых тел две замороженные головы — пилота и навигатора.

Маленькое существо с шестью пальцами на руках и перепончатыми лапами, преисполнившись тихой гордости, стояло перед ранеными товарищами. Ему, молодому неопытному таксидермисту, удалось спасти и себя, и коллег!

Что делать несчастному страннику, затерявшемуся в чужом, отсталом мире? Суровые галактические законы запрещают вступать в контакт с примитивным человечеством. Не менее суровые моральные нормы не разрешают применять силу, обманывать, запугивать и продавать неизвестные на планете технологии.

И всего-то есть в наличии, что тела изувеченных при крушении товарищей!

Ляляпта удовлетворенно хрюкнул, переступая босыми ногами по влажному полу *атуано*. Его совесть была чиста.

СПИРАЛЬ ВРЕМЕНИ

Эти рассказы были написаны десять лет назад. По разным причинам они не вошли в предыдущий сборник, но оставлять их в Интернете насовсем мне кажется неправильным. Рассказы маленькие, рассказы не слишком-то сложные, рассказы, как положено, ученические... в каких-то дальнейших моих вещах можно найти отзвук этих рассказов... но они до сих пор живые.

И я с большим удовольствием представляю их в составе сборника. Не ругайте пианиста, он играл как умел.

МУЖСКОЙ РАЗГОВОР

Герольды протрубили второй раз, и мы бросились друг к другу. Ноги вязли в песке, колючем от обломков мечей и красном от пролитой крови. Наши убитые лошади неподвижными грудами замерли в стороне. Зрители на трибунах ревели, размахивали флагами — белыми и оранжевыми. Белых было больше, и я с ожесточением выхватил меч. Держись, Белый Рыцарь...

Мы рубились уже второй час. Боль во всем теле успела стать привычной, легкие стальные доспехи, казалось, превратились в свинцовые. А беспощадное солнце упрямо висело в зените. Наш поединок не остановит ничто.

Вжик! Я слишком задумался и едва успел наклониться. Оранжевые перья с моего плюмажа плавно заскользили вниз, подсеченные его клинком. Видимо, вложив в удар последние силы, он опустил клинок, пробормотал, задыхаясь:

— Может, хватит? Так мы ничего не решим...

Я посмотрел на королевскую ложу, где неподвижно замерло лицо Прекрасной Дамы — надменное и непреклонное. Стадион затих, словно вслушиваясь в наши слова. Я покачал головой, перехватывая рукоятку меча поудобнее:

— Защищайся...

Он с воплем вскинул меч. Я тоже. Клинки столкнулись, и его меч, непобедимый, волшебный меч, рассыпался в пыль. Лицо соперника побледнело. Мужественный загар сползал с него на глазах. Прикрывая руками голову, он забормотал:

— Это нечестно, это колдовство... Поединок запрещает такие вещи...

Прекрасная Дама чуть заметно улыбнулась. Я рассмеялся:

— Ты сам виноват. Наложил на меч слишком много заклятий, вот он и рассыпался. Но...

Я отбросил свой меч.

— Если ты хочешь, то переиграем поединок.

С плохо скрываемым облегчением он кивнул, запустил руку за пластины доспехов, вытащил пластмассовый кубик модулятора. Искоса взглянув на меня, сказал:

— Учти, твой поступок ни к чему меня не обязывает.

Я не стал спорить. Ко мне вдруг пришла уверенность в победе, спокойная, твердая уверенность...

Мой соперник наконец-то выбрал одну из граней модулятора, прикоснулся к ней. С легким шумом стали рассыпаться трибуны стадиона, рыцарский замок вдали, холмы, поросшие густым лесом. Потом погасло солнце — словно задули свечу. И наступила темнота.

Звезда ползла по небу слишком быстро. И самое главное — изменяла направление полета, а уж этого не способен сделать ни один метеорит. Опустив гермошлем, я вышел в шлюзовую камеру. Через несколько секунд насосы откачали воздух, и я вышел на поверхность астероида. Оглянулся на оставленный мною купол — такой надежный и безопасный, такой уютный... И побежал по черной базальтовой равнине к полю космодрома.

Космоперехватчик был уже подготовлен к полету — автоматы залили в него горючее и прогрели двигатели. Он стоял на взлетной площадке, похожий на старинный истребитель, грациозный, серебристый, несущий смертельную красоту оружия. Я вспрыгнул на опоры, открыл люк, взглянул на ползущую по небу белую звездочку. Держись, белая звездочка...

Первые минуты боя не принесли удачи ни мне, ни ему. Да, я всадил торпеду в правый двигатель его новенького корабля. Но соперник смог пережечь мне лазерным лучом блоки ориентации, и я вел теперь истребитель почти вслепую. Не знаю, чем бы все это кончилось, не соверши он непростительнейшей оплошности: для лучшего прицеливания соперник снял со своего корабля защитное поле. Этот шанс я не упустил. Двигатели моего верного перехватчика показали все, на что были способны, — корабль соперника вырастал на глазах. Только не подумайте, что я шел на таран, вовсе нет, я не самоубийца. В последнюю секунду я затормозил, гравиприсоски сблизили нас вплотную, и абордажные автоматы выжгли в его броне люк. Выхватив бластер, я протиснулся в еще горячее отверстие. Мы сойдемся лицом к лицу, пилот...

Услышав мои шаги, он вскочил из-за пульта. Но я выстрелил первым, и бластер в его руке разлетелся горячими брызгами.

— Тебе не пройти к ней, — наслаждаясь своим торжеством, сказал я. — Стоило бы тебя прикончить, да ладно. Ты и так проиграл.

— Нет, — тихо ответил он, и я заметил в его пальцах модулятор. Не колеблясь ни секунды, я нажал на спуск. Но он уже включил переигровку. Бластер исчез из моих рук, стальные стены корабля начали таять. Еще мгновение — и пришла темнота.

Мой удар бросил его на журнальный столик. Зазвенели бьющиеся бокалы, зачмокала вытекающая из опрокинутой бутылки жидкость. Я подул на кулак и огляделся. Небольшая, довольно уютная комната. В углу работает телевизор, за окном — рекламные огни какого-то города. А у дверей, молча наблюдая за нами, стояла Она. Я подошел и взял ее за руку.

— Тебе лучше было бы подождать внизу. Но, впрочем, мы уже поговорили.

— Нет, нет... — забормотал он, роясь в кармане.

Но тут заговорила Она:

— Действительно, мальчики, хватит.

Очень медленно соперник поднялся с пола. Беспомощно улыбнувшись, выключил модулятор. И темнота упала на нас в последний раз.

Мы были в модуляционной комнате городского семейного центра. Я и Он — в креслах, с надвинутыми на лица гипношлемами. Она стояла у окна. И, увидев ее взгляд, я понял, что победил. Снял шлем, подошел к сопернику. С невольной жалостью похлопал его по плечу:

— Вставай.

Он вылез из глубокого, как пропасть, кресла, стараясь не смотреть ни на нее, ни на экран, где только что проецировался наш поединок. Выдавил из себя:

— Пусть у вас все будет хорошо... Желаю счастья...

Ничего не ответив, мы вышли из комнаты. Она крепко держала меня за руку, и я чувствовал себя самым счастливым человеком в мире.

— Ты... такой смелый. Такой сильный... — Ее голос задрожал. — Я так рада.

Мы шли по улице, а вокруг нас кипела привычная жизнь двадцать первого века. Автоматические такси осторожно объезжали нас, когда мы переходили улицу, двери магазинов услужливо открывались, стоило лишь к ним приблизиться. Потом мы сели в электроллер и поехали домой. Я стоял, небрежно держась за поручни, непоколебимый, как скала, лишь чуть-чуть покачиваясь от толчков машины, уверенный в себе, как древний рыцарь, как космодесантник двадцать первого века, как горожанин двадцатого. Она доверчиво держалась за мое плечо. Когда мы подъезжали, сказала:

— У меня с ним ничего и не было. Правда.

— Я верю, — прошептал я. — Но поговорить с ним по-мужски было все-таки необходимо.

СПИРАЛЬ ВРЕМЕНИ

Спираль времени была собрана во вторник, поздно вечером. Она была очень красивой — вся из голубого полупрозрачного тумана, с двумя дрожащими красными огоньками внутри. И размеры получились совсем небольшие — в кулаке можно спрятать.

Семен Иванович еще раз оглядел спираль, посмотрел ее на свет — нет ли трещинки во времени? — потом отложил в сторонку. С удивлением заметил, как подрагивают руки — то ли от волнения, то ли от старости. Посидел немного, уже совсем было решил пойти заварить чай, но вдруг передумал и взял спираль в руки. Все-таки здорово получилось. Если всмотреться, то можно было заметить, как на одном конце спирали лохматые неуклюжие мамонты удирают от таких же косматых, но не в пример более ловких неандертальцев. А на другом конце хрустально отблескивали крыши невиданных дворцов, юные и красивые люди склонялись над умными книгами...

Вздохнув, Семен Иванович стал совмещать огоньки на спирали времени. Управление было упрощено до предела: достаточно было совместить настоящее время со временем желаемым, чтобы спираль заработала.

Но перед тем, как огоньки совместились, Семен Иванович на секунду остановился. Казалось, что он колеблется.

Посмотрел в потолок, пробормотал:

— Ведь предупреждал же я тебя.

Потолок безмолвствовал, и Семен Иванович уже потверже докончил:

— Нет, раз решил, значит, так тому и быть!

Воровато оглянувшись, как будто в комнате мог быть кто-то еще, он взял из ящика с инструментами горсть мелких гвоздей, положил в карман. А потом твердыми пальцами свел два огонька в один.

Мир задрожал, заискрился цветным туманом. Со стола исчезли все приборы, вместо телевизора на нем оказался древний ламповый приемник, модная финская кровать превратилась в железную, панцирную. Из-за полуоткрытой двери послышался визгливый голос:

— Прохор Кузьмич, а Прохор Кузьмич! Семка-то опять к своей тощей дуре на свидание пошел! И как ему денег не жалко по кино таких водить!

Глаза Семена Ивановича засверкали. Вот она, его молодость! Родная коммуналка, одинокая юность, когда он еще не мог постоять за себя. Вот он, источник всех его изобретательских стараний!

Ждать ему пришлось недолго. Когда и сосед, и соседка на минуту вышли из кухни, он вьюном, с вернувшейся ловкостью, нырнул туда. С наслаждением, которое трудно передать словами, подошел к плите и высыпал в суп Прохора Кузьмича пригоршню гвоздей.

Подумал и добавил в компот соседке полпачки соли. Потом достал спираль и вернул огоньки на место.

...Вот уже час Семен Иванович мирно спал в кровати, модной, финской, из темного неотполированного дерева. Время от времени он повторял сквозь сон:

— Говорил же я, выключай за собой свет, а то и через тридцать лет найду...

А забытая спираль времени дремала в уголке стола. На одном ее конце гудела земля под ногами мамонтов и неандертальцев. На другом... Эх, если бы можно было знать, кто там, под хрустальными куполами невиданных дворцов, в этом далеком и прекрасном завтра...

ПРОФЕССИОНАЛ

У меня прекрасная работа. Самая лучшая в мире, тут меня никто не переубедит. Впрочем, никто и не будет спорить...

Мы сидели на склоне холма. Жаркое июньское солнце гладило нас своими ласковыми лучами, ветерок нес целое море запахов. Мятлик пах легко и едва уловимо, полынь взрывалась горькой, звенящей нотой, ромашки разливали в воздухе сладкий, спокойный аромат.

— Как это чудесно, Рич... — еле слышно сказала девушка. Она запрокинула голову, подставляя лицо солнцу. На бледной бескровной коже впервые за весь день появился робкий румянец.

— Что чудесного-то, — грубовато ответил я. Всегда, когда приходится разговаривать с такими красивыми девушками, пусть даже и горожанками, я начинаю хамить. Это от смущения, наверное. У нас тут девчонок мало, я за свои двадцать лет видел не больше десятка.

— Как что?! — искренне удивилась она. — Этот воздух... такой сладкий и чистый. Я, наверное, могла бы питаться только этим воздухом...

— Насчет питания это вы зря, — немного обиделся я. — Сейчас придем домой, мама закатит для вас настоящий пир. Братишка наловил рыбы, будет уха. Па вчера подстрелил оленя...

— Оленя? Это тот забавный зверек, что прыгает по деревьям?

— Это белка! — захохотал я. — Олень — это совсем другое!

Девушка смутилась. Мне даже стало немного стыдно своего смеха. Конечно, откуда она знает, что такое олень...

— Знаешь, Рич, — словно отвечая на мои мысли, проговорила девушка. — У нас, в Городе, кроме крыс, ничего живого не осталось. Да еще люди, пожалуй. Мы еще выносливее...

Она замолчала. Я знал, какие картины проносятся сейчас в ее памяти. Мрачный, затянутый смогом Город. Прохожие в респираторах, одиноко бредущие по покрытому грязью тротуару. Автомобильные колонны, стелющие сизый вонючий дым. Едкий дождик, накрапывающий с неба. Покрытые корками окислов стекла в окнах. Уродливые детишки, играющие во дворах, — без всяких респираторов, они уже приспособились к такому миру...

— Я и не знала, что еще сохранились такие чудесные места, как здесь. Леса, горы...

— Тс-с-с! — Я привстал, скидывая с плеча карабин. Из леса вышел олень — прекрасный огромный олень с хищно раскрытой пастью, вздыбленной черной шерстью, нервно стегающим по спине хвостом. Я поймал его в прорезь прицела...

Маленькая уютная студия телецентра казалась нереальной после сказочного лесного мира. Техники торопливо снимали с меня датчики, сматывали толстые жгуты проводов. Подошел режиссер, молча развел руками.

— Ну, Ричард. Ну, малыш. Такого фильма ты еще не придумывал!

— Плохо? — испуганно переспросил я. У меня не были заплачены счета за кислород, за бытовую и питьевую воду. Если режиссер не примет мыслефильм...

— Замечательно! Великолепно! Сделаем целый сериал про этих героев!

Мне помогли встать с кушетки. Техники с уважением поглядывали на меня — как-никак знаменитый мыслеоператор, автор десятка увлекательных телесериалов. Не каждый может так ярко представить свои фантазии, что на экране они покажутся настоящими...

— И как ты это придумываешь? — Режиссер взял меня за руку, повел к выходу. — Этот лес... Оленя... Олень как живой вышел, у меня аж мороз по коже пошел. Только, по-моему, они были с рогами...

— С рогами были волки, — объяснил я. — Они ими от оленей защищались. А придумываю я мало, просто читаю старые книги и пытаюсь их представить...

— Возьми мой противогаз, — заботливо сказал у двери режиссер. — Ветер с южных заводов...

— Добегу, мне близко...

Дверь плотно закрылась за мной, и я оказался на улице. Лицо плотно обхватывал респиратор, в кармане лежали заработанные сегодня хлебные карточки и талоны на сахар. По улице плыли волны кисловатого смога. Действительно, ветер с южных заводов.

Одуревшая от голода крыса метнулась ко мне по скользкому от отбросов тротуару. Я встретил врага ударом ноги, сорвал с плеча арбалет, выстрелил. Поднял вздрагивающую крысу за голый розовый хвост. Увесистая, килограмма два будет.

— Мама сегодня закатит настоящий пир, — вполголоса пробормотал я. — У меня самая прекрасная в мире работа!

СОВПАДЕНИЕ

Почему меня вновь и вновь тянет сюда? Не знаю. В старину говорили — тянет на место преступления. Но ведь я не преступник. Или все-таки... Не знаю. Но каждый год, в сентябре, когда на деревьях желтеет листва, я беру отпуск, еду в космопорт, фрахтую яхту звездного класса и лечу к одиночной звезде КМ-15.

...Она находится почти ровно на середине пути от Земли к Лотану. Потому-то я вынырнул тогда из подпространства. Мне надоели яркие пластиковые стены, мне надоела серая муть в иллюминаторах. Я решил выйти в обычный космос. Тем более что и предлог для этого был подходящий — звезда, в районе которой я пролетал, почти не исследовалась.

Я устроился в пилотском кресле, пристегнул полтора десятка ремней и ремешков. Автоматы проверили исправность корабля, киберпилот снизил скорость до световой. И мгновенно давление гиперполя выбросило корабль в обычное пространство.

В тот миг я ничего не понял — экраны залила ослепительная вспышка, по приборам забегали красные огоньки. Потом все пришло в норму, лишь счетчик энергии показывал резкое снижение накопленной кораблем мощности. А так все было в порядке — черный пустынный космос, тускло-желтая звезда и астероидная муть, заменяющая ей планеты. Красиво. Но мне было не до красоты.

Я прокрутил пленку видеозаписи и включил замедленное воспроизведение. И увидел, как что-то округлое и блестящее тонет в пламени аннигиляции в какой-то тысяче километров по курсу корабля. Автоматы действовали строго по инструкции — заметив в момент выхода перед кораблем непонятное тело, уничтожили его. Иначе, врезавшись в него на околосветовой скорости...

Разумеется, окажись перед кораблем другой корабль, автоматы увели бы меня обратно в подпространство. Но то, что было перед нами, не походило на земные или лотанские звездолеты. Честно говоря, это мог быть просто астероид. Или какой-нибудь старый маяк, оставленный здесь людьми или пилигримами...

Но была и третья возможность. Инопланетный корабль, не значащийся в компьютерном каталоге. Тогда я становился пусть невольным, но убийцей.

Меня снова и снова тянет сюда. Я неделями кружу вокруг забытой Богом звезды. Иногда я почти верю, что стал причиной смерти разумных существ. Ведь серебристое тело, неясный контур которого сохранили кристаллики видеопленки, так похоже на звездолет... И весь вопрос лишь в том, как могли пересечься наши пути. Вероятность совпадения настолько ничтожна, что ее можно не принимать в расчет. Если чужак тоже вынырнул из подпространства полюбоваться на незнакомую звезду, то слишком уж невероятно наше появление в одном месте и в одно время. Разве что он летал вокруг звезды порядочный срок... Но что, что ему тут делать? Здесь нет ни планет, ни разума. Что же заставляло чужой звездолет кружить по смертельной орбите, ожидая моего появления? Что?

Мой отпуск кончается — увы, даже относительное время порой слишком реально. Близится к концу и поиск. Ничего интересного нет среди астероидов мертвой звезды. Это, наверное, был все-таки не корабль... Я устроился в пилотском кресле и пристегнул полтора десятка ремней и ремешков. Автоматы начали проверку корабля. И в этот миг по экранам разлилась фиолетовая вспышка. Кто-то выходил из подпространства. Рядом, совсем рядом... Я положил руку на пульт, блокируя охраняющие системы. Быть может, чужак пройдет мимо. Но в глубине души я не верю в это. Час пришел, и пути пересеклись снова. Это — как расплата. Я знаю теперь, что тянуло инопланетчика к этой звезде, к мертвой красоте, застывшей в космосе.

Совесть.

...Меня снова и снова тянет туда. Почему? В старину говорили — тянет на место преступления. Но ведь я не преступник. Или все-таки... Не знаю. Но каждое двоесолнце, когда зеленый диск Большой звезды наплывает на ослепительную белую точку Малой, я отпочковываюсь от семейного дерева, втягиваю корни и качусь к далекому полю космодрома, чтобы вновь стартовать к одиночной звезде...

ОЧЕНЬ ВАЖНЫЙ ГРУЗ

Энергия в бластере кончилась на последних метрах подъема. Тимур вложил пальцы в только что выжженное в скале углубление и подтянулся выше. Перчатки липли к раскаленному базальту; удушливый запах горелого пластика сжимал легкие, просачиваясь сквозь давно испорченные фильтры. Устроившись поудобнее, Тимур порылся в карманах. Запасных аккумуляторов не было, это он знал точно, но все же... Ненужный отныне бластер серебристой искоркой упал вниз. Облизывая губы, Тимур следил за его падением. Двести метров — от вершины скалы до густой багровой щетины джунглей. Не спасет и гравитация в две трети земной... Он посмотрел вверх. Над кромкой скалы — такой близкой, такой удобной и надежной — неслись низкие темно-синие тучи. Если начнется буря или хотя бы просто дождь, ему на скале не удержаться.

— Ну-ну, спокойно, — обращаясь к самому себе, прошептал Тимур. — Мы писали, мы писали... — Оставляя на камнях длинные гибкие нити, сплавленная перчатка высвободилась. — Наши пальчики устали. А теперь мы отдохнем... — Перчатка превратилась в неуклюжую клешню. Тимур стянул респиратор и зубами принялся сдергивать ее с руки. Голова мгновенно закружилась. Кислород, когда его так много, — это почти яд. Перчатка унеслась вслед за оружием, и Тимур поспешно надвинул респиратор на лицо. — И опять писать начне-е-ем!!!

Крик прокатился над джунглями и утонул во влажном воздухе. Пальцы мерзли на резком ветру.

— Пять метров, чушь... — Опьянение постепенно проходило. Тимур медленно изогнулся. Надо опереться ногой о тот выступ... Если он выдержит его вес... а он обязан выдержать. Тимур не может не подняться — его ждет очень важный груз.

— Мы писали...

А ведь они действительно писали. Заявление о том, что в джунгли идут добровольно, и в случае гибели...

Выступ под ребристой подошвой ботинка неторопливо крошился. Распластавшись на стене, Тимур беспомощно шарил над головой руками. Держаться было не за что. Камень под ногой рассыпался в мелкую пыль. Джунгли призывно тянули к нему колючие, покрытые багровой листвой ветви. Отравленный воздух при каждом вздохе подтекал под плохо надетую маску.

— Спокойно...

Пальцы нащупали углубление. Совсем маленькое, в перчатке он даже не смог бы его нащупать. Вытянув из-за пояса нож, Тимур начал вбивать лезвие в узкую щель. Глубже, еще глубже... Выступ рассыпался окончательно, и Тимур повис на только что заклиненном в скале кинжале.

...А два дня назад, когда начальник базы сообщил им это задание, никто не принял его всерьез. Зевнув, направился к выходу Лейстер, буркнув вполголоса:

— В чем проблема-то... Сообщите координаты, через час доставим ученым их очень важный груз. Можем даже всю ракету привезти. Уверен, что дисколет ее подымет.

Начальник покачал головой.

— Упавшая в джунгли транспортная ракета перевозила особый груз, ребята. Это что-то вроде сверхчувствительных магнитных записей. Если приблизиться к ракете ближе чем на десять километров, наводки от работающего двигателя дисколета испортят запись.

Кто-то рассмеялся:

— А как же ее доставать? Может, планер построим?

— Не успеем, — вполне серьезно ответил начальник. — Через шестьдесят часов записи размагнитятся. Мы за этот срок ничего толкового сделать не сможем.

— Тогда можно сообщать научникам, что пропал их груз, — уверенно сказал Лейстер. — В другой раз не будут растяпами. А я пешком в джунгли не пойду.

Начальник постоял немного, словно ждал возражений лучшему десантнику базы. Потом сказал:

— Я не знаю точно, что за записи в ракете. Но меня просили показать вам эти снимки...

Он аккуратно положил на стол пачку фотографий.

— Что за черт...

Десантники окружили стол. С фотографий смотрели на них серьезные и улыбающиеся мужские и женские, взрослые и детские лица.

— При чем здесь это?

— Если записи не будут доставлены на базу, погибнут тысячи людей. В том числе — и эти.

Лейстер осторожно взял оказавшуюся сверху фотографию.

— Джунгли в сезон дождей — не место для розыгрышей, шеф.

— Это не розыгрыш. Они поклялись в этом.

Лейстер расстегнул на куртке карман, опустил туда фотографию. Мелькнуло лицо — кудрявый светловолосый пацаненок на фоне земных, удивительно зеленых деревьев.

— Ракета весит три тонны, — сухо сказал Лейстер. — Записи наверняка килограммов сто. Как их доставить через джунгли?

— Всем, кто согласится идти, дадут ранец с портативной перезаписывающей аппаратурой. Он весит... — начальник заколебался, — всего сорок килограммов.

— Тогда несите десять своих «портативных» ранцев. Так, ребята? — Лейстер оглядел десантников. И кто-то — кажется, Тимур, — ответил:

— Конечно.

Арана — это не самая мерзкая планета во Вселенной. Так говорил Лейстер, а он повидал немало миров. Но иногда Тимуру казалось, что командир десантников ошибается.

До гребня скалы оставалось не более двух метров, когда Тимур заметил в скале ровное, идеально круглое отверстие. Если использовать его в качестве опоры, он взберется на скалу. Вот только опыт подсказывал Тимуру, что такие ямки в камнях часто становятся убежищем липучек... Поколебавшись, он ощупал края отверстия правой рукой, еще защищенной перчаткой. Ничего подозрительного. Но на правой руке подтягиваться было неудобно.

Очень осторожно он уцепился за углубление голыми, онемевшими от холода пальцами. Начал подтягиваться. И почувствовал, как жгучим, медленным огнем растекается по пальцам тугая, упругая, словно резина, масса.

— Гадина, — простонал Тимур, выдергивая пальцы из предательского углубления. На ладони, уже успев вцепиться в кожу, болтался липкий, похожий на кусок оранжевого пластилина, комок

Тимур попытался оторвать от скалы правую руку. И почувствовал, что не устоит, стоя одной ногой на рукоятке вбитого в камень ножа, а другой опираясь о воздух.

— Сволочь...

Тимур ударил рукой вдоль скалы, пытаясь сбросить липучку. Куда там. В ладони пульсировала боль, по краям оранжевой дряни показались темно-красные капли. Если липучка доберется до крупных сосудов — это конец.

Пересиливая боль, Тимур снова ухватился за скалу левой рукой. Теперь можно было освободить правую... Он нащупал в кармане перочинный нож, раскрыл жалкое узенькое лезвие. И начал бить по отверстию в скале, уже не понимая, куда приходятся удары — то ли в чужую, хищную плоть, то ли в собственную руку.

По руке сполз и сорвался вниз маленький, покрытый слизью комок. Тимур всхлипнул, глядя на свою руку. Изрезанные, покрытые кровоточащими язвочками пальцы. Кожа, ставшая мертво-серой.

— Сволочь... — опять прошептал Тимур, вжимаясь в скалу. — Сволочь. Я же все равно пройду. Там тысячи людей... ждут. Там очень важный груз.

Он подтянулся выше.

Может, эти записи — они и есть люди? Там их память, их сознание. А тела ждут где-нибудь на Земле. От ученых не знаешь, чего и ожидать.

Еще чуть-чуть выше.

Вот забавно будет.. тащить на спине сразу тысячу людей. Будет... очень забавно. В старости я начну хвастаться этим. Мол, я был таким бравым парнем, что однажды вытащил из аранских джунглей несколько тысяч человек. И все будет чистой правдой. Вот... забавно.

Пальцы нащупали уступ. Широкий, очень удобный. Тимур подался вверх, чувствуя, как слабеют руки. Надо передохнуть.

С закрытыми от напряжения глазами он навалился на уступ всей грудью. Подался вперед, каждую секунду готовый наткнуться на камень. Преграды не было. Тимур раскрыл глаза.

Он был на гребне скалы.

Метрах в десяти поблескивала чистым серебристо-серым корпусом транспортная ракета.

— Я же говорил тебе, что выберусь. Мерзость планетная, — чужим, незнакомым голосом произнес Тимур. Перевалился через каменный гребень и замер. В тело впивались какие-то угловатые обломки камня, втискивался под воротник комбинезона ветер. Дыхания не хватало. Тимур потерся лицом о камень, срывая респиратор. В глазах поплыли разноцветные круги, тело стало легким. Сразу захотелось смеяться.

— Я дошел! Дошел!!! Нас двое — ракета и я! Я и ракета! Тимур поднялся на ноги. И замер.

Их было трое.

Он, десантник Тимур Доржанов. Грузовая транспортная ракета «Ларец». И странная, еще никогда и никем не виденная на Аране тварь — зеленая, двухметровая, напоминающая исполинского кузнечика. Круглые фасеточные глаза бездумно смотрели на него. Длинные лапы, с пятью или шестью суставами в самых неожиданных местах, переступали по камню.

— Эй, ты... Давай не ссориться. — Тимур отступил от края. — Ты мне совсем не нужна. И я тебе тоже. Да?

Одна из лап потянулась к Тимуру. Вершина скалы была плоской, как стол, — на ней едва хватало места для сложенного из сухих веток гнезда твари и упавшей поперек гнезда сигарообразной ракеты. Тимур отпрыгнул в сторону.

— Но-но! Мы же договорились не мешать друг другу! Я даже могу тебе помочь. Столкнуть эту штуку вниз...

Покрытое узкими буровато-зелеными пластинками тело прижалось к скале.

— Так мы не ссоримся? Мне вовсе не хочется тебя убивать. Может, я и буду в старости врать своим внукам, как с одним перочинным ножом одолел десятиметровое чудовище. Но делать это на самом деле мне вовсе...

Зеленые суставчатые лапы распрямились. Узкое тело взвилось в воздух. Тимур метнулся в сторону, уже понимая, что не успеет. Сильный удар сбил его с ног.

— Мразь! И ты хочешь меня сожрать?

Он отжимал от себя тонкую, оказавшуюся неожиданно гладкой лапу до тех пор, пока что-то не хрустнуло. Лапа мгновенно расслабилась. Зато теперь чудовище навалилось на него всей тяжестью. Жвалы бессильно скользнули по металлизированной ткани комбинезона и нацелились на беззащитное лицо.

— Я же все равно не дамся...

Тимур ухитрился отбросить от себя тварь. Она оказалась достаточно легкой, гораздо легче, чем на вид.

— Слушай, дай пройти... — Тимур рассмеялся. Кислородное безумие огненной многоцветной метелью билось в мозгу. — Я бы тебе не мешал, честно. Просто там очень важный груз.

Тварь снова метнулась в атаку. Опрокинутый, придавленный шелестящим гладеньким тельцем, Тимур все сильнее и сильнее вспарывал хитиновую броню чудовища. Из разреза редкими толчками выхлестывала липкая слизь.

Что-то заставило его вновь надеть респиратор. Может быть, остатки вложенных в подсознание правил. Может быть, чувство долга, которое иногда бывает сильнее всех правил и инстинктов. Тимур долго рассматривал располосованную его ударами тварь. Она казалась теперь такой жалкой и слабой...

На скале больше никого не оставалось. Только он. И ракета. Тимур подполз к холодному стальному цилиндру; морщась от пронизывающей тело боли, отвернул зажимы на грузовом отсеке. Блеснули длинные ряды разъемов. Шестой в третьем ряду... Тимур вытянул из ранца гибкий матово-черный шнур, приладил переходник. Нажал кнопку на ранце — единственную кнопку, которая там была. За последние сутки он так свыкся с ранцем, что воспринимал его как часть собственного тела. Он действительно был портативным — почти плоский, охватывающий спину, но тяжелый, как будто сработанный из свинца. Интересно, почему на ракете не установили именно такой записывающий блок?

Ровный гул ветра засасывал его все глубже и глубже. Тимур чувствовал, как проваливается в темную бездну. И возврата оттуда нет...

Он снял с пояса рацию, поднес к губам. И посмотрел на индикатор ранца. Глазок светился зеленым.

— База... база...

— Слышим вас. Кто на связи?

— Все хорошо. Прилетайте...

— Кто на связи? Куда прилетать?

Тимур надавил клавишу на передатчике. Услышал ровный писк радиомаяка. И опустил голову на камень. Возле лица растекалась багровая лужица.

У аранских тварей кровь голубая. Значит, это его кровь.

— Все в порядке. Я же знаю — это очень важный груз... — прошептал он. Попытался достать из кармана фотографию — смуглая девушка с серьезным лицом возле рассыпающегося тысячами струй фонтана. И потерял сознание.

Темная бездна сомкнулась вокруг.

Деревья были зелеными, а небо — голубым. Он был на Земле. Тимур стоял у окна, за которым никогда не бушевал отравленный ветер, за которым никогда не росли и не вырастут багровые джунгли.

— Знаете, я даже рад, что та зеленая пакость так меня отделала. Иначе я еще очень долго не попал бы на Землю.

— Мы пригласили бы вас в любом случае, — быстро возразил его собеседник. — Чтобы все вам объяснить.

Тимур невольно улыбнулся, взглянув на врача. Произнес:

— Пригласили бы? Возможно. Только у нас, на Аране, очень много работы. Боюсь, я не нашел бы времени... Только не думайте, что я на кого-то в обиде. Рисковать — моя работа. Мы пошли бы в любом случае, и вовсе не стоило нас обманывать.

— Обманывать?

Тимур молча смотрел на играющего среди деревьев мальчишку. Он очень был похож на того, чью фотографию взял перед выходом в джунгли Лейстер...

— В дисколете, когда меня везли на космодром, — неохотно объяснил он, — я пришел в сознание. И услышал слова какого-то офицера.

— Какие слова?

— «Так рисковать из-за старой метеоракеты».

Тимур усмехнулся. Продолжил:

— Я не в обиде. Но зачем этот обман?

Врач опустил голову. Негромко сказал:

— Вот оно что... Пойдемте.

Пожав плечами, Тимур шагнул за врачом. Сегодня ему впервые разрешили встать с постели, и прогуляться, конечно, стоило.

— Да, дело действительно не в ракете, — неожиданно сказал врач. — Дело в той штуке, которую вы тащили за спиной.

— Ранец с записывающей аппаратурой?

— Да. Он работал все время, пока вы шли к цели.

— И что же записывал? Мой путь через джунгли? Или вид с двухсотметровой отвесной скалы?

— Вашу победу.

— Кажется, я понимаю. — Тимур остановился посреди белого больничного коридора. — Стремление дойти, жажда победы...

— Именно. Страшнее всего, когда человек утрачивает волю к борьбе. Этого не вылечишь никакими лекарствами. Тут требуется донор. Человек, умеющий бороться за свою жизнь, никогда не теряющий веры в победу.

— А... это так часто бывает нужно?

— Очень часто. Для тех, кто годами прикован к постели. Для тех, кого мы еще долго не сможем вылечить. Для тех, у кого в катастрофе погибли все близкие люди. Для глупых девчонок, которых первый раз в жизни по-настоящему обманули.

Но Тимур уже не слушал его. Он смотрел сквозь прозрачную дверь палаты, и руки его оправляли чересчур свободный больничный костюм. Потом он раскрыл дверь и шагнул внутрь.

Девушка, лежащая на кровати, внимательно рассматривала его.

— Привет, — сказал Тимур.

— Привет.

— Ничего, что я зашел?

— Ничего.

Они замолчали. Потом девушка улыбнулась.

— Странно, я тебя никогда не видела, а словно бы знаю.

— Это бывает.

— Бывает... Ты шел в сад?

— Нет. Мне надо найти здесь друга. Ему очень сильно досталось... на одной неприятной планете. К тому же он думает, что его обманули, и совсем не хочет поправляться. Мне надо побыстрей его найти.

Девушка едва заметно кивнула головой:

— Я понимаю. Скажи ему, чтобы не вешал носа. И не думал, что если борешься в одиночку, то борешься только за себя. У каждого за спиной тысячи людей, даже если он их совсем не знает.

Тимур вздрогнул.

— Я обязательно передам ему... то, что ты сказала. Он поймет.

— Тогда иди, тебя ждут.

Когда он уже был у двери, девушка спросила:

— Ты зайдешь еще? Потом...

И Тимур кивнул:

— Конечно.

ВЕК ДВИЖУЩИХСЯ КАРТИНОК

Каждый писатель, достигший той или иной известности, с особым трепетом ждет Нового года... особенно — если он писатель-фантаст. Обязательно появятся журналисты, которые будут просить дать прогноз на следующий год, как будто образ жизни писателя позволяет заподозрить в нем пророка.

В конце 2000 года меня попросили дать прогноз на следующее столетие.

Обычно я отделываюсь общими фразами, а тут мне стало смешно. И я дал прогноз. Отпустил на волю воображение и занялся тем, что среди молодежи называется «знать»...

Уже составляя этот сборник, я наткнулся на файл «Век движущихся картинок», прочитал его — и вздрогнул.

«В веке двадцать первом человечество все-таки переживет локальную ядерную войну на Ближнем Востоке и несколько чудовищных по масштабу террористических актов в Северной Америке. Но нет худа без добра, именно это приведет к ядерному разоружению и созданию глобальной полувоенной-полуполицейской структуры, реально контролирующей агрессивные режимы. Жить «под колпаком» межнациональной спецслужбы будет гораздо безопаснее, но многие гражданские свободы, выработанные еще в «золотом девятнадцатом» веке, придется переосмыслить».

Честное слово, я не хотел такого быстрого и страшного исполнения части этого прогноза! И надеюсь, что вторая его половина никогда не осуществится, отбив у журналистов охоту просить от писателей предсказания будущего.

Но прочитать статью, возможно, будет интересно и сейчас. К тому же в ней есть еще ряд прогнозов... пока не осуществившихся. И не все среди них — столь печальные.

«Игры, которые играют в людей» — статья на более мирную тему. И гораздо более любимую мной (надеюсь — и Вами), чем политика. Что может быть безопаснее и увлекательнее, чем воевать в компьютерные игры (и даже без всякой виртуальной реальности!)?

Правда?

Век движущихся картинок

(Сто лет после золотого века)

Как ни странно, но мнение о том, что золотой век уже был и закончился, широко распространено. И веком этим называют век девятнадцатый.

Неудивительно услышать подобное в России, в стране, каждые двадцать — двадцать пять лет (срок воспроизводства поколения) переживавшей очередную «эпоху перемен», по горло завязающей в каждой мировой войне и превратившейся в площадку для всех социальных экспериментов. Не может быть счастливым общество, где всякое новое поколение отрицает идеалы своих отцов — начисто, без остатка, ведь даже семидесятилетний коммунистический эксперимент легко дробится на три совершенно разные эпохи. Невозможно умиротворенно смотреть в прошлый, двадцатый век, где каждое поколение твоих предков перемалывалось в жерновах истории... Впрочем, многие ли способны проследить свою родословную дальше дедов? Вольно или невольно, но будущее свое мы представляем лишь на основе прошлого. Для того чтобы провести линию жизни в грядущее, мы нуждаемся хотя бы в двух реперных точках, и если одну, в настоящем, представляем ясно, то вторая неизбежно поставлена на зыбкую почву непредсказуемого прошлого. Вот и пойми, что ждет тебя: очередная революция, очередная война или очередная смена всех правил игры в жизнь.

Ну, ладно мы-то.. Всепланетное чудо, назидание для бунтующих маргиналов, страна аутовивисекторов. Но ведь и в благополучной Европе, и в сытенькой Северной Америке, и в удачно расположенной Австралии — та же картина. Век девятнадцатый, легко и радостно встретивший двадцатый, никуда не ушел. Он все так же привлекателен и благостен.

А что в литературе, что в нашем зеркале жизни? Трудолюбивые производители женских романов охотно размещают страстных героинь на рубеже девятнадцатого-двадцатого веков, писатели-фантасты рисуют ностальгические картины «жюльверновских» миров, все так же популярны Холмс и Ватсон... а загляните-ка в книжные рейтинги... чу! кто там, в верхних строчках? Акунин, и кажется мне, что не только из-за литературных достоинств, но и за притягательное время действия. Даже весь наш постмодернизм, копни его поглубже, покажет свои декадентские корни.

Сто лет — это совсем немного. Мы можем улыбнуться восторгам вековой давности — и по поводу волшебной силы электричества, и по поводу схваток диких и дрессированных бацилл. Прочитав о кровавых войнах и гонке вооружений в девятнадцатом веке, улыбаться уже не хочется. Век двадцатый, век прошедший, слишком уж наследил красненьким по планете, чтобы счесть его веком золотым. Но столь ли безоблачным был век девятнадцатый и для мира, и для нашей страны? Конечно же, нет. Если уйти от оптимистичной новогодней статьи, от имен поэтов и верст железных дорог — нет. Террористические акты, почти пятьдесят лет Кавказской войны, промышленный кризис и голод, территориальные приобретения — и тут же потери, международные конфликты, эпидемии, недоступность образования для беднейших слоев населения... порой повторение событий доходит до фарса — как было с отменой крепостного права в девятнадцатом веке и разрешением крестьянам получать паспорта в двадцатом... о каком же веке мы говорим? И в чем же дело? Почему история, идущая по банальнейшей спирали, издали выглядит столь благостно? Только ли из-за пелены времени?

В поисках ответа — попробуем вспомнить век двадцатый в духе той столетней статьи.

«...воюя из года в год, проливая кровь человеческую за справедливые интересы человека против человека, уходящий век был все же по праву веком гениальным. Наша собственно русская литература — вся укрепилась, выросла, окрепла и завоевала себе европейское значение именно в этом веке. Бунин и Набоков, даже вне России оставшиеся русскими писателями, Есенин и Маяковский, не успевшие расцвесть, удивительный Булгаков и гениальный Пастернак, трагический гений Шолохова знаменуют для нашей культуры и человеческой истории эпоху прямо величайшего расцвета нашего самосознания, не инстинктивного, но разумного и сознательного.

XXI век мы встречаем с громадной сетью дорог, имеющей протяжение более 150 тысяч километров и соединяющей С.-Петербургский порт с океаном, омывающим берега Маньчжурии! Человеческое слово летит ныне с одного конца мира в другой посредством внеземельных спутников и световодных проводов. Телевидение передает новости со всего мира и, обретя цвет, объемный звук и стогерцовую развертку, получает жизнь и движение, которому не в силах подражать лучшие кинотеатры. Электричество нашло широчайшее применение в быту, а обузданная сила атомного ядра подарила нам неисчерпаемый источник могущества!

Медицина, вооружившись электронным микроскопом и дивными ферментами, расшифровала саму основу жизни — человеческий геном — и так же неизбежно победит СПИД и коровье бешенство, как обуздала оспу и чуму...»

Что-то не складывается, верно? Телевидение вызывает не восторг, а воспоминания о рекламе подгузников, победы медицины напоминают о череде неизвестных ранее болезней, победа над атомом омрачена Хиросимой и Чернобылем, права человека по большому счету так и остались на мелованной финской бумаге...

А ведь все очень просто. Девятнадцатый век — приходится признать — и впрямь был **последним** золотым веком человечества. Дело в том, что это был последний **неинформационный** век.

Человеческая память обладает счастливой особенностью хранить хорошее, а не плохое. Все беды, тревоги, разочарования стираются из памяти, оставляя белые пятна между событиями хорошими и радостными. Так, беря в руки фотоаппарат, мы не стремимся запечатлеть мгновения своей боли и печали...

Но век двадцатый стал веком движущихся картинок. Веком зафиксированной информации, непрерывного течения времени. Мы уже не способны разделить историю на черное и белое, с тем чтобы помнить лишь то, о чем хочется помнить. «Многие знания — многие печали». «Знание — сила». Несложно вывести следствие из этих фраз. Но человеческое общество уже не способно стать слабым — во всяком случае, не пережив катастрофических потрясений. Хотим мы того или нет, но с каждым грядущим веком — да что там с веком, с каждым днем! — информационное давление на каждого человека будет расти. Хотим мы того или нет, но мы обречены жить во всеуменьшающемся мире, на съежившейся планете, где разница между бедой соседа по подъезду и бедой австралийского аборигена становится все меньше и меньше. Золото перестало быть мерилом благополучия в век кремния и плутония. Золотой век кончился и больше уже не наступит. Никогда.

И вряд ли стоит о нем грустить.

Гораздо полезнее попытаться (пусть и опираясь на наше зыбкое прошлое) заглянуть в век грядущий. Пусть даже заранее зная, что мы неизбежно во многом ошибемся.

Каким бы безумным и кровавым ни был век двадцатый — он дал человечеству очень многое. Прежде всего — научил жить, владея силами, способными уничтожить жизнь на всей планете. Научил — пусть жестоко, пусть неуклюже — защищать саму среду человеческого обитания. Заставил принимать общечеловеческие нормы поведения. Или, вмещая все в два слова, — позволил выжить.

Век двадцатый всё-таки вывел нас за пределы Земли. Мечты фантастов и прогнозы ученых оказались одинаково несбыточны и оптимистичны. Нет ни лунных баз, ни марсианских экспедиций, ни фотонных звездолетов. Но теперь мы знаем, что не прикованы к Земле навсегда. У человечества есть куда идти.

Медицина и впрямь сумела добиться огромных успехов. Не всегда успевая за новыми проблемами — и все же список смертельных недугов сокращается быстрее, чем прибывает.

И какие-то черты грядущего и впрямь стали видны.

В веке двадцать первом человек перестанет быть прикованным к своему телу. Человек обретет последнюю мобильность — свободу собственной формы. Последствия первых широкомасштабных генетических экспериментов наверняка будут шокирующими и опасными, но от вмешательства в геном не уберегут никакие правительственные акты. Можно ужасаться, а можно восхищаться этим, но мы имеем все шансы увидеть людей, чей внешний вид и способности никак не будут укладываться в нынешнее понимание слова «человек».

В веке двадцать первом человечество создаст виртуальную реальность, субъективно неотличимую от реальной жизни. Это будет не меньшим потрясением для общества, но многие предпочтут **жить** в виртуальных мирах, минимально контактируя с окружающим миром. Возможно, что это станет странным, чудовищным с нашей точки зрения способом существования людей пожилого возраста. Но развитый мир стареет, и достойно содержать пенсионеров становится все более трудной задачей для любого государства. Единственным выходом станут миры сладких грез, абсолютно реалистичных, да к тому же и позволяющие прожить последние годы жизни с полным ощущением молодости.

В веке двадцать первом человек в какой-то мере адаптируется к увеличившемуся информационному потоку, и уменьшится количество связанных с этим стрессов. Однако некоторые адаптироваться так и не смогут, вследствие чего будут вынуждены существовать в полном отрыве от информационной цивилизации, как следствие — породив новый класс «информационных люмпенов».

В веке двадцать первом будет окончательно раскрыта тайна смерти и достигнута принципиальная возможность биологического бессмертия. Но, разумеется, купить «таблетку от смерти» будет **почти** невозможно. Пока человечество не начнет заселять космос — бессмертие не может быть разрешено.

В веке двадцать первом усилия ряда ученых, объединенных в тайную «масонскую ложу», достигнут успеха, и напуганное «астероидной опасностью», очарованное фантастическими фильмами вроде «Миссии на Марс» человечество «даст деньги» на освоение космоса. Определенные успехи будут, хотя неизбежные катастрофы приведут к созданию первых орбитальных и лунных поселений лишь в середине века.

В веке двадцать первом человечество все-таки переживет локальную ядерную войну на Ближнем Востоке и несколько чудовищных по масштабу террористических актов в Северной Америке. Но нет худа без добра, именно это приведет к ядерному разоружению и созданию глобальной полувоенной-полуполицейской структуры, реально контролирующей агрессивные режимы. Жить «под колпаком» межнациональной спецслужбы будет гораздо безопаснее, но многие гражданские свободы, выработанные еще в «золотом девятнадцатом» веке, придется переосмыслить.

В веке двадцать первом крупнейшие мировые религии... впрочем, эта материя столь тонка и деликатна, что о ней лучше пока умолчать. Поживем — увидим.

В веке двадцать первом произойдет контакт с иным разумом. Впечатление от него можно будет описать одним словом — растерянность. «Как же мы раньше...» — будут одинаково недоумевать ученые и обыватели. Впрочем, все кончится хорошо.

Вот, наверное, и все об основных событиях нового века.

«С высоты достигнутой нами сегодня точки времени, оценивая прошедшее и веря в будущее, мы можем пожелать наступающему новому веку менее кровавых побед, менее войн и насилий, более порядка, терпимости, образования и любви к ближнему, по завету христианскому. Правде пусть служит **двадцать первый** век теми могучими средствами во всех отраслях, какие оставлены ему **двадцатым** веком. Пусть сияет древняя веками любовь к ближнему всегда и везде. Успокоимся хоть немного от перенесенных военных и тяжелых боевых работ и, пожав друг другу руки, встретим весело и бодро Новый год нового века».

История болезни, или Игры, которые играют в Людей

0
Задание

Ситуация была — хуже некуда.

Мне не хватало серы, чтобы построить башню и вырастить в ней драконов.

Серу я нашел — за морями, за горами, — послал за ней отважного рыцаря с чахлой горсткой орков и гоблинов. И вот, когда серный рудник (если вы скажете, что серу добывают не в руднике, то будете не правы — у меня все добывается в рудниках, и сера, и камень, и золото, только лес валят на лесопилке) оказался в поле видимости... В этот самый миг из неисследованных далей резво выбежал вражеский рыцарь.

И был это рыцарь из рыцарей, в его войске были и огнедышащие фениксы, и грозные маги с посохами, и всякая мелочь вроде хоббитов с пращами. Ясно было, что мой посланник ему не ровня.

Я задумался. И тут зазвонил телефон — как всегда не вовремя. «Телефон» и «не вовремя» — это почти синонимы, если разобраться... Я поднял трубку. Звонил Эдуард Геворкян из журнала фантастики «Если».

— Старик, — энергично сказал он. — А не напишешь ли ты для нашего журнала статью о компьютерных играх?

— О чем? — только и спросил я, тупо глядя в экран компьютера. Решение требовало мужества. Я отдал приказ, и мой рыцарь бросился к серному руднику. Установил над ним контроль и пустился наутек.

Расчет оказался верным — вражеский рыцарь не стал отвлекаться на такие мелочи, как сера, и кинулся за мной в погоню.

— Да о компьютерных играх, ты ведь вроде в них играешь, — пояснил Эдуард Вачаганович.

— Иногда, — признался я. — Есть! Конечно!

Был повод ликовать — мой герой оказался быстрее вражеского рыцаря. Тот долго гнался за мной по пустыням, все более и более отставая...

— Ну и прекрасно, — обрадовался Геворкян. — Значит, договорились. Через две недели.

...Прошло какое-то время. И снова зазвонил телефон.

— Ну как статья, готова? — поинтересовался Эдуард Вачаганович.

Видимо, настал срок. Мне это показалось удивительным, но я не рискнул признаться.

— Готова, — сказал я, торопливо записывая игру и загружая текстовый редактор Word. — Завтра принесу.

Теперь отступать было некуда. Оставалось принять бой и сказать все, что я думаю о компьютерных играх. По возможности — с самого начала.

То есть с того дня, когда я впервые увидел чудо враждебной техники — компьютер с непонятными цифрами «286» в названии...

1

Инкубационный период

Глубоко ошибаются те, кто считает компьютер средством производства. Мудрые хакеры, проникающие в тайны чужих программ, трудолюбивые программисты, помогающие просчитать годовой баланс для предприятия, — все это, конечно, есть...

Но не это главное, товарищи!

Давным-давно, когда компьютеры были большими, а программы для них — маленькими, возникла эта зараза — компьютерные игры. Насколько я понимаю, возникла она самопроизвольно, как амеба в горячих девонских морях. Но вариант потустороннего вмешательства в этот процесс я тоже не рискну исключить, уж больно жизнеспособными оказались первые электронные уродцы. Ну что, скажите на милость, интересного в процессе движения одной тусклой точки по нарисованному из палочек лабиринту? То, что за ней гонятся несколько более ярких точек? Так ведь первые игроманы сами писали свои игры. И прекрасно понимали, какие команды отвечают за скорость движения точек. И вряд ли верили в разумность своих больших-пребольших машин.

Откуда же брались крики, оглашавшие ночами прохладные вычислительные залы?

— Гады, гады! — в исступлении кричит программист, глядя в тусклый зеленый экран вычислительного монстра. Скучает в одиночестве девушка, с которой он обещал провести вечер, стопка перфокарт укоризненно напоминает о важных народнохозяйственных расчетах...

— Все равно пройду, — шепчет программист, человек сказочной, воспетой в «Понедельнике» профессии. И запускает игру по новой, ради призрачной надежды побить свой собственный рекорд и записаться на первую строчку в таблице результатов.

Опомнись, друг! Страна ждет от тебя расчетов по чугуну и стали! Тебе понадобится пара минут, чтобы подредактировать таблицу и записать свое имя на первое место! Не бегай от кровожадных точек! Ты сам задавал скорость их движения и знаешь, что от них не уйти!

Ночь за окном, рассвет наступает... С красными глазами и высушенным «Полетом» горлом программист встает из-за дисплея. Его имя на первой строчке. Он победил.

Теперь ему даже немного стыдно — на что была потрачена ночь? Все! Больше — никогда! Да и игру он написал просто для проверки своих способностей! Больше он играть не сядет!

По крайней мере — в эту ночь.

...Наверное, компьютерные игры — это паразиты вычислительного мира. На паразите — паразит, все знаем. Почему бы и вычислительным машинам не обзавестись своими собственными?

Это версия успокоительная. Куда интереснее и страшнее представить, что именно игры и стали венцом эволюции, вытеснив и человека, и рюмку коньяка с лимоном, и всех прочих кандидатов на роль повелителей мироздания.

Ведь если взять по-настоящему хорошую и знаменитую игру, то количество прожитого в ней времени приводит в ужас. Вы играли в «DOOM»? И за сколько прошли игру, за неделю? Значит, вы умный. Ну так возьмите эту неделю и умножьте на несколько миллионов. Вам еще не страшно?

Когда выходит долго ожидаемая и заранее популярная игра, то главы крупных корпораций просто смиряются с фактом и заранее подсчитывают свои потери. Работа будет парализована, пока программисты и простые юзеры не наиграются вдоволь.

В чем же тут дело? Нет, я понимаю, что в нашей безалаберной стране этой беды не оценивают. Привыкли к авралам и перекурам. Но как мирятся трудолюбивые капиталисты? Неужели... неужели и они слабы перед Игрой? И вся деловая хватка и накопленное веками трудолюбие меркнут перед экраном, на котором все больше и больше цветов, точки приобретают фотографически правильные лица, но в общем-то ничего не меняется.

Один бежит, другие догоняют.

Нет, надо разобраться. Хоть самому успокоиться. Начнем с чего-нибудь общеизвестного... вроде того, что игры развивают реакцию, образное мышление...

Слабое утешение.

Ничего они не развивают, кроме близорукости. Умение быстро нажимать на две-три клавиши не поможет даже в машинописи. Способность ловко двигать «мышкой» по коврику в лучшем случае накачает вам кисть. А самая точная стрельба по монстрам в подземных лабиринтах ничего не даст при встрече с юной гопотой в подворотне.

В чем же дело?

2
Эпидемия начинается

Первый час, проведенный за игрой в «Warlord», меня не вдохновил. По примитивно нарисованной карте бегала фигурка рыцаря. Рыцарь мог захватывать города, выращивать в них войска и драться с другими, вражескими рыцарями. У игры, правда, было одно замечательное достоинство — в нее можно было играть сразу нескольким людям, совершая ходы по очереди. Для компании, собравшейся попить пива, это было огромное достоинство.

Давно затих институт, в чьих стенах мы собрались, стемнело, кончилось пиво. А мы сидели перед дряхлым «двести восемьдесят шестым» и нападали друг на друга, оглашая тишину удивленными воплями:

— Глянь-ка, на дороге конница хорошо сражается!

— А в горах грифоны — звери!

Когда наконец мы стали расходиться, скромный труженик вычислительного фронта Виктор произнес:

— Есть еще получше игры, только для них нужны «триста восемьдесят шестые»... у нас такая машина одна, под замком...

Под замком? Каким за́мком, тем, что в горах, или тем, что у моря? А, под замко́м... Я понял, что пропал.

Ночью, закрыв глаза и увидев рыцаря, летящего над холмами на паре грифонов, я убедился в этом окончательно.

Через неделю моя жена, обеспокоенная странными вечерними отлучками, тоже пошла поиграть на компьютере. Когда через несколько дней ей приснился сон — огромное поле, по которому шествуют плоские фигурки рыцаря и боевых волков, я убедился — болезнь заразна.

Далее поиски свободного компьютера, на котором можно поиграть, приобрели накал борьбы за выживание. День, проведенный без игры, казался безвозвратно потерянным.

На семинар писателей-фантастов в Тирасполе я поехал с надеждой излечиться. Там не будет компьютеров! Там никто не поддержит разговор об играх! Там будет хорошо!

В первый же вечер мой друг Володя Васильев, стесняясь так, будто говорил о своем первом поцелуе, сказал:

— А ты знаешь, я тут на компьютере поиграл... Есть такая игра...

— Вэрлорд! — закричал я.

— Да!

Компьютера не было. Мы рисовали карты на бумаге и пытались разработать правила для настольной версии. По пути в столовую, проходя мимо увенчанной серым флажком водонапорной башни, Володя подозрительно спросил:

— А почему флажок не изменил цвет?

Я его понял.

Если вы играли, то тоже поймете.

За день до разъезда мы все-таки нашли компьютер — познакомившись с двумя девушками из министерства социального обеспечения Приднестровской республики. Вместо торжественного банкета мы пошли играть — оказалось, что у нас обоих хоть и нет компьютера, но имеются дискеты с любимой игрой. Так, вероятно, крестоносцы бережно носили под латами мешочек со святыми мощами... Уходили мы поздно, девушки провожали нас подозрительными взглядами.

Мы не замечали.

Я стал серьезно подумывать о смене профессии. Компьютер в личном пользовании был недостижимой мечтой, значит, стоило заделаться программистом. Смущало меня лишь то, что я ненавидел математику.

Но, видимо, та сила, которая стояла за компьютерными играми, решила, что я принесу ей больше пользы в качестве писателя. В результате совершенно невероятных обстоятельств я стал счастливым обладателем своего первого компьютера.

Ощущение было примерно таким, будто добравшемуся до Грааля паладину предложили отныне использовать его в качестве походной кружки.

Примерно на полгода я полностью прекратил писать. Не до того было! Сила, вдохнувшая в Игры жизнь, нахмурилась и подсунула мне файл с рассказом Виктора Пелевина «Принц Госплана».

И я успокоился.

В четкой иерархии игрового мира было место всем!

И умным программистам, рождающим игры.

И простым труженикам бухучета, в эти игры играющим.

И писателям-фантастам, черпающим в игре вдохновение.

Время от времени знакомые программисты, прочитавшие мою книгу «Рыцари Сорока Островов», загорались идеей сделать по ней игру. Я радостно соглашался, на чем все и заканчивалось. Но стало ясно, что змея крепко закусила свой хвост, Игры пытаются черпать идеи в книгах, книги рождаются после Игр.

Когда в романе «Принцесса стоит смерти» я описал темпоральную гранату — оружие, отбрасывающее героя назад во времени и дающее возможность *переиграть* поединок, мне объяснили, что это всего лишь отражение загрузки компьютерной игры, команды «load».

Я не спорил, хоть граната и была придумана задолго до приобщения к рядам игроманов.

В конце концов, что мы знаем о природе времени? Может быть, в будущем я уже применял темпоральную гранату?

3

Обострение

Две мои жизни текли своим чередом.

Я писал книги и играл в игры.

В промежутках происходили какие-то иные события, но они откладывались в памяти куда слабее.

Но я еще не знал, что темные силы мироздания, подкинувшие человечеству компьютерные игры, не оставляют своим вниманием и писателей-фантастов.

Володя Васильев написал роман «Клинки», использовав в нем атрибутику игры «Warlord». На Западе возник стиль «киберпанк», в котором компьютерами разве что улицы не мостили. Роберт Желязны сочинил сценарий игры «Хрономастер». Рукописи в редакциях все охотнее принимали в виде файлов.

И тут ко мне в гости зашел змей-искуситель в лице того самого программиста Виктора, который приохотил меня к играм. Видимо, он был уже опытным агентом темных сил и знал, чтó на меня подействует безотказно.

— Игрушка новая, — сообщил он, извлекая из кармана дискеты. — «Master of Orion» называется.

И я погиб.

Игра была проста и незамысловата, как все гениальное. На фоне современных ярких и умных игровых монстров она смотрится бесхитростным сельским дурачком.

Галактика — много-много точечек-звезд. Есть человеческая империя. Есть инопланетные расы. Между точками-звездами летают точки-корабли. Как водится, догоняют друг друга, стреляют из разнообразного оружия и пытаются извести собратьев по разуму под корень.

Это была затягивающая все и вся воронка, подобная моему любимому оружию этой игры — «генератору черных дыр». Утро начиналось с радостного стрекота винчестера. Вечер проходил в кровопролитных сражениях, выжженных планетах и миллионных потерях среди личного состава.

Через полгода я понял, что надо что-то делать. Великая и ужасная сила требовала жертвоприношения. Самым мудрым было бы выкинуть компьютер в окно и вернуться к пишущей машинке, но я скорее выпрыгнул бы сам.

Нет, меня, конечно, не интриговал танец цветных точек на экране. Разноцветные лучи смерти тоже недолго тешили взор. Увеличение производительности труда на подвластных планетах никак не отражалось на моем личном благосостоянии. Двигая корабли через галактику, я в общем-то и не думал о игре.

Я в ней жил.

Этот мир был ясен и правилен, прост и логичен. Как и в реальной жизни, в нем многое зависело от случая, но основное — от твоих действий. От умения маневрировать, от правильного приложения усилий, от способностей к дипломатии. «Хозяин Ориона» был полноценной жизнью — цинично упрощенной и тем привлекательной.

И было очень интересно жить в таком мире.

Я сделал то единственное, что может сделать писатель, попавший под влияние маниакальной идеи. Я написал роман, где действие происходило именно в таком мире — простодушно жестоком, считающем жизнь и смерть одинаково мелкими штрихами на карте мироздания, в мире, где десяток цивилизаций вынуждены уживаться вместе. В мире, созданном человеком, переигравшим в игру «Хозяин Ориона».

От игры, и не претендующей в общем-то на сюжет, остались рожки да ножки — несколько названий планет и несколько названий разумных рас. Роман, плавно переросший в дилогию, захватил меня так же, как раньше игра. Какое-то время я еще подумывал, куда вставить сцену штурма Ориона, потом с улыбкой отбросил все привязки к игре. Дилогия «Линия Грез» — «Императоры Иллюзий» вышла страшноватой. В ней и положительных героев в общем-то не было. В тот или иной момент времени кто-то из персонажей мог вызывать симпатию, но в целом все они были хороши. И фразу «Я отучу вас мечтать!», вложенную в уста главному, условно положительному герою, я написал с чувством глубоко морального удовлетворения, переходящего в экстаз.

Злые силы были на время удовлетворены!

Я почувствовал, что исцеляюсь. Игры стали отползать на отведенное им у нормальных людей место — где-то между работой и классическим отдыхом.

Зато эффект от дилогии вышел неожиданный.

Каждый игроман, начавший ее читать и наткнувшийся на знакомое название расы, считал своим долгом крикнуть: «А я знаю, эта книга написана по игре!» Поскольку я активно присутствовал в компьютерной сети ФИДО, то редкий день обходился без такой полезной информации.

Вначале мне было смешно. Хотелось спросить, а дочитана ли книга до конца и доиграна ли игра? Какие останутся аналогии, если заменить расу разумных медведей-булрати на расу разумных кабанов-капибаров?

Потом мне стало страшно. Игровые демоны хихикали из своих темных далей, наблюдая за попытками оправдаться.

В чем же дело? — размышлял я. Откуда берутся аналогии, которых в общем-то и нет?

И вдруг меня настигло озарение.

Заключалось оно в простом факте, что не я один являюсь таким умным, двигающим по экрану цветные точечки и размышляющим о чем-то своем.

Все остальные игроманы поступали так же!

Где-то в бесконечном игровом поле, не существующем в нашей реальности, они видели все то же самое. Это их корабли я расстреливал при подходе к Земле. Это их десанты захватывали мои планеты. Но главным было другое — они тоже жили на этих планетах, летали среди звезд, гибли от лучевых ударов, ссорились и мирились с чужими расами...

Вся разница была в том, что я сумел это описать.

Литература, со времен папируса и глиняных табличек, никогда не возникала из пустоты. Она отталкивалась от жизни — такой, какой эта жизнь виделась автору. От реалий политических игр, от сплетен литературной среды, от цены на хлеб и вино, от возницы, окатившего автора грязью из-под колес двуколки, от соседа, пихнувшего в метро.

А сейчас, прямо на наших глазах, зарождается новая культура. Победоносная и обольстительная. Вынужденная оставлять людям время на жизненные заботы — в конце концов, компьютеры тоже надо собирать, а собранным на игровом поле урожаем семью не накормишь. Но все более агрессивно виртуальный мир вторгается в нашу жизнь. Бороться с этим так же бессмысленно, как луддитам — бить ткацкие станки.

Новая культура требует подпитки. Игра может быть либо предельно сложной и проработанной, превращаясь в художественное произведение вроде «Хрономастера» Желязны, либо упрощенной и схематичной, как «Warlord» или «Master of Orion». Но в последнем случае она все равно требует литературной организации, апокрифов, созданных своими несчастными жертвами.

Когда Володя Васильев сказал мне, что пишет роман — беллетризацию игры «X-com», известной у нас *также* как «УФО», я не удивился.

Не мне же одному кидать упитанных тельцов на алтарь нового бога?

4
Пути инфицирования

Как-то мне довелось гостить у друга, человека во всех отношениях серьезного, любителя классических жизненных радостей, увлеченного своей работой и совершенно равнодушного к компьютерным играм.

Первым делом я поставил на компьютер «Heroes of Might & Magic» и стал играть. Некоторое время друг наблюдал за экраном, потом подсел рядом и стал спрашивать, что, собственно говоря, тут творится.

Я объяснил.

Где-то в первом часу ночи я отправился спать, оставив новообретенного адепта этой прекрасной игры за машиной.

Проснулся я от знакомого до боли звука, с которым птицы-фениксы рассыпаются на части. Стеклянные они, видно. В окна лился тусклый рассвет, на часах было шесть утра. Я вышел в соседнюю комнату.

В эту ночь темные силы мироздания получили от нового энтузиаста хорошую жертву. Было воскурено как минимум две пачки сигарет и вылита на алтарь игры бутыль джина с тоником. Друг посмотрел на меня красными, но счастливыми глазами.

— У тебя же сегодня встреча с министром, — напомнил я.

— Сегодня?

— Да. Через несколько часов.

...Уходя на важную деловую встречу, друг от души пожелал мне:

— Огнедышащих фениксов тебе в войско!

И тогда я понял, что не только болен сам, но и заражаю окружающих.

5
Лечение

Не существует.

6
Профилактика

Малоэффективна.

7
Прогноз

Лучший способ бороться с искушением — поддаться ему. Лучший способ победить болезнь — выработать иммунитет.

Прояснив для себя ситуацию, в которую попадает молодое поколение писателей-фантастов, я задумался о перспективах.

Так или иначе отразить любимую игру в романе — это одно. К тому же очень здорово помогает в плане лечения.

Но это метод сложный, штучный, пригодный только для собратьев по перу. А вот что ждет всю литературу, и в первую очередь фантастическую? Сейчас, когда подрастает поколение, выросшее на «Денди», «Сеге» и прочих приставках к телевизору?

То, что люди стали меньше читать, — это понятно. И это не спишешь только на экономические причины: на игровые картриджи деньги находятся. А вот чем это кончится для литературы?

Вначале я возлагал основные надежды на дороговизну компьютеров. А игровые приставки — все-таки развлечение для детей. Подрастут — и одумаются. И не картриджи глупые, Стругацких и Пелевина с базара понесут...

Но — опять же происки темных сил — прогресс в области электроники идет чудовищными, нигде более недостижимыми, темпами. Подержанный компьютер уже сейчас стоит дешевле телевизора. Разумеется, стоит только его взять, и сразу захочется более современной, дорогой машины. Но об этом-то люди не знают...

Неужели скоро единственным пристанищем писателя-фантаста станут романы по компьютерным играм или в лучшем случае сценарии таких игр?

Не самое радужное будущее.

Ведь — открою страшную тайну — мне все-таки больше нравится писать, чем играть в игры.

Можно сказать, что ничего страшного не происходит. Смерть книгам предрекали, когда родилось кино, смерть книг и кино ждали после появления телевидения.

Но дело в том, что компьютерные игры обладают одной замечательной особенностью, которой нет у других видов... эх, что уж теперь — у других видов искусства.

Обратная связь!

Мы не вольны изменить судьбу героя книги.

Мы не можем продлить кинофильм до бесконечности... или хотя бы растянуть его действие на долгое время... Хотя стоп! Чем являются «мыльные оперы», от мексиканских слезогонок до таинственных «Секретных материалов», как не игрой с обратной связью? Пусть с очень слабенькой и неярко выраженной, и все же... Зрители готовы день за днем смотреть убогий сюжет, постыдно слабую игру актеров — все потому, что знают — их немудреным вкусам будет предложено *должное*. Пусть здесь в роли программистов выступают режиссеры, постигшие нехитрые правила массовой культуры, — но суть неизменна. Потребитель получает именно то, что ему хочется. Не в том ли причина популярности?

А теперь представьте себе «мыльную оперу», которую каждый зритель волен менять на свой вкус. Зрелище, в котором сюжет способен ветвиться в любом направлении. Где главный герой будет иметь твое лицо и твой голос, поступать именно так, как хочется тебе. Бороться с мафией, летать в космос, строить империю...

Да не пишу ли я сейчас краткий пересказ «Линии Грез»? Вряд ли. Ведь игра подобного плана возможна уже «вот-вот». Очередной скачок научно-технического прогресса, переход компьютеров на новые технологии, чуть-чуть фантазии у сценаристов... А если еще добавить сюда возможности электронных коммуникаций?

Пусть машина не способна пока должным образом не то что мыслить, но и имитировать разум, но что вы скажете о такой технологии...

...Компьютер, постоянно подключенный к Интернету. Длящаяся бесконечно игра. Персонажи взаимодействуют друг с другом, каждый находит себе именно то занятие и времяпрепровождение, которое ему по душе. Расстояния не являются преградой. Миры множатся в геометрической прогрессии. Все это отображается не на экране, а через виртуальный костюм и шлем. Эффект присутствия полный, возможно, что добавится какое-либо средство, влияющее на подсознание игрока, — медикаментозное или волновое. Описанный братьями Стругацкими «слег» — только не индивидуальный, а с возможностью взаимодействия между людьми.

Что будет кушать человек, «утонувший» в такой игре, спросите вы?

Я отвечу. Стоит подумать о том, что уже сейчас люди ряда профессий — интеллектуальная элита мира — не скованы необходимостью ходить на работу. Программировать, прогнозировать, рассчитывать новую технику, творить — все это можно осуществлять и дома посредством компьютера и сетевых коммуникаций. В роли офиса будет выступать мощный сервер, а сидеть на виртуальной лужайке под пение птиц или на виртуальной вилле на берегу моря — куда приятнее, чем в стенах самого фешенебельного офиса. Вот вам и источник средств к существованию — работать в виртуальности и в ней же жить, выходя лишь для приема пищи и прочих жизненных потребностей.

Все это уже не фантазия. Элементы всего вышесказанного существуют и сейчас. Дело за технологией — а когда вопрос упирается лишь в нее, то реализация движется очень быстро. Причем конечный итог оказывается куда смелее самых ярких прогнозов — так было и с телевидением, и с киноискусством.

Можно возразить, что есть много областей жизни, где прогнозы не оправдались. Увы — все они не являлись областью *развлечений*. А подлинную изобретательность и фанатизм человек проявляет именно в достижении жизненных удовольствий. Потому практически заброшено освоение космоса, что стало ясно — каждому желающему на Луну или Марс в ближайшее время не слетать. Потому вяло и скучно развивается медицина, что излечение, скажем, экземы или стенокардии — это не веселое развлечение для всех желающих, а «всего-то» насущная потребность многих. Потому и будет, уверен, в ближайшем будущем побежден СПИД, что он по своей вирусной глупости посмел мешать людям в некоторых развлечениях...

Я не люблю делать прогнозы. Но будущее, когда весь прогресс сосредоточится в области электроники, развлечений, сетевых технологий, — представляется мне весьма вероятным. Будущее, когда люди интеллектуального труда стремительно спрячутся в виртуальных играх от скучных, подтекающих кранов, плохой погоды, грязных подъездов и прочих жизненных мелочей, — возможно.

И как ни странно, наиболее возможно именно в нашей стране.

Можно попытаться спрогнозировать, что произойдет с миром дальше. Не разделится ли человечество на две группы — предпсчитающих обитать в виртуальности, создающих ценности интеллектуальные, и на обитателей реального, вещественного мира... со всеми возможными последствиями. Беда в том, что тут и фантазировать-то почти не надо. Первый программист, заставивший точки гоняться по экрану друг за другом, вызвал все это к жизни.

Скажу честно — все вышеизложенное я уже пытался осмыслить в художественной форме. Одна из последних моих книг, «Лабиринт Отражений», была именно об этом. И своеобразным тестом послужили отклики на нее, полученные в Сети.

Были письма с благодарностью и надеждой на то, что данный мир возникнет как можно быстрее.

Были короткие письма со словами о том, что книга заставила задуматься.

Примерно поровну и тех, и других. Как я робко и предполагал. Знаете, очень приятно, что книгу все-таки прочитали и приняли именно в компьютерной среде. Там ведь так много иных, более впечатляющих развлечений. Но мы пока помним буквы, хоть уже и забываем ставить запятые: электронный мир стремителен и предпочитает не размениваться по мелочам.

Бесполезно бороться с болезнью, которая уже в крови. Проще научиться с ней жить.

Глупо отрицать игровую культуру. Могло быть и что-нибудь похуже.

А вы говорите — «игры», и улыбаетесь. Зря. Слово «Игра» стоит уже писать с большой буквы. Любопытство, которое порой так хочется назвать темной силой мироздания, подбросило своим наивным подданным новую Игру — компьютерную. И теперь ждет результата.

Каким он будет, я все-таки не рискну предположить.

Возможно, Игры все-таки станут детской болезнью — в одном ряду с корью и скарлатиной. Кстати, не следует забывать, что взрослым детские болезни перенести гораздо тяжелее...

Возможно, человечество разделится на виртуалов и реалистов, «виртов» и «реалов», — два клана, чьи конфликты будут пострашнее классовой борьбы или религиозных войн.

Я не знаю.

Можно было бы еще многое сказать о Играх и Фантастике и о том, как они превращаются друг в друга. Но я больше не в силах. Уже пять часов я сижу и пишу этот текст. А герои «Меча и Магии» ждут меня в том далеком и прекрасном мире, куда вы, надеюсь, заглядываете.

Вы же меня понимаете?

Огнедышащих вам фениксов в войско!

МОСКВА
ВАМПИРСКАЯ...

В жизни писателя иногда случается волнующий момент — ему звонят с телевидения или киностудии и предлагают снять по его произведениям фильм.

Все писатели прекрасно знают, что результат будет чудовищным.

Все писатели с готовностью соглашаются и даже некоторое время верят в лучшее.

Я пока тоже пребываю в состоянии этой веры.

Будет ли снят фильм по «Ночному Дозору» — не знаю. Хотелось бы, конечно. И еще лучше, если фильм окажется хорошим. Слава Богу, от съемок отказалась первая команда постановщиков, чей вариант сценария под слоганом «Петербург бандитский, а Москва-то — вампирская» поверг меня в шок. Этот фильм мог бы претендовать на все возможные призы за чернуху и кич, существующие в России.

Разумеется, я не дал разрешения на съемку.

Впрочем, режиссер намекнул мне, что они могут убрать из сценария имена моих героев, изменить самые явные сцены, оставшиеся от «Ночного Дозора», выкинуть мое имя, а фильм все-таки снять.

Вот такое вот кино...

Представленный в книге сценарий сделан уже мной самим и для другой команды, которая отнеслась к книге и автору куда с большим уважением. Я понимаю, что от этого сценария в кино все равно останутся рожки да ножки. Но сценарий, как мне кажется, будет интересен и сам по себе. В нем сохранен основной сюжет первых двух частей «Ночного Дозора», но он практически переписан заново — начиная от диалогов и кончая некоторыми сценами, которые отсутствуют в книге.

А выхода фильма я все-таки жду с робкой надеждой!

Ночной Дозор

Серия 1

Какой-то из новых районов Москвы. Ряды домов, асфальт, припаркованные на тротуаре машины. Ранний вечер. Светит солнце, но погода явно прохладная, ранняя весна или поздняя осень.

В одной из машин сидят и негромко разговаривают двое мужчин и молодая девушка.

— Ненужная суета... — с печалью говорит первый мужчина — средних лет, кряжистый, невысокий, простоватой наружности, затрапезно одетый. — Время тратим... раньше так не церемонились. Бросаешь в воду — и смотришь, выплывет ли.

Он вздыхает, закуривает дешевые сигареты. Девушка морщится, но не протестует. Девушка молодая, симпатичная, одета в черное — с обилием каких-то затейливых колец, сережек, подвесок. На концерте металлической рок-группы она бы ничем не выделялась из толпы. Девушка внимательно смотрит на один из подъездов здания — ничем не примечательный, с разболтанной незакрытой дверью.

— Тебя послушать, так на каждого пловца пришлось бы по утопленнику, — отвечает первому второй мужчина — более молодой, интеллигентного вида, в дорогих очках, хорошем костюме, пижонском галстуке. Даже странно, что два столь непохожих человека сидят рядом и беседуют. — Постой... или ты о другом?

— И о том, и о другом, — кивает кряжистый. — Все было лучше. Сурово, честно, но справедливо.

— Тише, Семен, — обрывает его девушка. — Разгалделись... идет наш подопечный.

— Да вижу я, — спокойно отвечает Семен. — Пусть идет, время есть.

Невдалеке останавливается такси. Из машины выбирается мужчина лет тридцати. Он ничем, пожалуй, не примечателен: среднего роста, лицо приятное, но совсем не красавец, одет в джинсы и хлопковый свитер. Трудно даже представить, чем он занимается в жизни. Мужчина закуривает, почти сразу бросает сигарету и решительно идет к подъезду.

— Нервничает... — насмешливо говорит Семен.

— А ты бы не нервничал? — интересуется девушка.

— У меня на нервы времени нет.

— Завидую, — со вздохом замечает девушка.

Мужчина поднимается в лифте. Выходит на площадку, оглядывается — как человек, никогда здесь не бывавший. Звонит в одну из дверей — простую, небронированную, с металлическим номерком.

Слышится легкая, бодрая походка. Но открывшая дверь женщина совсем немолода. При виде гостя она улыбается и кивает, приглашая войти.

Мужчина как-то теряется. Входит, начинает переминаться с ноги на ногу. Открывает рот, будто хочет поздороваться, но молчит.

Прихожая захламленная, грязноватая. При этом на стене — старинное зеркало, рядом — какой-то морской пейзаж, подозрительно похожий на подлинник Айвазовского. С остальной обстановкой и хилой дверью это никак не гармонирует.

— Это я звонил, — говорит гость. — Мне товарищ рассказал...

— Знаю, знаю, сынок. — Женщина смотрит на гостя. — Ты не разувайся, так проходи, у меня по-простому. — При этих словах она подталкивает ногой по направлению к гостю резиновые шлепанцы. — А хочешь, так переобуйся.

Гость нерешительно переобувается, хозяйка тем временем задумчиво смотрит на него. Потом произносит:

— Тебя Антоном зовут, сынок? А меня Даша.

Антон кивает, внимательно смотрит на Дашу. Женщина одета не просто по-домашнему, а даже неряшливо: застиранный халат, тапочки на босу ногу... Антон колеблется, потом решительно спрашивает:

— Вы ворожея?

— Да, ворожея, — невозмутимо отвечает Даша. — Это у меня от бабушки. И от мамы. Все они ворожеями были, все людям помогали, семейное это у нас... Пойдемте на кухню, Антон, у меня в комнатах неубрано.

Вслед за хозяйкой Антон идет на кухню, тихонько озирается. Кухня маленькая, в раковине — гора грязной посуды, расшатанный столик не вытерт, все вокруг какое-то затрапезное и запущенное.

— Садись. — Даша достает из-под стола табуретку. — Садись, в ногах правды нет.

— Я постою. — Антон, уже не скрывая брезгливости, оглядывает кухню. — Я, собственно, только хотел узнать...

— А что узнавать-то? — Хозяйка поворачивается к нему спиной, возится с чайником. — И так все видно. Жена от тебя ушла. Ну... не жена, подруга, только жил ты с ней как с женой. Любил, заботился, на сторону не ходил... а она ушла.

Антон смотрит на ворожею, молчит, только лицо его меняется — теперь он то ли испуган, то ли просто пытается подавить боль.

— И почему ушла, знаю, сынок... уж извини, что сыном тебя кличу, ты человек сильный, привык своим умом жить, да для меня все вы — как сыновья и дочки родные... Любить-то ты ее любил, а вот внимания, сколько надо, не уделял. С утра на работу, вечером домой, выходные прихватывал, в отпуске год не был...

— Верно, — шепчет Антон.

— Что ж так, милый? — Ворожея укоризненно качает головой. — Достатка в дом хотел?

— Хотел...

— Ох и глупые вы, мужики, — пожимает ворожея плечами. — У меня вон пятеро. С дочками все в порядке, а вот с сыновьями... Двое по военной части пошли, старшенькие. Как их жены терпят? Только моими стараниями! Да еще младший, шалопай... — Она взмахнула рукой. — А ты садись, садись.

Антон неохотно опускается на табуретку, говорит:

— Жизнь так сложилась. Ну не хочу я, чтобы она на каждую тряпку полгода копила!.. Не хотел. Да и работа... все силы отнимает.

— Оно правильно. — Ворожея не спорит. Задумчиво трет лицо ладонями. — Дом — полная чаша... только не в этом, Антон, бабское счастье... не в этом. — Ворожея спохватывается и добавляет: — Оно, конечно, приятно копейку в кармане не считать, но если мужика оттого лишь в постели видишь, да и то — бревном лежащим...

Антон поднимает голову, смотрит на ворожею и ничего не говорит. А та продолжает:

— Какой женщине такое понравится? Ты думаешь, она к разлучнику ушла из-за машины импортной, из-за дачи двухэтажной, из-за ужинов в ресторане? Оттого ушла, что в машине он ее возит, в ресторане — ее ужинает, на даче — ее любит!

На лице Антона начинают играть желваки. Он резко спрашивает:

— Можешь ее вернуть? Или только мораль мне читать?

— Вернуть-то могу, — задумчиво произносит ворожея. — Только... я ж не зря про дачу сказала, не для того, чтоб тебе, сынок, рану растравить. Понесла она. От него, не от тебя.

Антон цедит сквозь зубы.

— Я знаю. Сказала.

Ворожея вздыхает:

— Можно и вернуть... можно. — Ее тон вдруг неуловимо изменился, сделался тяжелым, давящим. — Только ведь трудно будет. Вернуть — несложно, удержать труднее!

— Все равно хочу.

— За все на свете своя цена есть. — Дарья перегибается через стол. Глаза ее будто сверлят Антона. — И не о деньгах речь... ох не о деньгах. Добро со злом — они рука об руку ходят, одни одежды носят... не каждый их и различит... Ниче-го. Помогу тебе.

Она легонько постукивает кулаком по столу.

— Первое. Дам я тебе приворот. Это грех небольшой... При-ворот твою милую в дом вернет. Вернуть — вернет, но удер-жать не удержит.

Антон неуверенно кивает.

— Второе... Дите у жены твоей родиться не должно. Если родится — ты ее не удержишь. Родная кровь — она сильней любого приворота, наизнанку его силу обратит, только силь-ней к разлучнику прикипит... — Ворожея переводит дыхание и деловито добавляет: — Придется большой грех творить, не-винный плод травить.

— Да что вы несете! — Антон вздрагивает. — Я под суд идти не собираюсь!

— Речь не об отраве, сынок. Я ладонями-то разведу, — воро-жея и впрямь разводит руки, сверля Антона взглядом, — а потом как хлопну... Вот и весь труд, вот и весь грех. Какой суд?

Антон молчит.

— Только этот грех я на себя брать не желаю! Если хочешь — помогу, но тогда грех на тебе будет!

Антон молчит, и ворожея продолжает:

— Третье... Сам ей дите сделаешь. Тоже помогу. Хочешь — будет дочка, красавица да умница, жене помощница, тебе ра-дость. Хочешь — будет сынок, сильный да смышленый, в ста-рости вам опора верная... Тогда все твои беды и кончатся.

— Вы серьезно говорите? — тихо спрашивает Антон. — Вы все это...

— Я вот что тебе скажу. — Дарья встает. — Скажешь «да» — все так и будет. Завтра жена твоя вернется — прощения по-просит, а послезавтра нагулянное выкинет — жалеть не бу-дет. И денег я с тебя не возьму, пока все не наладится. Но потом возьму — и много, это сразу говорю.

Антон криво улыбается:

— А если обману, не принесу денег? Все ведь уже сделано будет...

Он замолкает, ловя сочувственный и снисходительный взгляд ворожеи.

— Не обманешь, сынок. Сам подумай — и поймешь что не стоит обманывать... — Говоря, она так же неспешно разводит ладони, на которые Антон невольно смотрит, некоторое время держит руки в воздухе, а потом устало опускает на стол. — Ну, что надумал?

Антон неловко улыбается, пытается пошутить:

— Значит, оплата по факту?

— Плохой из тебя бизнесмен, — с иронией отвечает ворожея. — Да я же тебя насквозь увидела, сразу как вошел... не умеешь ты обманывать и слово свое глупое всегда держишь.. По факту. По всем фактам.

— Сколько?

— Пять.

— Чего пять? — начинает Антон и осекается. — Я думал, это стоит гораздо дешевле!

— Хочешь жену вернуть — будет дешевле. Только пройдет срок, и снова уйдет. А я тебе настоящую помощь предлагаю, верное средство.

— Хорошо, — решившись, произносит Антон.

— Берешь на себя грех? — требовательно спрашивает ворожея.

— Какой там грех, — с прорвавшимся раздражением отзывается Антон. — Может, и нет у нее ничего!

Ворожея задумывается, будто вслушиваясь во что-то. Качает головой:

— Есть... Кажется, дочка...

— Беру! — решительно и отчаянно говорит Антон. — Все грехи на себя беру, какие хочешь. Мы договорились?

Ворожея посмотрела строго и неодобрительно:

— Так нельзя, сынок... Про все-то грехи. Мало ли что я на тебя навешу? И свое, и чужое... будешь потом отвечать.

— Ничего, разберемся.

Дарья вздохнула:

— Ох молодые... глупые. Ладно, не бойся. Чужого тебе не припишу.

— Я и не боюсь.

Ворожея сидит, будто настороженно вслушиваясь во что-то. Выглядывает в окно, подозрительно косится на стоящую у подъезда машину. Потом пожимает плечами:

— Ладно... давай дело делать. Руку!

Антон неуверенно протягивает ей правую руку.

— Ой!

Ворожея неожиданно колет его чем-то в мизинец. Антон застывает в остолбенении, глядя на набухающую красную каплю. Дарья как ни в чем не бывало бросает в немытую тарелку с застывшими остатками борща крошечную медицинскую иглу — плоскую, с остреньким жалом. Такими берут кровь в лабораториях.

— Не бойся, у меня все стерильно, иглы одноразовые, медицинские. Или ты крови боишься, а?

— Да что вы себе позволяете! — Антон пытается было отдернуть руку, но Дарья перехватывает ее неожиданно сильным и точным движением.

— Стой, дуралей! Снова колоть придется!

Из кармана халата ворожея достает аптечный пузырек темно-коричневого стекла с плохо отмытой этикеткой. Откручивает пробку, подставляет пузырек под мизинец Антона, встряхивает. Капля срывается и падает внутрь пузырька. Ведунья открывает холодильник, достает пятидесятиграммовую бутылочку водки «Привет». Несколько капель водки уходит на клочок ватки, которым Антон послушно залепляет палец. Бутылочку ведунья протягивает Антону.

— Будешь?

Антон колеблется, подозрительно смотрит на бутылочку, мотает головой.

— Ну а я выпью. — Дарья подносит «реаниматор» ко рту, одним глотком всасывает водку. — Так оно лучше... работается. А ты... ты зря меня боишься. Не разбоем живу.

Несколько остававшихся в бутылке капель тоже уходят в пузырек с приворотным зельем. Потом, не стесняясь любопытного взгляда Антона, ведунья добавляет туда — соль, сахар, горячую воду из чайника и какой-то порошок из пакетика.

— Это что? — спрашивает Антон.

— У тебя насморк? Могу полечить. Ваниль это, сынок.

Ведунья протягивает ему пузырек.

— Держи.

— И все?

— Все. Напоишь жену. Сумеешь? Можно в чай вылить, можно в вино, но это нежелательно.

— А где тут... волшебство?

— Какое волшебство?

Антон говорит, почти срываясь на крик:

— Тут капля моей крови, капля водки, сахар, соль и ваниль!

— И вода, — добавляет Дарья. Упирает руки в боки. Иронически смотрит на Антона: — А ты чего хотел? Сушеный глаз жабы? Яйца иволги? Или мне туда высморкаться? Тебе что нужно — ингредиенты или эффект?

Антон молчит, ошеломленный этой атакой. А Дарья, с укоризной и сочувствием, продолжает:

— Золотой ты мой... да если бы я хотела впечатление на тебя произвести — произвела бы. Не сомневайся. Важно не то, что в пузырьке, важно — кто делал. Не бойся, иди домой и пои жену. Зайдет она еще к тебе?

— Да... вечером, звонила, что вещи заберет кое-какие... — бормочет Антон.

— Пусть забирает, только чайком ее напои. Завтра обратно вещички потащит. Если пустишь, конечно. — Дарья усмехается. — Ну что ж... последнее осталось. Берешь на себя тот грех?

— Беру. — Антон уже смотрит на ворожею с испугом, но все-таки повторяет: — Беру...

— Твое слово, мое дело... — Дарья медленно развела руки. Заговорила скороговоркой: — Красная вода, чужая беда, да гнилое семя, да лихое племя... Что было — того нет, чего не было — не будет... Вернись в никуда, растворись без следа, по моей воле, от чужой боли...

Ее голос падает до нечленораздельного шепота. Ворожея шевелит губами.

В полной тишине по лестнице поднимается троица, сидевшая внизу в машине. Останавливаются перед дверью. Лампочка на площадке светит им в спины, отбрасывая на пол четкие тени. Внезапно тени начинают ползти, поднимаются, отрываются от пола и словно прилипают к людям. Мир мгновенно меняется — исчезают краски, все становится серым, слегка нечетким. Трое проходят сквозь закрытую дверь, будто сквозь кисейную пелену, входят на кухню. Все по-прежнему залито серым туманом. Ворожея медленно-медленно шевелит губами, Антон ждет. На пришельцев они не обращают внимания, будто не видят.

Семен кладет руку на плечо ворожеи. Мир стремительно обретает краски, ворожея как раз разводит руки, чтобы хлопнуть в ладоши, — и тут Семен произносит:

— Ночной Дозор. Семен Колобов, Иной. Вы задержаны, Дарья Леонидовна.

Ворожея вздрагивает, с ужасом смотрит на вошедших. Девушка, презрительно глядя на Антона, говорит:

— Как нехорошо. Как гнусно, Антон Городецкий!

— Кто вы такие? — привставая, говорит Антон. Но девушка делает легкий жест — и Антон застывает, будто окаменев. Девушка становится рядом, бросает в рот жевательную резинку.

Ворожея ждет. Она уже оправилась от шока.

— Вы имеете право отвечать на наши вопросы, — говорит Семен. — Любое магическое действие с вашей стороны будет рассматриваться как враждебное и караться без предупреждения. Вам вменяется в вину... Илья?

— Полагаю, набор стандартный, — говорит Илья. — Незаконное занятие черной магией. Покушение на убийство. Хватит, пожалуй?

— Вам вменяется в вину незаконное занятие черной магией и покушение на убийство, — повторяет Семен. — Вашу судьбу решит трибунал.

Дарья Леонидовна некоторое время жует губами, потом говорит с вызовом:

— Не было никакого убийства! Ничего вы не докажете. А что до приворота... как прикажете жить старой больной женщине? Пенсия маленькая, внуки непутевые...

— Дарья Леонидовна... — укоризненно говорит Илья. — Мы все это уже слышали.

— Да вы любую газетенку откройте! — скандально кричит женщина. — Привороты, отвороты, сглаз, порча... Я же не дурью торгую!

— Дарья Леонидовна, вся беда в том, что вы продали этому несчастному человеку *настоящее* приворотное зелье... — делая ударение на слове «настоящее», говорит Илья.

— Да это водичка из-под крана! — таращая глаза, кричит женщина. — Да, мошенница я старая, на легкие деньги позарилась!

— Кого вы пытаетесь обмануть? — спрашивает Семен. Поворачивается к девушке, говорит: — Разморозь ты Антона, совсем уж в роль вошла...

Девушка хлопает Антона по плечу. Тот мгновенно «оживает», говорит ей:

— Ну спасибо, Тигренок. Предупреждать надо было!

— А ты руководство по задержанию внимательно читал? — спрашивает Тигренок. — Находящиеся на месте происшествия люди подвергаются заклинанию «заморозки» с последующим стиранием воспоминаний.

— Спасибо и на том, что память стирать не стала, — говорит Антон, косясь на ворожею.

Ворожея, выпучив глаза, смотрит на Антона. Повышает голос:

— Ах ты гадюка... я ж тебе помочь хотела... я же... да как я тебя не раскусила, козел-провокатор... ты же один из них! Да как я в байку твою поверила! — Она привстает, вглядываясь в лицо Антона, и вдруг пораженно произносит: — Так ты не врал! У тебя и впрямь жена ушла... ты же не врал...

Антон отворачивается, смотрит в окно.

Ворожея замолкает, садится.

— Сударыня, у вас как у официально зарегистрированной ведьмы было право на приготовление и продажу трех настоящих зелий в год, — говорит тем временем Илья. — В целях упрочения репутации и рекламной кампании. Вы свой годовой лимит использовали еще весной.

— Помочь хотела, — холодно говорит ворожея. — Я ведь вижу — хороший мужик, жену свою любит... а любовь — она выше всех запретов...

— Извините, но мне нужна ваша лицензия, — прерывает ее Илья.

Ворожея идет куда-то в комнату, возвращается с листом плотной желтоватой бумаги — какие-то печати, архаичные буквы, подписи... Печать тускло светится зеленым.

Илья проводит над листом ладонью: две светящиеся красные полосы перечеркивают лицензию, появляется красная надпечатка: «Временно аннулирована».

Семен тем временем подходит к Антону, кладет ему руку на плечо. Грубовато говорит:

— А ты молодец. Я думал, не справишься.

— Всего хорошего. Завтра явитесь в Ночной Дозор, — говорит ворожее Илья. Смотрит на свою спутницу, поправляет очки. — Тигренок, а ты займись клиентом.

Девушка подходит к Антону. Протягивает руку. Пузырек, оказывается, все это время был в руках Антона — тот задумчиво крутит его в пальцах, разглядывает... Тигренок убирает руку, с жалостью заглядывает Антону в глаза.

Антон криво улыбается и отдает ей пузырек.

— Антон, — негромко говорит Илья. — Совершенно не обязательно...

Антон качает головой. Кивает девушке, ожидающей чего-то.

Тигренок молча выливает пузырек в раковину. Наигранно-деловым голосом произносит:

— А теперь я тебе внушаю, что ворожея была мошенницей, ты это сразу понял и не стал связываться. О нашем появлении ты тоже ничего не помнишь. В общем-то все так оно и происходит на самом деле. Правда, Зинаида Павловна?

— Истинная правда, — отвечает ворожея. От ее былой угрюмости не осталось и следа, теперь это — милая интеллигентная старушка. — Я думаю, что Антон справился. Зачет ставлю без малейших колебаний.

Антон непонимающе смотрит на ворожею, потом оглядывается на Тигренка: та улыбается и виновато разводит руками.

Семен откашливается и говорит:

— Зинаида Павловна — наш уважаемый и опытный сотрудник. Сейчас на пенсии, но экзамены принимать помогает... Ты уж извини — так принято. В обстановке, приближенной к боевой.

— Угу, — задумчиво говорит Антон. — Понятно. — Смотрит на ворожею: — Дарья... простите, Зинаида Павловна, а я и впрямь был убедителен?

— Абсолютно убедителен, Антошка, — говорит «ворожея». — Ты молодец. Можешь с этой легендой отправляться на настоящее задание.

— Я... не буду, — говорит Антон.

— Почему? — удивляется Илья. — Есть настоящая ведьма, которая именно так действует. Зинаида Павловна замечательно ее сыграла, аж мороз по коже! Год уже следим... все никак не можем взять на горячем...

— Не хочешь выступать провокатором? — с пониманием спрашивает Семен.

— Не в том дело, — говорит Антон. Смотрит на товарищей. — Если я пойду к ведьме с этой историей... чем я буду лучше самой ведьмы? Я все предам, все, что у меня было с Надей...

— Она же тебя предала, — напоминает Илья.

— А я ее — нет, — пожимает плечами Антон. Обводит взглядом коллег.

— Антон, но ведь ты уже пошел, — говорит Тигренок. — Ты согласился, думая, что идешь к настоящей ведьме!

— Я не знал, что это будет так... соблазнительно, — говорит Антон. — Я... не уверен, что вызову группу захвата. Давайте придумаем другую историю, я постараюсь убедить ведьму. А с этой... нет.

Ему больше никто не возражает, и Антон говорит:

— Я пойду, ребята.

— Тебя подбросить? — спрашивает Семен.

— Да нет, я на метро... До свидания, Зинаида Павловна. Вы замечательно сыграли.

Антон выходит, хлопает дверь.

Зинаида Павловна вздыхает, потом преувеличенно бодро говорит:

— Что ж, все перемелется... Ведьму ту придется как-то иначе брать. А допуск к оперативной работе я Антону подписать готова.

Все начинают суетливо двигаться к двери, прощаться с Зинаидой Павловной.

— Реквизит-то восстанови! — окликает Зинаида Павловна Илью. Тот хлопает себя по лбу, проводит над лицензией рукой — красная печать гаснет.

* * *

Улица, машина Ночного Дозора. Семен прогревает двигатель, Тигренок сидит на заднем сиденье, хмурится.

— Чем недовольна? — спрашивает Илья.

— Так... — отвечает Тигренок. — О дуре той думаю, что Антона бросила. Не люблю я таких...

— А должна любить, — наставительно говорит Семен. — Они — всего лишь люди.

В кармане у Ильи звонит телефон. Машина уже трогается, когда он достает трубку, отвечает:

— Илья. Да, все в порядке. Антон молодец, свою роль отыграл замечательно, старушка наша в восторге. Говорит — хоть завтра может работать... Что? Да... Да. Проспект Вернадского... понял. Понял. Да.

— Что стряслось? — спрашивает Семен, выезжая со двора.

— Езжай на Вернадского, — отвечает Илья.

— А отсюда в город только одна дорога. Что у нас?

— Вампиризм.

— Опять? — Семен не ждет ответа. Только лицо его напрягается.

Сзади слышен треск рвущейся ткани. Илья оборачивается — спинка кресла перед Тигренком распорота, будто по ней провели четырьмя острыми ножами. Тигренок сидит, чинно положив руки на колени. Виновато говорит Илье:

— Извини. Я сама в сервис сгоняю... Не сдержалась...

Темная квартира. Зал. Тяжелые шторы, из люстры и бра выкручены лампочки и лежат на столе — чтобы случайно не включить. Спальня — то же самое. Зарывшись в одеяло, спит Антон. Нет, уже не спит — ворочается, не отнимая лица от подушки. Он лежит как человек, привыкший делить с кем-то постель — занимая лишь половину кровати. На другой половине, на подушке, лежит большая мягкая игрушка.

На тумбочке звонит мобильник. Антон протягивает руку, подносит телефон к уху. Молчит.

— Антон? — Голос из трубки. Официальный, суховатый голос женщины-диспетчера.

Мужчина молчит.

— Антон, девять часов. Солнышко уже село. Ты просил
тебя разбудить.

— Спасибо, — хрипло говорит Антон.

— Удачной охоты, Антон.

Мужчина встает. Сидит какое-то время на кровати, проводит
рукой по плюшевой собачке, потом встает, идет в ванную. Включает свет — в патрон ввернута красная лампочка, свет как в фотолаборатории. Антон проходит на кухню — там тоже плотно
задернуты шторы. Открывает холодильник, дергаясь от загоревшегося внутри света: среди йогуртов и прочей еды стоят две
медицинские бутылочки с темной жидкостью. Антон мрачно
смотрит на них, потом качает головой и возвращается в ванную.
Начинает чистить зубы. Подозрительно трогает их пальцем.

В этот момент звенит дверной звонок. Антон идет к двери.
Приоткрывает дверь, оставаясь в коридоре.

В дверь заглядывает молодой парень, вполголоса говорит:

— Пойдем... у нас только полчаса.

Антон уходит одеваться.

Кабинет поликлиники. Прием только что закончен. Молодая женщина-врач снимает халат, берет с вешалки пальто — и
замирает, о чем-то задумавшись. Рядом собирается молоденькая
медсестра. Смотрит на женщину, осторожно спрашивает:

— Света, все в порядке?

Светлана кивает, одевается. Виновато говорит:

— День неудачный. Что ни больной, то осложнение... притягиваю я их, что ли? Все из рук валится...

— Давайте я давление смерю? — предлагает медсестра.

— Да нет, Машенька. Все в порядке. Это погода.

— Ой, не говорите, — подхватывает медсестра. — У меня
мама просто извелась! Каждый день мигрень, никакие таблетки не помогают...

Светлана как-то очень неловко улыбается и торопливо говорит:

— До свидания, Маша...

Светлана выходит из поликлиники. У метро останавливается, открывает сумочку в поисках проездного, неловко роется, роняет какую-то мелочевку, начинает поднимать. Ее толкают, обходят стороной, кто-то наступает на упавшее зеркальце, и то разлетается на осколки. Светлана секунду медлит, глядя на разбившееся зеркальце, потом входит в метро.

Какой-то большой супермаркет. Служебный вход. Антон и зашедший за ним парень проходят беспрепятственно — охранник узнает парня и кивает. Они идут узкими коридорами, заходят в комнату — за открытой дверью зал, в котором мясники разделывают мясо. Парень на миг заглядывает туда — и возвращается. Тут же входит мужчина в грязноватом белом халате, вытирая руки полотенцем. Молча кивает, достает из шкафа литровую банку — в ней темная жидкость. Спутник Антона берет банку, протягивает мяснику некрупную купюру. Антон и парень выходят, мясник, без особого любопытства, смотрит им вслед.

Где-то в коридоре парень хрипловато говорит:

— Ты не тяни, она уже не очень свежая.

Антон молча берет банку, стягивает полиэтиленовую крышку и начинает пить. Давится, морщится, но пьет. Костя неотрывно смотрит на банку, сглатывает при каждом глотке Антона. Антон отдает почти пустую банку своему спутнику, вытирает носовым платком губы, платок комкает и кидает в урну. Говорит:

— Спасибо, Костя.

Парень молча протягивает ему жевательную резинку, советует:

— Зажуй.

Антон энергично жует.

— Зачем это тебе? — спрашивает Костя.

— Ничего, что оставил тебя без завтрака? — будто не слыша вопроса, спрашивает Антон.

— Мы же друзья, — с легкой вопросительной ноткой отвечает Костя. — Гематогена пожую, не в первый раз.

Бассейн. На одних дорожках тренируются спортсмены, на других — лениво плещутся граждане повышенной упитанности. Свисток тренера — группа подростков выбирается из бассейна, галдит, толкается... Один из мальчишек торопливо уходит в душевую. Тренер что-то объясняет юным спортсменам, оглядывается, спрашивает:

— Где Егор?

— А он уже ушел. Он сегодня какой-то... — с готовностью говорит кто-то из подростков, крутя пальцем у виска. — Еле шевелится, будто спит на ходу.

Тренер качает головой и продолжает наставления:

— Послезавтра приходим на час раньше. Передайте Егору.

Егор выходит из бассейна. Оглядывается. Очень старательно поправляет шарф на шее. Вслушивается — будто до него доносится чей-то голос или какой-то звук. А звуки и в самом деле слышны:

— *Иди ты!* — ругаются рядом подростки, его ровесники.

— *Пойдем*, — зовет девушка подругу, задержавшуюся у витрины магазинчика.

— *Проходи*, — слегка отталкивает Егора спешащий прохожий, у которого он стоит на дороге.

— *Ступай-ступай!* — подбадривает молодой парень приятеля, пялящегося на симпатичную девушку.

— *Беги быстрее, опоздаешь*, — советует человек по мобильному, обгоняя Егора.

— *Шевелись!* — кричит из окошка машины водитель перегородившему проезд коллеге.

Слова сливаются в общий шум — беги, спеши, иди, торопись... превращаются в ласковый, манящий женский голос: «Иди ко мне!»

Егор быстрым шагом идет к метро. Проходит мимо ларька «Смешные ужасы» — через стекло видны резиновые маски, накладные клыки... Егор на мгновение останавливается и недоуменно смотрит на бутафорию. Из ларька высовывается парень-продавец, он явно скучает. Скалится в улыбке — у него во рту вампирьи клыки. Егор вздрагивает и быстро уходит. Парень радостно смеется, вынимая вставные зубы.

Вагон метро. Антон — в темных очках, с плеером, — словно бы совершенно не замечающий ничего вокруг. Только медленно-медленно крутит головой, оглядывая людей вокруг.

Губы Антона плотно сжаты.

Взгляд Антона сквозь темные очки — он видит мир не как обычный человек, все выглядит иначе. Мир черно-белый и какой-то замедленный. Лишь вокруг некоторых людей мерцают разноцветные отблески. Антон размышляет про себя: «Это Иной... слабенький Иной, неопытный... Это Темный маг. Давно прошел, а след остался... а это человек... но он кого-то очень сильно ненавидит...» Антон осматривает всех в вагоне, выходит, пересаживается на другую линию. И еще раз. И еще. Калейдоскоп станций, вагонов, лиц. Мир то обычный, цветной, то — взглядом Антона — черно-белый и медленный.

Станции, вагоны, лица... В толпе Антона прижимает к молоденькой девушке, стоящей к нему спиной. У нее красивая точеная шейка... Антон вдруг начинает неотрывно на нее смотреть, слегка склоняет голову, будто собираясь ее поцеловать... или укусить... Дергается, его лицо искажает гримаса. Поворачивается в другую сторону — спиной к нему стоит грузный, неряшливый мужик с толстым потным загривком. Антон морщится, потом начинает улыбаться — как человек, избавившийся от неприятного наваждения.

На очередной станции в вагон входит Светлана.

Антон, неторопливо осматривающий людей, вздрагивает. Над Светланой, невидимый обычным зрением, кружится черный вихрь. Он нематериален, проходит сквозь поручни и стенки вагона, клонится из стороны в сторону. Люди, к которым приближается вихрь, начинают сдвигаться в стороны — они его не видят, но что-то чувствуют. Рядом со Светланой начинаются какие-то перебранки, ссоры, скандалит только что улыбавшаяся друг другу парочка, ругается, требуя уступить ему место, пожилой мужчина, хамит ему в ответ молодая девчонка...

Антон снимает очки, смотрит на женщину с удивлением и жалостью. Светлана по-прежнему «в себе», задумчивая и заторможенная. Антон опускает руку в карман. Достает радужный кристаллический многогранник, мерцающий внутренним светом, колеблется, держа его в руке.

Вихрь начинает «тянуться» к Антону — и отшатывается.

Поезд останавливается на очередной станции. Антон мимолетно смотрит на перрон — и видит Егора. В «черно-белом», сумеречном зрении Егор кажется опутанным пылающей красной нитью, затянувшейся у мальчишки на шее. И нить тянет его, заставляет идти куда-то...

Секундное колебание — и Антон крепко сжимает многогранник в ладони. В сумеречном мире его окутывает белое свечение — и сильный поток света бьет по Светлане, по вихрю над ее головой... Вихрь сносит на несколько метров, он кружится, но вновь возвращается к Светлане. Кристалл рассыпается серебристой пылью, падает между пальцев на пол.

Антон, бросив последний взгляд на женщину, выскакивает на перрон. Кажется — через уже сошедшиеся двери вагона, скандальный пенсионер замечает это и растерянно замолкает. Вагон весь будто высветлен, выбелен недавним светом. Полная тишина. Ругань стихает. Девушка вдруг уступает пенсионеру место, тот садится, все еще таращась вслед Антону.

Поезд уносится дальше — вагон, в котором был Антон, будто окутан сиянием. Антон быстрым шагом идет вслед за Егором.

Снова вагон. Антон стоит, внимательно разглядывая Егора. В сумеречном зрении подросток кажется окруженным белым светом. Антон улыбается — нет, во рту у него самые обычные зубы, но сама улыбка такая, будто он чувствует во рту клыки. Снова крепко сжимает челюсти.

Егор выходит, вслед за ним Антон.

На некотором расстоянии друг от друга они едут вверх по эскалатору.

Красная нить по-прежнему тащит куда-то Егора.

На поверхности — это станция «ВДНХ» — напротив выхода горят огни гостиницы «Космос». Егор спускается в подземный переход. Антон забегает в маленький магазинчик у самого метро. Бросает на прилавок деньги:

— Водку. Стаканчик. Быстро.

Продавец лениво поворачивается к нему — и вдруг с неожиданной резвостью бросается выполнять приказание. Антон берет «стаканчик» и торопливо бежит вслед за Егором.

В переходе его останавливает милицейский патруль.

— Сержант Каминский, ваши документы...

Антон смотрит вслед уходящему мальчику. Улыбается милиционерам. Поднимает ладонь, в которой недавно был кристалл, ладонь слабо светится. Проникновенно произносит:

— Меня здесь нет. Все хорошо, все вообще замечательно!

Милиционеры начинают улыбаться Антону. И бодрым шагом уходят.

Антон бежит вслед за Егором.

Егор идет по проспекту Мира. Рядом — эстакада, шумят машины... но на тротуаре никого нет. Уже темно. Егор идет все медленней, озирается, на его лице испуг — но он продолжает идти.

Антон следует в некотором отдалении. Он тоже нервничает, время от времени облизывается. Вроде бы у него во рту появились клыки. На ходу он сдирает пробку со стаканчика водки.

Егор сворачивает в темную подворотню. И замирает.

Вначале кажется, что в подворотне никого нет. Потом — мир меняется, становится серым, туманным. И Егор видит в темноте две фигуры — юноши и девушки. Юноша негромко произносит:

— Вот видишь... все просто.

— Хорошенький, — отвечает девушка, глядя на Егора. Мальчик стоит будто окаменевший.

— Оставишь... чуть-чуть... — произносит юноша. Улыбается — во рту клыки.

— Тебе? — Девушка кивает. — А... как дальше?

— Зови, — объясняет юноша. — Так же, как звала раньше.

Мимо подворотни, со стороны двора, идет женщина со здоровенным доберманом на поводке. Пес вдруг останавливается, у него дыбится шерсть, он глухо рычит в подворотню.

— Что ты встал, там ничего интересного, — глядя сквозь стоящих, говорит хозяйка. — Идем, идем...

Пес поджимает хвост и натягивает поводок до отказа, торопясь убраться прочь.

— Иди ко мне, — шепчет девушка, глядя на Егора. — Иди ко мне... ко мне... ко мне...

Егор делает шаг к девушке. Теперь видны клыки и у нее.

— Пусть снимет шарф, — советует юноша. — Продолжай его звать — и командуй!

— Сними шарф! — требовательно повторяет девушка. Егор неподвижен.

— Он не слушается! — капризно, возмущенно говорит девушка. — Он меня не слушается!

— Так бывает... — Юноша-вампир колеблется. — Продолжай.

— Сними шарф!

Егор начинает медленно разматывать шарф. Из его глаз текут слезы, он словно пытается сопротивляться, но не может.

Девушка делает шаг навстречу Егору.

И в этот миг со стороны улицы появляется Антон. Кричит:

— Ночной Дозор! Всем выйти из Сумрака!

На лице парня-вампира страх. А вот девушка с криком бросается на Антона.

В тот же момент серая мгла рассеивается, все снова оказываются в обычном, цветном мире, мимо подворотни стремительно проносятся машины. Девушка бежит к Антону. Антон резким движением плещет ей в лицо водку. Эффект — словно от кислоты. Там, куда попало спиртное, кожа дымится. Девушка с воем мечется по подворотне, держась за лицо.

Парень-вампир тоже кидается на Антона.

Антон вытягивает в его направлении руку — и на груди вампира вспыхивает крупный синий штамп. Свет идет будто из-под одежды, от тела. Антон делает резкий рывок рукой, будто что-то ломая, — синяя печать сминается, гаснет, и лицо вампира искажается судорогой. Он еще бежит, но его плоть начинает ссыхаться, кожа вваливается, глаза вылезают из орбит. Несколько шагов — и к ногам Антона падает полуистлевший труп.

Девушка-вампир снова бросается к Антону, отшатывается — и огромными прыжками удирает в глубь двора. Секундой позже Егор, в ужасе наблюдавший всю сцену, тоже бросается бежать.

Антон устало прислоняется к стене. Поднимает стаканчик с остатками водки, делает глоток, бросает стаканчик на асфальт. Достает мобильник.

— Лариса, это Антон. Я у гостиницы «Космос», во дворах. Кто есть близко? Да. Один упокоен, одна ушла. Вот так и ушла...

Спрятав трубку, он стоит, глядя на горку одежды. Остатки вампира все продолжают и продолжают рассыпаться — в труху.

С визгом шин тормозит машина. Из нее выскакивают трое — Семен, Илья, Тигренок. Бросаются к Антону.

— Цел? — деловито спрашивает Тигренок. Пинает останки вампира.

— Цел, — тихо отвечает Антон.

— Сумел-таки, ученая твоя душа! — Семен одобрительно качает головой, хлопает Антона по плечу. — Молодец, Антон. Молодец.

— Как ты его взял? — спрашивает Илья, подцепляя носком ботинка одежду. Из нее вываливается серая пыль.

— У него была печать. Постоянная московская регистрация, официально зарегистрированный вампир... чего ему не хватало...

— А кто ушел? — продолжает допытываться Илья.

— Женщина. Он ее инициировал... печати у нее не было. Я не смог ничего сделать.

— Тебе же Гесер выдал амулет! — удивляется Тигренок. — А, пустое... Куда она ушла, Антон?

Антон указывает.

— Вижу, хороший след, — говорит Тигренок, хотя ничего не заметно. — Приберись тут!

Она устремляется вслед за вампиршей. Следом — Илья. Семен мгновение медлит, говорит:

— Ты, Антон, расслабься. Это в первый раз только трудно. И не переживай, ты его не убивал, ты ему покой подарил.

Он еще раз покровительственно хлопает Антона по плечу и бежит вслед за товарищами. Антон отлепляется от стены, идет к машине. Открывает багажник «мерседеса» — ключи были оставлены прямо в замке зажигания. В багажнике — обычное никелированное ведро, совок, веник. Антон с инвентарем возвращается в подворотню и начинает неторопливо сгребать останки вампира в ведро.

Кабинет. Большой и современно обставленный кабинет крупного начальника. На ранг хозяина намекает не столько хорошая обстановка, дорогой компьютер и прочая канцелярская ерунда, сколько вольно развешенные по стенам, расставленные в шкафах и на отдельных стойках предметы. Похоже, что хозяин кабинета — коллекционер, вот только предмет его увлечения понять трудно. Здесь есть все — старинные веера и

полупустые бутылки мутного стекла, каменные статуэтки и
причудливые деревянные фигурки, колбы с кристаллами внут
ри, широкополая шляпа, чугунный утюг и сверкающая хроми
рованная деталь от какого-то немаленького агрегата, кальян и
старинные деревянные коньки, несколько чучел — мелкие зве
ри и птицы. Выделяется чучело белой совы под стеклянным
колпаком.

Антон сидит в кресле перед столом, сам хозяин прохажи
вается по кабинету. Это немолодой мужчина, во внешности
его есть что-то восточное — но будто стертое временем или
обстановкой. Он в строгом деловом костюме, при галстуке, а в
руках мусолит сигару — будто карикатурный буржуй из рево
люционной пропаганды. Временами Антон порывается встать,
но каждый раз его останавливают повелительным жестом.

— Плохо! — резко рубя воздух рукой, говорит хозяин ка
бинета. — Плохо, Антон! Эта парочка за неделю совершила
пять убийств! Последнее из них — вчера утром. И ты, выйдя
на них, упустил вампиршу!

— Борис Иванович... — Антон пытается привстать. — Но...

— У тебя был амулет. Его энергии хватило бы на десяток
кровососов. А ты растратил его на пустяки и упустил вампиршу.

— Борис Иванович, я не оперативник. — Антон говорит
это вежливо, но твердо. — Вы знали, что у меня нет навыков
поисковой работы.

— Каждый сотрудник Ночного Дозора должен уметь сра
жаться! — наставительно отвечает Борис Иванович. — Каждый.
Повар, маркитантка, костоправ... программист. Ты три с поло
виной года отсидел в офисе. Стал относиться к службе в Ночном
Дозоре словно к обычной человеческой работе. Пришел, ушел...
от сих до сих... Именно поэтому я поручил охоту тебе.

— Семен, Илья, Игнат, Тигренок, Медведь, Гарик... лю
бой оперативник настроился бы на вампиров за сутки. Что там
за сутки, за ночь... — негромко отвечает Антон. — Взял бы
обоих живьем. И жертв среди людей было бы меньше.

Борис Иванович возвращается за стол, щелкает гильотин
кой, обрезая сигару, и говорит гораздо более мягко:

— Антон, пойми, может наступить ситуация, когда их ра
боту придется делать тебе. И ты должен справиться. Потому

что речь пойдет не об одном человеке, а о десятках и сотнях! Да, трудно учиться плавать, когда тебя бросают на глубину. Но ты засиделся в конторе!

— Мне кажется, причина не только в этом, — говорит Антон осторожно.

Борис Иванович раскуривает сигару. И примирительно отвечает:

— Да, не только. Ты должен понимать, кто такие Темные. Вампир может быть честным и законопослушным гражданином. Он даже может быть милым и приятным в общении. Но он не человек! Иногда ему необходима живая кровь. Ты должен это понимать!

Они смотрят друг на друга, будто Борис Иванович что-то не договаривает — и Антон знает это.

— Я понимаю.

Борис Иванович кивает:

— Хорошо, если так... Ладно. Продолжим разбор полетов. Ты упокоил вампира, молодец. Ты упустил вампиршу, это очень плохо. Она стала упырем недавно, сейчас ей необходимо много крови. Она не знает о существовании Дозоров и Договора между силами Тьмы и Света... или не представляет всей серьезности наших отношений. Что из этого следует? Она будет нападать и нападать на людей. Кто будет ее следующей жертвой?

— Мальчик? — предполагает Антон. — Она ведь уже на него настроилась, приманила...

— Верно, — кивает Борис Иванович. — Установим наблюдение за парнишкой и возьмем ее... Ты проследил, где живет мальчик?

Антон молчит.

— Кстати, как он мог уйти? — спрашивает шеф. — Человек, которого вампир наметил в жертву и приманил, должен был потерять сознание. Ты проверял мальчика на способности Иного?

Антон качает головой, опускает глаза. Борис Иванович смотрит на него. Повисает тягостная пауза.

— Ладно, — кивает Борис Иванович. — Найдем... это может быть крайне интересным. А что случилось в метро, когда ты разрядил амулет?

Антон явно рад переходу на другую тему:

— Я осматривался сумеречным зрением, искал будущую жертву... чувствовал, что она где-то рядом. И вдруг увидел девушку, а над ее головой — черный вихрь...

— Сколько историй начиналось с фразы «вдруг увидел девушку»... — говорит Борис Иванович. — Продолжай. Нет, постой. Показывай!

Он кивает на стену, где висит белый экран — как для кинопроектора. Антон морщится, смотрит на экран — и там появляется изображение. Вначале мутное, потом становится четким — лицо девушки, черный вихрь над ее головой... все остальные детали размыты и будто не в фокусе.

— Мне показалось, что такой большой вихрь надо нейтрализовать, что это очень важно...

— Размеры вихря?

— Высота — около полутора метров, диаметр — метр.

— Антон, — выдержав паузу, произносит Борис Иванович. — Ты не преувеличиваешь?

— Нет. Вы же видите! — Антон отворачивается от экрана, и изображение исчезает.

— Я вижу только то, что ты вспоминаешь. А память порой подводит... у страха глаза велики... — Борис Иванович вздыхает и признает: — Хорошо, верю. Тогда ты был прав, Антон. Черный вихрь таких размеров — это большая опасность. Когда человека проклинает человек, вихрь не может превысить сорока — сорока пяти сантиметров. Ну, шестьдесят... если уж очень сильно ненавидит! Нет, Антон, девушку проклял Иной.

— Черный маг? — спрашивает Антон.

— Не обязательно. Сейчас не Средневековье, они не настолько смелы. Скорее всего твоя таинственная незнакомка поссорилась с потенциальным Иным, еще не знающим о своей силе. На ногу в метро наступила, зарвавшегося наглеца одернула. Ну... тот и пожелал ей смерти.

Борис Иванович барабанит пальцами по столу. Продолжает:

— А что случилось после того, как ты развеял вихрь?

— Я его не развеял.

— Но ведь ты активировал амулет!

— Да. Вихрь отнесло в сторону, потом он вернулся... — Антон тревожно спрашивает: — Это значит, что она умрет?

Борис Иванович молчит. Потом нажимает кнопку селектора, приказывает:

— Семена и Гарика сюда.

Смотрит на Антона:

— Ты кому-нибудь это рассказывал?

— Нет.

— Антон, если ты не смог уничтожить вихрь, значит, он еще только растет. Подпитывается энергией. Понимаешь?

— Девушка умрет, — говорит Антон.

— Нет, ты не понимаешь... — Борис Иванович подходит к стеллажу с книгами, достает какой-то большой том, быстро находит нужную страницу — там схемы, нарисованные в немного старомодной манере. Фигуры людей, а над ними — черные вихри разного размера и текст. Картинки тут же начинают двигаться, будто мультипликационные кадры, — люди шагают на месте, вихри крутятся... Борис Иванович кладет том перед Антоном и продолжает говорить: — Вихрь десяти — двадцати сантиметров возникает при проклятии средней силы. Последствия — тяжелые болезни, потеря работы, разводы. Сорок — сорок пять сантиметров — это верная смерть. От неизлечимой болезни, от ножа пьяного гопника... Полтора метра — это уже общая трагедия. Упавший с моста автобус, взорвавшийся газ, спятившие бандиты, затеявшие перестрелку посреди улицы. Девушка не просто умрет, погибнут и те, кто рядом с ней.

— Но если вихрь еще растет...

— Это катастрофа. Доползет до пяти метров — я не берусь предсказать последствия. Падение самолета на жилой квартал... вспышка не существовавшей ранее инфекции... атомный взрыв. Жил когда-то в городе Хиросиме один вздорный Темный маг, очень любивший решать все проблемы при помощи проклятия... и чем-то его обидел сосед...

В кабинет входит Семен и еще один дозорный, Гарик, по виду — совсем уж простой и не отягощенный интеллектом.

— Доброе утро, шеф, — говорит Семен без особого пиетета.

— Доброе утро, Борис Иванович, — очень интеллигентным голосом говорит Гарик. — Я подготовил прогностический анализ по Центральному округу на следующий квартал...

— Садитесь, — прерывает его Борис Иванович. — Вчера Антон истратил заряженный мной амулет на чье-то проклятие, повисшее над хорошенькой девичьей головкой.

Семен и Гарик, присев, внимательно слушают. Борис Иванович делает короткую паузу и продолжает:

— Черный вихрь был высотой в полтора метра и диаметром в метр.

— Ого, — говорит Семен. Смотрит на Антона с уважением. Гарик только качает головой.

— Вихрь не рассеялся, — заканчивает Борис Иванович.

Семен и Гарик переглядываются, встают.

— Разрешите приступать? — спрашивает Семен.

— Вызовите всех, кого сочтете нужным привлечь, — говорит Борис Иванович. — Можете запросить помощь у питерского Дозора... у них есть хорошие оперативники. Снаряжение, деньги... Семен, скажешь в арсенале, что у тебя карт-бланш. Я сейчас закончу с Антоном, он расскажет вам приметы девушки.

Семен спрашивает:

— Возможно, стоит проинформировать Дневной Дозор?

Наступает тяжелое молчание. Наконец Борис Иванович качает головой:

— Нет. Пока нет. Возможно, что они сами замешаны в происходящем...

Семен и Гарик выходят.

— Это так опасно, Борис Иванович? — спрашивает Антон.

— Это еще опаснее. Ты молодец, что использовал амулет. — Борис Иванович досадливо втыкает сигару в пепельницу. — Этим ты выиграл время, сутки или даже двое... Видишь, как получается? Самое простое, самое доброе решение при всей его внешней нелепости оказалось самым верным. Да, ты упустил вампиршу... зато спас сотни людей. Будем надеяться, что спас.

— Мне тоже искать девушку? — спрашивает Антон.

Борис Иванович размышляет вслух:

— Времени на учебу нет... Доведи уж до конца дело с вампиршей, там посмотрим. Проверь в картотеке, кто из людей записан на упокоенного вампира. Возможно, это даст след. Если ничего не получится — отыщи мальчика и устрой засаду. Знаешь, есть такая охота на тигра — с привязанным козленком?

— Люди не козлы, — возмущенно говорит Антон.

- Так и вампиры не тигры. Я дам тебе напарника, Антон. Напарницу.

Борис Иванович встает, подходит к чучелу совы, снимает стеклянный колпак. «Чучело» открывает глаза.

Борис Иванович и сова смотрят друг на друга.

— Вот и дождались, — тихонько говорит Борис Иванович. — Ты все слышала... давай работай.

Сова взлетает и садится на плечо Антону. Тот с опаской косится на птицу, спрашивает:

— Это необходимо? Я ничего не имею против птиц...

— Не все то птица, что в перьях. — Борис Иванович задумчиво смотрит на сову. Садится за стол, всем видом показывая, что разговор окончен: — Иди, Антон. Работай.

— Так с совой и идти? — спрашивает Антон. — По улицам?

— Люди ее не увидят... пока она сама не захочет.

Антон выходит, все еще недоуменно глядя на Бориса Ивановича. В приемной его появление с совой производит некоторый переполох. Молоденькая симпатичная секретарша вскакивает, краснеет, смотрит на сову с какими-то странными смешанными чувствами. Дожидающийся Антона Гарик встает, кивает и очень уважительно говорит:

— Доброе утро.

— Мы же здоровались, Гарик, — отвечает Антон.

Гарик улыбается:

— Я не тебе, Антон. Извини. Давай вспоминай девушку с проклятием...

Антон идет офисными коридорами. Попадающиеся люди смотрят на сову по-разному: некоторые улыбаются или удивляются, но те, кто старше или явно занимают больший пост, сразу же преисполняются уважения, кивают, здороваются — не с Антоном, а с совой.

Обстановка странная — это смесь офиса, учебного заведения и казармы службы спасения или иной полувоенной структуры. В некоторых кабинетах — чинная бюрократическая работа. В других — очереди, взволнованные или плачущие люди что-то рассказывают сотрудникам. В каких-то комнатах, похоже, идут занятия — доска на стене, несколько человек самого разного возраста, от детей до пенсионеров, слушают преподавателя — чинную аккуратную старушку. Увидев сову, та радостно улыбается, потом хмурится и становится задумчивой.

Антон проходит мимо двери с понятным значком «для джентльменов». И вдруг резко бросается внутрь, заскакивает в одну из кабинок. Его тошнит...

Антон вновь идет по коридору. Заходит в дверь с надписью «Вычислительный центр». Просторное помещение, серверы, ряды кондиционеров в окнах, обычный программистский беспорядок на столах, часть компьютеров полуразобрана. За одним из компьютеров сидит молодой бородатый парень, за другим — девочка лет четырнадцати. Похоже, они играют в какой-то три-дэ шуттер — на экране носятся монстры, сверкают разряды, взрываются здания.

— Убит! — радостно кричит девочка. — Антон, смотри, как я Толика сделала! Десять фрагов продул! Ух ты, откуда у тебя сова?

Толик тоже встает, кивает Антону:

— Привет. Все, отпустили?

— Да никуда меня не отпустили... — с досадой говорит Антон. — Тут вообще что-то странное происходит...

— А Тигренок сказала, что ты вампира убил, — с жадным любопытством произносит девочка.

— Упокоил, — поправляет ее Антон. — Была еще вампирша, но она ушла. Вот ее и велели искать...

— Ты уж побыстрее, — беззаботно говорит Толик. — Я тут без тебя как папа Карло вкалываю...

— Вижу, — кивает на компьютер с игрушкой Антон. — Юля, а ты что у нас делаешь?

— Мне назначили месяц практики в компьютерном центре, — говорит девочка. — Здорово, верно?

— Угу... — Антон косится на сову. — Слушайте, что это за чудо в перьях? Мне ее Борис Иванович вручил...

— Сам? — уважительно произносит Толик. — Растешь... Наверное, решил, что тебе нужен домашний любимец.

— А я сов не люблю, — встревает Юля. — Они мышек едят, а мне их жалко.

Сова словно бы дремлет. Глаза закрыты, интереса ни к чему она не проявляет.

— Кое-кто из наших с ней здоровается. — Антон кивает на сову. — Представляете?

— Кто именно? — спрашивает Толик.

— Гарик, Полина Васильевна... а секретарша шефа чуть со стула не упала... Толик, вчерашнего вампира опознали?

— Да, конечно.

— Выведи-ка мне данные на него...

Толик подходит к одному из компьютеров, возится несколько секунд. На мониторе появляется файл — фотографии, карты, какие-то данные... Антон быстро проглядывает данные, выделяются отдельные строки:

«Артур Румянцев... двадцать шесть лет... природный вампир... выдана лицензия... выдана лицензия...»

— Два раза получал лицензии, собака, — мрачно говорит Антон.

— Какие лицензии? — интересуется Юля.

Антон и Толик переглядываются.

— Охотничьи. На людей.

Юля не верит, переводит взгляд с Антона на Толика.

— Понимаешь, — говорит Антон, — вампирам иногда нужна живая кровь. В период роста, по меньшей мере один раз, и... в брачный период. Как комарам. Поэтому, если вампир законопослушный, если не нападает на людей по своей воле, он может прийти к нам, в Ночной Дозор... и получить лицензию на охоту. Изредка.

— И ему... разрешают?.. — возмущенно кричит Юля.

— Да. Случайным образом выбирается кто-нибудь из людей.

— Так ведь нельзя делать! — говорит Юля. — Мы ведь должны их защищать!

— А мы и защищаем. Если не давать лицензии — вампиры будут таиться от нас и нападать на кого попало. Убивать людей десятками. Мы только и будем делать, что за ними гоняться. Поверь, лицензии — это меньшее зло.

— И меня могли отдать вампиру? — спрашивает Юля.

— Тебя нет, ты ведь не человек, ты Иная.

— А когда я была маленькая и вы про меня не знали?

— Могли, — признается Антон.

Склоняется над. компьютером. Смотрит файлы. «Лицензия выдана... мы, нижеподписавшиеся, подтверждаем, что генератор случайных чисел выдал номер жительницы города Москвы Ларисы Грачевской... лицензия открыта...» Фотография — той самой вампирши, которую Антон упустил.

— Вот она... — говорит Антон. — Шеф был прав. Вампиру выдали лицензию на эту девушку, а он не стал ее убивать. Высосал немного крови — и превратил ее в вампиршу. Разрешения у него не было, а у новообращенного вампира страшный голод. Свежую донорскую кровь мы отслеживаем, консервированная не годится... Они и стали браконьерствовать... пять убийств подряд.

— Зачем он это сделал? — удивляется Толик. — Он же знал, что за такое казнят!

Антон пожимает плечами. Делает распечатку, прячет лист в карман.

— Пойду я...

Пожимает руку Толику, смотрит на Юлю. Та сидит спиной к ним, мрачно смотрит в неработающий монитор.

— Пока, Юлька.

Девочка не отвечает.

Квартира Антона. Он входит, уже привычно поглядывает на сову — та дремлет на плече. С иронией спрашивает:

— А в душ ты тоже со мной отправишься?

Сова приоткрывает один глаз. Вспархивает с. плеча, летит по коридору. Антон идет следом, заглядывает на кухню — сова уселась на холодильнике. Пожимает плечами. Говорит:

— Сдается мне, что мышей ты ловить не станешь...

Открывает холодильник, достает колбасу, сыр, нарезает, ставит на стол тарелку. Сова не шевелится.

Антон уходит в ванную. И тут же склоняется над раковиной — его тошнит...

Через несколько минут Антон возвращается, уже в халате. Он побледнел, но вроде бы с ним все в порядке. Смотрит на стол — тарелка пуста. Антон смеется:

— Публично колбасу не клюем? Понимаю.

Уходит, возвращается с книгой — томиком Брема. Смотрит то на рисунок в книге — сова на ветке, то на сову, сидящую на холодильнике. Спрашивает, поплотнее запахивая халат:

— А ты мальчик или девочка? А спишь ты ночью или днем? Спасибо Борису Ивановичу за напарника, но мне бы хотелось работать с человеком...

Он отворачивается, ставит чайник. Сзади слышится шум — будто сыплется песок. Антон поворачивается как раз вовремя, чтобы увидеть, как сова на холодильнике будто рассыпается мелкой пылью — пыль струится вниз, вырисовывая человеческую фигуру, потом силуэт начинает обретать объем и краски. Через несколько мгновений рядом с Антоном стоит молодая женщина. Она странно одета — гимнастерка, военные брюки, причем все старое, словно времен Второй мировой войны. Светлые волосы растрепаны, лицо грязное, но видно, что женщина красива. Она держится очень гордо, с достоинством, которое не зависит от внешнего вида. Женщина улыбается, глядя на Антона:

— Давайте знакомиться.

Голос у нее сильный, низкий. Антон застывает с чайником в одной руке. Кивает:

— Давайте... Антон.

— Ольга. Будем на «ты», партнер.

Она протягивает ему руку — не для рукопожатия, для поцелуя. Антон в последний момент соображает это, целует ладонь.

— Ты умница, партнер, — говорит ему женщина. — Я все ждала, когда ты разрешишь мне сбросить перья.

— Разрешу?

— Конечно. Я ведь временно придана в твое распоряжение и обличье совы могу покидать лишь с твоего согласия. У тебя найдется женская одежда?

— Да... зачем? — растерянно спрашивает Антон.

Ольга улыбается.

— Может быть, джинсы? — спрашивает Антон. — И какая-нибудь рубашка... или свитер...

— Да хоть сюртук и панталоны. — Ольга идет мимо него в ванную, останавливается на пороге. — Как пользоваться... этим?

Антон заглядывает через ее плечо. Медленно поворачивает голову, смотрит ей в лицо:

— Чем?

— Краном, — спрашивает Ольга, глядя на «шаровой» смеситель.

— А... это просто... — Антон показывает. — Вот так и так...

— Принеси мне одежду, — просит Ольга. — И полотенце.

Антон выскакивает из ванной. Роется в шкафу, достает какие-то джинсы, тонкий свитер, с сомнением смотрит на «семейные» трусы, качает головой. Достает закрытую сумку, задумчиво смотрит на нее. Потом горько улыбается, открывает и роется — там всякая женская мелочевка. Антон извлекает из сумки женское белье, носки, несет все это к ванной, стучит в дверь.

— Зайди, — сквозь шум воды зовет Ольга.

Антон заходит. Ольга стоит под душем, медленно водит лейкой по телу. Поворачивает голову, говорит:

— Знаешь, я шестьдесят лет этого ждала...

— Чего? — спрашивает Антон.

— Возможности вымыться. — Ольга улыбается. — И ничего более.

— Ты оборотень? — спрашивает Антон.

— Нет оборотней, способных перекинуться в птицу, — отвечает Ольга. Ловит губами воду. Продолжает: — Это тело... вроде ссылки. Наказание.

— Я никогда не слышал о таких наказаниях, как твое... — признается Антон.

— Ты и о проступках таких не слышал, как мои... — говорит Ольга. — Сколько лет ты Иной?

— Четыре года.

Ольга улыбается. Потом говорит:

— Спасибо за одежду.

Антон спохватывается, выходит. Уже из-за двери говорит:

— Извини, белье не новое. Но чистое.

— На войне — как на войне, — весело отзывается Ольга. — Я очень надеялась на забывчивых подружек.

Антон улыбается, идет на кухню. Но тут раздается звонок в дверь. Антон открывает — на пороге стоит молодой парень со стопкой компакт-дисков в руках, тот самый, что утром приносил ему кровь. Он в домашней одежде, в тапочках — похо-

же, вышел откуда-то из соседней квартиры. Говорит, неловко
пряча глаза:

— Вот... я принес.

— Заходи, Костя, — дружелюбно зовет Антон. — Что
встал-то?

— Не надо тебе звать меня в дом, — бормочет парень. Но
входит, прикрывает дверь.

— Звал же раньше — и ничего... — Антон замолкает. —
Так. Ты уже знаешь?

— Знаю. У нас свои новости. — Парень смотрит на него.

— Костик, ты же понимаешь. Это был убийца. Психопат.
Он превратил девчонку в вампира... вместе они убили несколько
невинных людей...

— Мы все убийцы, — говорит Костя. И внезапно улыбается — сверкают клыки.

Антон морщится:

— Не паясничай.

— Я — вампир, — произносит Костя. — Ты — убийца вампиров. Все просто, верно?

— Я Иной, — говорит Антон. — И ты Иной. Наши разно-
гласия... это уже вторично.

— Нет, — убежденно говорит парень. — Это так только
казалось. Родители просили передать... чтобы ты не заходил.
И еще — они возвращают приглашение приходить к тебе в
гости. И я тоже возвращаю.

— Ты никого не убивал, — говорит Антон. — Я не хочу
относиться к тебе как преступнику.

— Но ведь я убью, — убежденно говорит Костя. — Рано
или поздно. Мне уже нужно, понимаешь? Я приду в ваш офис
и подам заявку. Мне выпишут разрешение... как Артуру. А
потом, может быть, убьют. Как Артура.

— Ты его знал? — спрашивает Антон.

— Да. Нас очень мало, Антон. Ты же знаешь. — Парень кладет стопку дисков на полку. — Не следует нам общаться. Дурная
была идея — дружить Светлому магу и семье вампиров.

— Понятно, — говорит Антон после паузы. — Что ж... Ладно. Мне тут выдали... свежую донорскую кровь... чтобы на-
строиться на зов вампиров. А я обошелся говяжьей...

— Говяжьей, значит, обошелся. — Костя улыбается. — Телячьи нежности. Знал бы, зачем она тебе, — ни за что бы не поделился!

— А ты что думал, я решил на ваш рацион сесть? — спрашивает Антон. — Забери кровь, вам нужнее.

— Не надо нам подачек!

— Я же знаю, что вам вечно не хватает! — резко говорит Антон. — А мне что с ней делать? Выбрасывать?

Он быстро проходит на кухню, приносит несколько пузырьков с донорской кровью. Сует в руки Косте:

— На, бери!

Костя молча сдирает крышку с одного флакона. Запрокидывает, делает глоток. Смотрит на Антона, вытирает рот, спрашивает:

— Противно?

— Многие люди нуждаются в переливаниях крови. Каким образом эту кровь переливают... не так уж важно, — отвечает Антон.

— Сам-то ты ее пить побрезговал.

— Я не вампир! И ты еще никого не убивал...

— Это ненадолго. — Костя собирается что-то еще сказать, но вдруг смотрит через плечо Антона и теряется. На его лице паника.

Антон оборачивается, в коридоре стоит Ольга. Одетая, причесанная, очень уверенная. Произносит:

— Как мило. Умненький-разумненький вампиреныш...

Костя начинает пятиться, сжимая в руках флаконы.

— Пакет возьми, дурак! — кричит ему Антон. Но Костя уже выскакивает и убегает.

— И славный, наивный Светлый маг, — продолжает Ольга, глядя на Антона. — Это и есть представитель семейства, с которым ты дружен?

— Был дружен, — мрачно отвечает Антон, закрывая дверь. — Он мне даже помог... завтраком, можно сказать, поделился. А теперь... — Антон мрачно машет рукой.

— А что ты хотел, Антон? — спрашивает Ольга. — Хороший вампир — мертвый вампир. Они ведь даже не живые. Одна видимость. Ходячие пиявки.

— Парнишка-то чем виноват? — спрашивает Антон. — Его никто не спрашивал. Его инициировали собственные родители. Костя в четырнадцать лет узнал, что он вампир.

— Тяжело, — соглашается Ольга уже без иронии. — Тяжело и неприятно. А до четырнадцати лет? Как они кровь-то давали мальчику?

— Говорили, что у него малокровие... что надо пить сырую кровь. Не хотели травмировать.

Ольга кивает, раздраженно произносит:

— А какого дьявола тогда сделали вампиром? Ну и рос бы человеком. Родители — вампиры, ребенок — человек. Часто случается.

Антон пожимает плечами. Говорит:

— Ты можешь смеяться или считать меня идиотом... но они были моими друзьями. Милейшие люди...

— Вампиры!

— Милейшие вампиры, — с горечью говорит Антон. — Неужели я виноват, что мои соседи оказались вампирами? И что я уже был с ними дружен?

— Не виноват, — кивает Ольга. — Но тут ничего не поделаешь. Они — Темные. Они вампиры. Зло в чистом виде. Если даже они стараются сдерживать свои позывы — это их не оправдывает. Ты же пытался усидеть на двух стульях, Антон. И в Ночном Дозоре работать, и с вампирами дружить. Но так не бывает!

— Для того меня и отрядили на охоту? — спрашивает Антон. — Верно? А вовсе не для поддержания формы...

— И для этого тоже. Но ты должен был сделать свой выбор... Ничего, вот у меня когда-то был любовник-вампир, это оказалось куда хуже.

Антон и Ольга возвращаются на кухню. Садятся за стол. Антон подавлен, раздраженно спрашивает:

— За это тебя и... наказали?

— За любовника-вампира? Что ты, конечно же — нет. Это было давным-давно... Ладно, партнер, не переживай. Все равно тебе пришлось бы порвать с ними отношения. Стал бы ты общаться с этим милым мальчиком после того, как он убил бы своего первого человека? Вот так-то. Давай лучше подумаем об убежавшей вампирше.

— Я взял ее адрес, — говорит Антон.

Ольга качает головой:

— Она туда не вернется. Уж поверь старухе...

Антон изучающе смотрит на Ольгу.

— Старенькая я, старенькая, — говорит Ольга, кокетливо улыбаясь. — Но еще ничего, верно? — Она серьезнеет. — Давай договоримся, Антон. Формально я придана тебе в помощь. Ничего не имею против. Но постарайся прислушиваться к моим советам, ладно? У меня за плечами очень долгая жизнь.

— Я маг четвертой категории, — говорит Антон. Морщится, будто прислушиваясь к каким-то ощущениям внутри себя. — Я понимаю, это очень немного... но принимать решения все-таки буду сам.

Ольга испытующе смотрит на него, подперев голову ладонями.

— Советы же я выслушаю с благодарностью, — заканчивает Антон. Морщится, сглатывает, подавляя рвотный позыв.

— Хорошо, — говорит Ольга, внимательно глядя на Антона. — Тогда вот мой первый совет...

Она неожиданно хватает Антона за руку и тащит за собой — в ванную. Антон вяло сопротивляется, не понимая, что происходит. Ольга открывает кран, пуская в ванну холодную воду, затыкает слив пробкой, сама при этом говорит, раздраженно и едко:

— Значит, маг четвертой категории? Пошел охотиться на вампиров, выпил крови, победил... а очиститься ты не забыл? Хотя бы молочка попить? Или думал, что все само собой пройдет? Тебя часто тошнит?

Антон кивает. Ольга резко дергает его, наклоняет над ванной, окунает головой в воду. Антон дергается и затихает. От его головы начинают расходиться по воде кровавые струйки. Ольга дает ему мгновение вдохнуть — и снова окунает в воду.

Ванна будто кровью заполнена. Антон сидит на полу, привалившись к кафельной стене; на кафеле, на раковине, даже на потолке — брызги. На лице Антона розовые потеки, волосы слиплись.

— Ничего не проходит бесследно, Антон, — говорит Ольга, стоя над Антоном. — Не думай, что гадость, которой ты наглотался, выйдет сама собой! Не думай, что в тебе не останется следа. Мы делаем грязную работу, Антон! — Она бросает ему полотенце, добавляет: — Вымойся, я подожду.

Ольга выходит. Антон, не вставая, перегибается через край ванны, выдергивает пробку из стока.

Зал в квартире Антона. Он уже переоделся, вытирает голову. Ольга сидит в кресле, смотрит на него.

Антон закачивает приводить себя в порядок. Поворачивается к Ольге, серьезно говорит:

— Спасибо. Я... я не ждал таких последствий. Я приму все твои советы.

Ольга ждет.

— Но решать все-таки буду сам, — заканчивает Антон.

Ольга кивает:

— И на том спасибо. Только одно учти — в образе совы я просидела уже шестьдесят лет. Могу просидеть и шестьсот... если не помилуют. У меня единственный шанс — совершить что-то очень полезное для Ночного Дозора. Тогда Гесер сможет подать апелляцию...

— Гесер?

— Ты его знаешь как Бориса Ивановича.

— Тот самый Гесер? — Антон поражен и даже напуган. — Истребитель чудовищ? Тот, который...

— Ну да, тот самый. Что с того? Каких только имен мы не носили... Раз уж Гесер рискнул меня пробудить — значит близится кризис. Серьезный кризис, где потребуются мои способности.

— А ты на чем специализируешься?

— Снятие проклятий. Так что давай побыстрее закончим с этой сумасшедшей вампиршей и займемся серьезными делами.

— Ясно. — Антон кивает. — Сейчас, только мне нужно собраться...

Он открывает шкаф, выдвигает ящик — там, совершенно открыто, лежат пистолет, обойма с патронами, кобура.

— Пули вампира не убьют. Даже серебряные, — замечает Ольга.

— Не убьют, но задержат... — прилаживая кобуру под мышкой, говорит Антон.

— Игрушки, — усмехается Ольга. — Спирт — и тот на них действует сильнее.

— Что же мне, с бутылкой в руках по городу ходить? — риторически спрашивает Антон. — Так как-то спокойнее... А тебе потребуется оружие? Впрочем, что это я... Судя по тому, как кинулся от тебя Костя...

— Я сама — оружие, — с улыбкой говорит Ольга.

ВДНХ. Где-то возле метро. Людно, магазинчики, прохожие... Антон озирается.

— Бери след, — раздается голос Ольги — и силуэт совы едва заметно проступает на плече Антона. — Если мальчик ходит тут регулярно, то это несложно. Найдем его, найдем и вампиршу.

— Знаю, не мешай, — бормочет Антон. Становится чуть в сторонке, закрывает глаза.

В этот момент к нему подходит молодой человек с большой сумкой в руках. На лице — приторная улыбка:

— Здравствуйте! У вас сегодня счастливый день! Радиостанция «Эхо Москвы» проводит беспроигрышную лотерею для москвичей и гостей столицы! Вы выиграли замечательный подарок — фен для волос...

Антон открывает глаза. Смотрит на парня. Видно, что ему помешали в самый напряженный момент.

— Жульничать — нехорошо, — говорит он напряженным голосом. — Обманывать — плохо. Тебе очень стыдно, что ты этим занимаешься. Очень стыдно!

Парень меняется на глазах. Перестает улыбаться. Смотрит на дешевый китайский фен в руках. На сумку. На его лице появляется непритворный стыд, он пятится от Антона, теряется в толпе.

— Ну и зачем эти мелкие проявления силы? — укоризненно спрашивает Ольга. — Такие действия ничего не решат... Антон!

В этот момент справа и слева от Антона возникают человеческие фигуры. Красивая темноволосая девушка и крепкий рослый парень. Девушка берет Антона за руку и говорит:

— Дневной Дозор. Алиса Донникова, Иная.

— Петр Нестеров, Иной, — говорит парень.

Антон смотрит на них, потом кивает:

— Антон Городецкий, Иной. В чем проблемы?

— Проблемы у вас, Городецкий, — говорит Алиса. — Вы незаконно воздействовали на человека, направляя его на сторону добра.

Конец первой серии

Серия 2

ВДНХ. Где-то возле метро. Рядом с Антоном Городецким стоят Алиса и Петр.

— Антон Городецкий, Иной, — представляется Антон. — В чем проблемы?

— Проблемы у вас, Городецкий, — говорит Алиса. — Вы незаконно воздействовали на человека, направляя его на сторону добра.

— Пошли в Сумрак, — хмуро говорит Петр.

Антон смотрит на свою тень. Делает шаг, тень поднимается ему навстречу. Антон и Алиса с Петром оказываются в сером, туманном мире. Вокруг медленно двигаются тени прохожих.

— Этот торговец? — спрашивает Антон. — И что же я сделал?

— Вы подтолкнули его в сторону Света, Антон. Усилили неприязнь к обману. — Алиса улыбается.

Неожиданно начинает улыбаться и Антон:

— И что? Протокол писать будем?

— Будем.

— И что напишем?

— Незаконное воздействие на людей. Нарушение Великого Договора.

— Вы в таких случаях не церемонитесь, — добавляет Петр, неприязненно глядя на Антона.

— Я на задании, — отвечает Антон. — Этот человек мне мешал. Пришлось его отогнать.

— Какое еще задание?

— Вы можете направить запрос руководству Ночного Дозора. Точнее — ваше руководство имеет право сделать запрос.

Алиса и Петр переглядываются. Похоже, им не хочется вмешивать в дело начальство.

— Ладно, — вдруг кивает Алиса. — В конце концов, все мы — Иные. Ограничимся устным замечанием.

Антон недоверчиво смотрит на Алису. Спрашивает:

— Условия?

— Никаких.

— Нет. — Антон качает головой. — Так не пойдет. Давайте договоримся — если это будет зависеть от меня, я прощу вам мелкое воздействие на человека, ведущее его в сторону зла.

— Соглашение заключено! — быстро говорит Алиса и улыбается.

Сова на плече Антона, до сих пор сидящая тихо, взмахивает крыльями и гневно клокочет. Сотрудники Дневного Дозора отступают на шаг. Алиса делает Антону ручкой, и они исчезают из Сумрака.

— Что ты творишь, Антон! — гневно произносит Ольга.

Антон косится на сову:

— Ничего страшного. Мелкие уступки друг другу... всем приходится на это идти.

— Антон, ты не настолько опытен, чтобы заключать соглашения с Темными! Опытный маг может предвидеть, к чему приведет компромисс... а ты — нет!

— Да уймись, — бормочет Антон. — Ну а что было делать? Протокол писать? Давать делу ход?

— Антон, — укоризненно говорит Ольга. — Не было никакой необходимости магически воздействовать на человека. А уж тем более — идти из-за этого на компромиссы с Дневным Дозором.

— Поздно уже... Что теперь делать?

— Ничего, — признает сова. — Теперь уж — занимайся своим делом. Ищи след мальчишки.

Антон осматривается. В сером Сумраке начинают проступать светящиеся нити, тянущиеся по земле в разные стороны. Антон разглядывает их, размышляет:

«Это прошел Иной. Светлый... гражданский, не из Дозора... а это обычный человек, но он был чем-то очень расстроен... а вот и след Алисы с Петром... как же я мог так увлечься... это тоже Иной, и какой сильный... стоп! А ведь это тот самый мальчик!»

— Я вижу след, Ольга, — говорит Антон. — И ты знаешь, шеф был прав. Этот парнишка — будущий Иной. Как я мог не почувствовать сразу... увлекся преследованием. Он очень сильный Иной!

— Тогда неудивительно, что не сразу поддался вампирам... — говорит Ольга. — Ну что, пошли? Задача становится интересней — перетянем мальчика на нашу сторону. Из таких вот, в детстве напуганных, получаются замечательные, беспощадные оперативники.

Антон делает шаг, выходя из Сумрака. Уверенно идет к подземному переходу.

Квартира — обставлена в меру современно. В большой комнате на кресле дрыхнет ленивый толстый кот. У балконной двери, глядя во двор, стоит подросток — это Егор. Мимо него, что-то фальшиво напевая, проходит мужчина с солидным брюшком, повязывая на шее галстук. Останавливается, спрашивает:

— Егорка, ты что, чеснока наелся?

— Угу, — не поворачиваясь, говорит мальчик.

— Ты же не любил чеснок.

— Я вампиров отпугиваю, пап, — серьезно отвечает Егор.

Отец Егора смеется.

— Ну что ж, насчет вампиров не знаю, а вот грипп ты отпугнешь...

— Папа, а вампиры существуют? — поворачиваясь к отцу, спрашивает Егор. Лицо его напряжено.

Отец перестает смеяться. Подходит к телевизору, разглядывает сложенные возле видеомагнитофона кассеты — «Блэйд», «Маленький вампир», «Дракула».

— Егор, ты слишком увлекся этой темой. Уверен, что тебе надо смотреть эти фильмы?

— Ну... когда я вечером шел домой... — Егор мнется, потом с досадой говорит: — Как-то все уже забылось. В подво-

ротне, там была девушка и парень... у них были клыки во рту...
и еще...

Он трет лоб, неуверенно смеется:

— Чепуха какая-то. Я испугался. Не помню.

— Егор! — Отец кладет ему руку на плечо. Он встревожен. —
Они что-то с тобой сделали? Они дотрагивались до тебя?

— Нет... — подумав, говорит Егор. — Все как-то смутно
помнится. Там еще кто-то появился, я и дал деру.

— Ты вчера прибежал сам не свой, — кивает отец. — Но это
же не значит, что... Егор, подумай сам, может быть такое, чтобы
на самом деле существовали вампиры и никто про них не знал?

Егор пожимает плечами:

— Они же прячутся от людей. Во всех фильмах так гово-
рится.

— Это все, — отец показывает на кассеты, — сказки.
Фантастика. Развлечение. Ну как вампиры могут прятаться в
современном городе? В подвале гроб поставят, под трубами
канализации? А еще в кого поверить? В леших, в волшебников, в ведьм на помеле верхом?

Егор качает головой. Улыбается уже свободнее.

— Хотя знаю я одну кикимору, в бухгалтерии у нас сидит... — таинственным голосом произносит отец Егора, он
явно старается свести все на шутку. — А Петр Семенович
говорит, что его теща — ведьма редкостная.

— Но я действительно кого-то видел... — упрямо повторяет Егор.

— Ты видел кретинов, которые купили резиновые клыки и
пугали прохожих в подворотне, — сердито говорит отец. —
Сколько раз я тебе говорил — не ходи темными дворами!

Егор кивает.

— А чеснок ешь, — примиряюще добавляет отец. — Только зубы потом не забудь почистить.

Он надевает пиджак, треплет Егора по голове и выходит.
Хлопает дверь. Егор быстро идет в прихожую, закрывает замок на два оборота, набрасывает цепочку, задвигает засов. Идет
на кухню. На столе валяется полголовки чеснока. Егор колеблется, потом все-таки берет два зубчика чеснока, разжевы-
вает и мажет получившейся кашицей себе шею. Бормочет:

— Ну я и дурак...

* * *

На лестнице стоят Антон и Ольга — в человеческом теле.

— Может, позвонить? — спрашивает Антон.

— Ты же у нас главный, — ехидно замечает Ольга. — Решай.

— Пошли через Сумрак, — решает Антон. — Осмотримся вначале.

Они ступают в свою тень и в сером сумеречном мире проходят сквозь закрытую дверь. Идут по коридору, заглядывают в комнату, где дремлет на кресле кот.

Внезапно кот просыпается, шерсть у него встает дыбом. Он шипит, глядя на Антона и Ольгу. Кот тоже цветной в этом сумеречном мире.

— Кис-кис-кис, — ласково говорит Ольга. — Хороший котик, не надо нас бояться. Мы в Сумраке ходим, так ведь и ты умеешь... Да замолчи ты, кусок меха!

Из зала доносится истошный кошачий мяв. Егор бросается на звук — и видит, что кот со вздыбленной шерстью орет, глядя на пустой угол комнаты.

Егор пятится, глядя на пустую комнату. Кричит:

— Кто здесь? Кто?

Кот спрыгивает с кресла, пулей уносится под диван.

— Я знаю, что вы здесь! — в ужасе кричит Егор. — Я знаю, знаю! Я вас не боюсь!

Перед Егором на полу — его тень. Крича и всматриваясь в пустоту, он непроизвольно делает шаг вперед. И тень начинает шевелиться, поднимается навстречу...

Антон и Ольга из Сумрака наблюдают за Егором.

— Ну вот, — устало говорит Ольга. — Мальчик и впрямь Иной, он нас чует. Покажемся? Или заморозим?

— Давай лучше... — начинает Антон. И вдруг силуэт Егора обретает краски, убыстряется — он тоже вошел в Сумрак.

Егор в панике оглядывается, не понимая, что произошло. Смотрит на Антона и Ольгу. Кричит:

— Я вас вижу! Не трогайте меня!

Антон и Ольга растерянно переглядываются. Антон делает шаг к Егору:

— Мы друзья. Не бойся...

Егор молчит, в ужасе глядя на них.

Антон поднимает руки, демонстрируя пустые ладони. Говорит:

— Не бойся. Мы не вампиры. Мы твои друзья.

— Кто вы... — тихо спрашивает Егор.

— Мы из Ночного Дозора. Помнишь, что было вчера вечером? Хоть немножечко помнишь? Подворотня, вампиры... потом появился я. Меня зовут Антон, а это — Ольга. А как тебя звать?

— Егор... — Он вдруг закрывает глаза и падает.

Ольга подскакивает к нему, оттягивает веко. Говорит:

— Потерял сознание. Он не умеет находиться в Сумраке... как вообще сумел войти...

— Как его вытащить? — опускаясь на колени рядом с Егором, спрашивает Антон.

Пространство вокруг них темнеет. В сером тумане возникают завихрения, сгустки, слышится низкий тягучий гул.

— Сумрак тянет из него силы! — кричит Ольга. — Отвлеки!

Антон молча тянет из кармана перочинный ножик, открывает лезвие. Кивает Ольге:

— Тащи пацана!

И полосует себя по руке. Брызжет кровь.

Серый туман концентрируется вокруг Антона. Антон встает, шатаясь, делает шаг — серые щупальца тумана тянутся к нему, обвиваются вокруг окровавленной руки. Антон пошатывается, несколько раз пытается рвануться вперед, но его будто что-то останавливает. Наконец появляется его тень — и Антон шагает в нее, чтобы повалиться в обычном мире и без сил упасть на пол. Рука кровоточит, Антон зажимает порез.

Секундой позже в комнате материализуется Ольга, придерживающая под мышки бесчувственного Егора. Егор слабо шевелится, открывает глаза. Смотрит на Ольгу, на Антона. Ольга бросает мальчишку в кресло, садится рядом с Антоном. Прикрикивает на Егора:

— Что расселся? Бинт тащи!

Егор на заплетающихся ногах бежит из комнаты. Бросается к двери, останавливается. Потом идет на кухню, достает из шкафа коробку из-под ботинок — в ней пузырьки, баночки, разные лекарства. Берет бинт и бежит в зал.

Антон уже сидит на диване, морщась, смотрит на руку. Берет у Егора бинт, начинает заматывать руку, Ольга помогает ему.

— Кто вы? — снова спрашивает Егор.

— Я же сказал — мы из Ночного Дозора, — отвечает Антон. — А Ночной Дозор — это полиция Иных: магов, волшебников, оборотней, вампиров...

Егор осторожно присаживается на диван, подальше от Антона и Ольги. Спрашивает:

— Почему все было таким... серым... неподвижным? Это вы сделали?

— О... — страдальчески произносит Ольга. — Сколько сотен раз я вела эти разговоры? Антон, ты как? Сумеешь все объяснить? Только попроще.

— Попробую. — Антон поворачивается к Егору. — Про то, что среди обычных людей встречаются Иные, ты уже понял?

Егор кивает.

— Так вот, как раз нас обычные люди и зовут волшебниками, колдунами... ну или экстрасенсами. Это уж кому как больше нравится. Иной отличается от человека только одним — он может входить в Сумрак. Вот как раз в Сумраке мы только что и побывали.

— А что такое Сумрак? — спрашивает Егор.

— Сумрак — это другой мир. В нем нет своей жизни, в нем меняются законы природы. Из Сумрака виден обычный человеческий мир, но словно сквозь мутное стекло, а из нашего мира Сумрак можно только почувствовать. Тебе когда-нибудь снились сны, в которых ты зажигал свет, но лампочка загоралась тускло-тускло, и все было замедленным, будто под водой, и появлялся страх?..

Егор несколько раз кивает, с испугом глядя на Антона.

— Такие сны — верный признак Иного. Это Сумрак дышит в нас, зовет к себе. Чтобы войти в него, надо суметь увидеть свою тень как дверь между мирами. И шагнуть в нее... или заставить тень шагнуть в тебя. У тебя это получилось.

— Значит — я Иной? — уточняет Егор.

— Верно. И очень сильный Иной, раз сумел войти без тренировки. Но в Сумраке надо быть очень осторожным, он тянет из тебя силы, и можно потерять сознание, умереть, раствориться. Это с тобой едва-едва не случилось. Мне пришлось разрезать руку, чтобы Сумрак отвлекся на мою кровь.

Егор смотрит на забинтованную руку Антона. Кивает.

— Но если ты умеешь контролировать себя, закрываться, то подчинишь себе Сумрак, — продолжает Антон. — Он тянет энергию и из обычных людей, а ты можешь перехватывать ее, использовать. Это и называют волшебством.

— Покажите! — быстро говорит Егор.

Антон с улыбкой смотрит на Ольгу. Та вздыхает, говорит:

— Егор, будь хорошим мальчиком, напои гостей чаем? Мы ведь тоже из сил выбились, тебя спасая. А потом будут и фокусы, и чудеса.

Кухня. Антон и Ольга сидят за столом, Егор суетится, разливая чай. Лезет в шкаф, достает коробку конфет.

— Не попадет от мамы? — спрашивает Ольга. Подносит к губам чашку, хмурится: — Кипяток...

Она ставит чашку, смотрит на нее. Чай начинает мутнеть, застывает в стакане куском коричневого льда.

— Перестаралась, — говорит Антон. Они переглядываются с Ольгой, тихонько улыбаясь. Антон протягивает руку — лед тает, превращаясь в чай.

— Как вы это делаете? — спрашивает Егор. — Я тоже так хочу...

— Этому учат, — объясняет Антон. — У Иных есть свои школы.

— Школы? — возмущенно произносит Егор. — У волшебников — школы? А что еще вы... о!

Он хватает со стола вазочку с цветами, выплескивает воду, цветы бросает в мойку, а вазочку кидает на пол. Вазочка разлетается на куски. Егор спрашивает:

— Можете ее сделать снова целой?

— Нет, — говорит Ольга. — Ну и попадет же тебе.

Егор с ужасом смотрит на осколки.

— Ольга, не смейся над ребенком, — укоризненно говорит Антон. — Задачка-то для начинающих.

Смотрит на осколки — те стягиваются, срастаются, вазочка снова целая.

— Класс, — только и говорит Егор, поднимая вазочку и недоверчиво осматривая. — Я тоже так хочу.

— Научишься, — обещает Антон. — Только вначале надо закончить с той вампиршей.

С Егора вмиг слетает веселость. Он вопросительно смотрит на Антона.

— Представь, что ты стал Иным, — говорит Антон. — Ты пользуешься силой, забирая ее из Сумрака. Конечно же, тебе хочется, чтобы силы в Сумраке было побольше. А ведь Сумрак получает ее от людей... от любых сильных человеческих эмоций. Как ты думаешь, что проще — обрадовать человека или причинить ему боль?

Егор кивает.

— Отсюда и разница между Темными и Светлыми. Темные в грош не ставят людей и делают с ними что хотят. Кое-кто даже становится вампиром, ведь убить человека в Сумраке, выпить его кровь — это получить очень много энергии, — продолжает Антон. — Многие века между теми, кто готов на все ради силы, и теми, кто хотел защитить людей, шли войны. Никто не смог победить. Поэтому был заключен Великий Договор — о перемирии между Светлыми и Темными магами. И были созданы Ночной Дозор — следящий за Темными, и Дневной Дозор — следящий за Светлыми.

— И вот из-за вашего Договора меня хотел убить вампир, — заключает Егор. — А что с ними стало?

— Вампир мертв, — отвечает Антон, — а вот вампирша убежала. Она обязательно вернется, чтобы напасть, ты для нее — самая желанная добыча.

— Но не бойся, — говорит Ольга. — Мы тебя защитим.

— Хорошие дела, — мрачно говорит Егор. — А когда придет? Ночью? А как же вы будете ее ждать, что скажут родители?

— Егор, — говорит Ольга. — Нам достаточно сказать твоим родителям пару слов — и они поверят, что мы их лучшие друзья, которых они сами пригласили погостить пару дней. Это даже проще, чем склеить разбитую вазочку.

И в этот момент в кармане у Антона звонит телефон.

— Да, — произносит Антон в трубку. — Нашли, сидим и беседуем... знаешь, мальчик — очень сильный Иной... Что? Да. Хорошо... подъезжайте.

Он смотрит на Ольгу, прячет трубку.

— Это Тигренок. Шеф поручил ей охоту на вампиршу. А нас срочно требуют в Перово.

— Нашли? — коротко спрашивает Ольга.

— Да. И зачем-то им нужны мы.

— Вы уйдете? — с тревогой спрашивает Егор.

— Уйдем, но ты не волнуйся. Тебя будут охранять очень хорошие Иные.

Подъезд. У открытой двери, в которой стоит Егор, беседуют Антон с Ольгой и Тигренок, которую сопровождает рослый мрачный здоровяк. Егор опасливо поглядывает на новоприбывших.

— Там очень жарко, — откидывая со лба волосы, говорит Тигренок. — Нашли ее быстро, начали работать... и тут такое завертелось... Шеф затребовал вас.

Она все время украдкой поглядывает на Ольгу, ревниво ее изучая. Ольга смотрит на девушку ласково и покровительственно.

— Понимаю, зачем там Ольга, — говорит Антон. — А вот я зачем понадобился?

— Шефа спросишь. Для нас там точно работы нет, — фыркает Тигренок. Опускает глаза к полу, оживляется: — О, маленький брат...

Она наклоняется и берет на руки кота, вышедшего из квартиры. Кот жмурится, блаженствует в ее руках.

— Егора охраняйте, — строго говорит Ольга. — Хороший мальчик и с поразительными способностями. Он сам сумел войти в Сумрак!

— Охраним, — весело отвечает Тигренок. Протягивает мальчику руку: — Привет, Егор!

— Пока, Тигренок. Пока, Медведь. — Антон пожимает руку молчащему спутнику Тигренка. — Удачи.

Они с Ольгой входят в лифт. Ольга задумчива.

— Слушай, это правда, что Медведь раньше был Темным? — спрашивает Антон. — Оборотнем? А потом перешел из Дневного Дозора в Ночной?

— Согласно всем учебникам для начинающих магов, переход с Темной стороны на Светлую невозможен, — рассеянно отвечает Ольга.

— А на самом деле?

— А на самом деле это личное дело Медведя, и мы не станем его обсуждать.

Антон немного смущается. Они выходят из лифта, спускаются к подъезду — там стоит машина, за рулем — Семен. Едва он видит Ольгу, как его лицо меняется, он выходит из машины, открывает для Ольги дверцу. Произносит:

— Рад вас видеть, Великая.

— А ты совсем не изменился, Колобов, — кивает ему Ольга. — Рассказывай, что там случилось.

Семен начинает рассказывать уже в машине, выруливая со двора и гоня куда-то на большой скорости:

— След нам Антон дал хороший. Прочесали мы кольцо, потом всю ветку... нашли, в общем. Зовут женщину Светланой, работает она врачом, в поликлинике. Сегодня даже на работу не пошла, больной сказалась. И неудивительно... вихрь над ней был — четыре с лишним метра.

— Проклятие усиливается, — озабоченно говорит Ольга. — Кто-то по-прежнему ее ненавидит... Искали?

— Все проверили. Работу, бывшего мужа, школьных друзей, родственников... Ничего нет, Ольга. Нет в ее окружении сильных магов. Вообще Иных нет! Да и врагов-то — кот наплакал.

— Пациенты? — предполагает Антон.

— Верно мыслишь, — соглашается Семен. — Мы весь ее участок прочесали. Думали, вдруг плохо кого-то лечила, а у больного — способности Черного мага... Нет же! Трое Иных на участке. Старушка-ведунья, которая в ней души не чает, один Светлый маг, штатский, один черный маг — но слабенький и законопослушный. Наблюдение за ним установили, но это пустое, ни при чем он.

— Не люблю я такие случаи, — глядя в окно говорит Ольга. — Если человек со всех сторон положительный и врагов-то у него настоящих нет... тут жди подвоха.

— Знаешь, я бы сказал — нет никакого подвоха, — отвечает Семен. — Прекрасный человек эта Светлана. Добрая, умная, честная. Хоть в пример ее ставь.

— Но ведь откуда-то взялось проклятие? — риторически спрашивает Ольга. — Пытались что-то сделать?

— Пытались. — Семен косится на Ольгу. — Борис Иванович направил к ней Игната. Ты его и не знаешь, наверное, он в Дозоре лет тридцать, не больше. Красавец, романтик... женщин влюбляет в себя мгновенно, мужиков — за минуту. Постановило наше мудрое начальство, что он завяжет со Светланой небольшой флирт, попутно узнает про все неприятности, черный вихрь немножко укоротит... — Семен крякает. — В общем, гладко было на бумаге. Познакомились они в магазине, куда наша бедняжка за кефиром вышла. Через час у нее дома пили коньяк. Игнат ей понравился, все вроде как наладилось... и тут вихрь стал расти. Пришлось срочно отзывать парня...

— Сколько сейчас вихрь? — резко спрашивает Ольга.

— Семь метров, — отвечает Семен.

Антон смотрит на Ольгу. Спрашивает:

— Ты справишься?

Ольга пожимает плечами. Она в задумчивости.

Перово. Вечереет. Антон, Ольга и Семен идут по тротуару. Впереди — девятиэтажная панелька. Слышится вой — словно во всех окрестных домах безумствуют собаки.

— Животные чуют, — говорит Ольга. — Ох как плохо... Я бы посоветовала эвакуировать этот район... но как бы не пришлось эвакуировать весь город.

— Шутишь, Великая? — спрашивает Семен.

— Почти нет.

Ольга берет Антона за руку. Кивает:

— Смотри сквозь Сумрак. Вон он, паршивец...

Антон смотрит сумеречным зрением. Серая мгла, силуэты домов — и впереди внутри девятиэтажки вращается тугая черная спираль.

— Почти восемь метров, — говорит Ольга. — Не знаю. Не представляю, какова должна быть сила мага, наславшего такое проклятие...

Голос ее дрожит.

— Туда идем? — неохотно спрашивает Антон.

— Нет, что ты. Оперативный штаб в соседнем здании, — кивает Семен.

Все трое подходят к одному из подъездов соседнего дома. Подходят к двери на первом этаже, Семен открывает — дверь не заперта. Обычная квартира, ничего примечательного... только в ней очень много Иных.

Повсюду суета. На кухне — красивый молодой мужчина пьет кофе и жалуется кому-то:

— Все я делал как положено! Первый раз, что ли, дамочек успокаивать?

В одной комнате — полно сотрудников Ночного Дозора. В центре комнаты, на журнальном столике, вращается без всякой опоры светящийся шар метрового диаметра. В шаре мелькают разноцветные всполохи, какие-то лица, здания...

— Тоже отпадает... — говорит кто-то из дозорных.

— Следующий — Роман Карпов, врач-терапевт, последний контакт с объектом — вчера утром, — откликается коллега Антона Толик, сидящий за ноутбуком.

— Начинаем. — Дозорные снова вглядываются в светящийся шар.

— По второму кругу пошли проверять... — говорит Семен.

— А где хозяева квартиры? — спрашивает Антон.

— Да в той комнатке, — машет рукой Семен. — Посадили их у телевизора, чтобы под ногами не путались.

Антон с любопытством приоткрывает дверь, заглядывает в комнату. Перед работающим телевизором, показывающим какую-то «мыльную оперу», сидит семья — мужчина, женщина, старик, двое детей. У всех — совершенно безучастные лица,

кроме телевизора, их ничто не волнует. Антон аккуратно прикрывает дверь.

— Вам туда. — Семен показывает на еще одну закрытую
дверь. — Борис Иванович там.

Антон и Ольга входят. Это маленькая спальня. На дву-
спальной кровати полусидит-полулежит Борис Иванович. Он
одет непривычно — в восточном халате, мягких туфлях. У кровати стоит кальян, который он курит, дым от кальяна клубит-
ся по всей комнате. У окна, выходящего на дом, где живет
Светлана, стоят Илья и Гарик.

— Входи, Антон, — говорит Борис Иванович. Ольге он
только кивает, но смотрит на нее пристально и с каким-то
особым выражением.

Антон делает шаг — и вдруг видит еще одного человека,
тихо и неприметно сидящего в углу комнаты на корточках.
Это мужчина средних лет, скорее даже пожилой, одетый в
темный неброский костюм, серую рубашку, коротко стри-
женный...

Взгляды Антона и мужчины встречаются — и Антон отшатывается.

— Выдай ему защитный амулет, — говорит Борис Иванович, обращаясь к неизвестному.

— Я ничего не делаю. — Мужчина улыбается. — Только
смотрю.

— Выдай. Мои сотрудники должны быть иммунны к на-
блюдателям от Темных. Особенно — к таким, как ты.

Мужчина достает из кармана резной костяной амулет на
цепочке. Протягивает Антону.

— Бросай, — говорит Антон.

Мужчина бросает амулет, Антон ловит его. Говорит:

— Имя.

— Завулон, — негромко отвечает мужчина.

— В тебе нет больше власти надо мной, Завулон, — произносит Антон. Амулет на миг вспыхивает багровым свечением.
Антон надевает его на себя, заправляет под рубашку.

— Это лишнее, Гесер, — говорит Завулон. — Сложившая-
ся ситуация Темным тоже не нравится. Я лишь наблюдаю и не
покушаюсь на твоих сотрудников.

— Вот и сохраним статус-кво, — отвечает Гесер и снова поворачивается к Антону: — Видишь, как все сложилось? — Антон кивает. А Гесер спрашивает Ольгу: — Скажи, ты можешь справиться с черным вихрем такого размера?

Ольга некоторое время смотрит в окно. Потом качает головой:

— Могу, если проклятие не будет подпитываться со стороны. Но ведь ее кто-то продолжает проклинать?

— Да... — Гесер затягивается кальяном, потом спрашивает: — Антон, ты удивлен, что я вызвал тебя?

— Немного, — признается Антон.

Гесер кивает:

— Мы делаем все, что можем. Привлекли всех Светлых Иных из запаса — по Москве полно потенциально опасных объектов. Но мы не в силах контролировать все.

— Дневной Дозор тоже работает, — вставляет Завулон. — Час назад в Подмосковье мы предотвратили вирусную утечку... с одного серьезного объекта. Нам не нужен глобальный катаклизм.

Гесер с некоторым сомнением смотрит на Завулона:

— Ты должен знать, Завулон, если катастрофа все-таки случится — мы выжмем из нее максимум. Сделаем все, чтобы повернуть людей к Свету.

Завулон улыбается:

— Еще раз повторяю — это не наша работа. У нас нет никаких проектов, требующих такого количества темной энергии. Но если уж катастрофа произойдет... Количество людей, которые ужаснутся произошедшему, прольют слезы и посочувствуют горю, будет велико. Но неизмеримо больше окажется тех, кто будет наслаждаться чужой бедой, радоваться, что она миновала их город. Ты знаешь это, враг мой.

Гесер отворачивается от Завулона. Встает, подходит к Антону. Говорит, внимательно глядя на него:

— В общем — затыкаем пробоины в днище корабля, а он уже разламывается пополам... Антон, вся надежда на тебя. Ты на нее завязан.

— Что? — недоуменно спрашивает Антон.

— Ты, Антон Городецкий, программист, сотрудник Ночного Дозора, завязан на девушку, над которой висит эта черная гадость. К тебе она отнесется совсем иначе, чем к другим.

— Почему? — спрашивает Антон. — Почему именно я?

— Не знаю. — Гесер разводит руками. — Возможно, как-то повлияло твое первое вмешательство, в метро? Но когда Игнат не справился, я стал проверять всех сотрудников на соответствие Светлане. Конечно, только на моделях. Кто-то справлялся лучше, кто-то хуже, но полного совпадения не было ни у кого. Потом я вспомнил о тебе... и вот тут прогноз дал очень странный результат.

Антон ждет.

— Если ты пойдешь к Светлане и завяжешь с ней беседу, — говорит Гесер, — то возможны две линии будущего. В первой — вихрь инферно резко возрастает и происходит глобальный катаклизм. Количество жертв составит десятки, сотни тысяч... последствия ясны. Во втором случае — ты заставляешь вихрь уменьшиться, и тогда Ольга сумеет его полностью рассеять. Все ликуют.

— Но что именно я должен делать? — спрашивает Антон.

— Вопрос надо сформулировать иначе, — мрачно говорит Гесер. — Что именно ты *не должен* делать. Ответ прост — я не знаю. И никто не знает. Модельный прогноз будущего не показывает деталей.

— Не хочешь предоставить своему сотруднику право выбора? — спрашивает Завулон с любопытством. — На такие дела обычно вызывают добровольцев...

— Мы здесь все — добровольцы, — отвечает Гесер, даже не поворачиваясь к Темному магу. — С того дня, как пошли в Ночной Дозор, — добровольцы. И выбора у нас нет.

— А у нас есть, — с удовлетворением отвечает Завулон. — Всегда есть.

Гесер кладет руку на плечо Антона. Говорит:

— Ты должен узнать, кто проклял девушку. Кто поддерживает энергию проклятия. Как только ты это выяснишь — мы нейтрализуем паршивца. Не могу больше ничего тебе посоветовать, Антон. Только одно — забудь все, чему тебя учили. Не верь тому, что говорил я, не верь тому, что ты писал в конспектах, не верь своим глазам, не верь чужим словам.

— Чему тогда верить, Борис Игнатьевич?

— Если бы я знал, Антон, то вышел бы из штаба... и сам вошел в тот подъезд.

Гесер и Антон смотрят в окно, на подъезд Светланы. Идущий по тротуару прохожий вдруг останавливается, сворачивает и обходит подъезд по широкой дуге.

— Люди не видят, но чувствуют... — печально говорит Гесер. — Иди, Антон. Время не терпит. Ольга все время будет на связи с тобой. И пускай она смотрит на происходящее твоими глазами.

Антон идет к подъезду Светланы.

Слышится голос Ольги, гулкий, идущий откуда-то издали: «Слушай меня внимательно. По легенде ты — Антон Городецкий, программист, живущий в этом же самом доме, в шестьдесят четвертой квартире... она как раз пустует. Это участок Светланы, ее пациенты порой обращаются к ней прямо домой. Сможешь наложить ей ложную память?»

— Смогу, — произносит Антон, входя в подъезд.

«Пожалуйся на какое-нибудь недомогание. Просто внуши, что ты ее пациент, — она сама придумает тебе какую-нибудь болезнь. Чуть-чуть расположи ее к откровенности — и завяжи беседу. Ей сейчас одиноко и хочется поговорить. Узнай, кто ее проклял!»

Антон подходит к одной из дверей. Звонит.

Почти сразу же дверь открывает Светлана. Она просто одета, у нее усталое лицо.

— Здравствуйте, Светлана, — говорит Антон. — Вы меня узнаете?

В тот же миг он уходит в Сумрак. Тянется к неподвижной фигуре девушки. Над девушкой крутится уходящая в потолок черная воронка. Антон смотрит на нее — потом проводит ладонью перед лицом девушки.

И снова возникает в настоящем мире.

— Да, Антон, — говорит Светлана, морща лоб. — Проходите... что-то случилось?

— Вы извините, что дома вас беспокою, — начинает рассыпаться в извинениях Антон. — Я понимаю, вы и на работе устаете...

— Входите, входите...

Антон входит, незаметно оглядывается. Квартира маленькая, однокомнатная. Обстановка небогатая. В комнате у дивана горит торшер, лежит недочитанная книжка.

— Снова язва беспокоит? — спрашивает Светлана.

— Ага. — Антон кивает. — Вот ни с того ни с сего...

— Ложитесь. — Светлана убирает с дивана книжку. Садится рядом с покорно улегшимся Антоном, быстро и профессионально прощупывает живот. — Здесь болит? А здесь? Боли после еды? Через какое время?

Ответов она даже не слушает, Антон и не отвечает. Смотрит на девушку — у нее сосредоточенное, серьезное лицо. Свет падает на нее как-то так, что она кажется очень красивой. Антон откровенно ею любуется.

— Ничего страшного, — решает Светлана. — Скорее всего только гастрит. Но вы все-таки приходите завтра на прием... наверное, были какие-то нарушения диеты?

— Пиво пил, — говорит Антон.

— Ну я же вас предупреждала, — укоризненно говорит Светлана, хмурится.

«Антон, воронка уменьшилась. Чуть-чуть, на пару сантиметров, но уменьшилась! — говорит Ольга. Светлана ее не слышит. — Странно, ведь ты ничего не делал».

— Светлана, — присаживаясь и заправляя рубашку, произносит Антон. — Простите, я, наверное, зря зашел... у вас какие-то неприятности?

— С чего вы взяли? — Светлана улыбается, но как-то жалко.

— Лицо у вас печальное, — говорит Антон.

— Устала, наверное, — кивает Светлана. — Все как-то так... тускло. Весь мир серый, все люди серые... и делать ничего не хочется...

Антон и Светлана смотрят друг на друга.

«Антон, ты не слишком на нее давил? — спрашивает Ольга. — У нее очень выраженная симпатия к тебе, будь аккуратнее!»

— Хотите, я чаем вас напою? — спрашивает Светлана.

— А чай мне можно? — Антон улыбается.

— Можно. — Светлана поднимается, идет на кухню. Антон плетется следом. И снова слышит голос Ольги:

«Падение воронки еще на десять сантиметров... Антон, готов предварительный анализ! Игнат провалился, пытаясь активно воздействовать на самооценку девушки, говоря комплименты, всячески демонстрируя влюбленность. Ты вызываешь у нее симпатию и сочувствие — как пациент. Почему-то это вызывает снижение воронки. Никаких комплиментов! Никакого флирта! Дави на жалость, пусть больше беспокоится о тебе!»

Антон на миг входит в Сумрак. И говорит, стоя в сером тумане:

— Как-то это нехорошо. У нее и так беда...

— Зато это работает, — раздается голос Ольги. — Запомни — не говори ни одного комплимента! Даже чай не хвали! И прекрати влюблять в себя!

— Я вообще ее не влюблял! — отрезает Антон.

Антон возвращается в реальный мир. Заходит на кухню, садится за стол. Светлана возится с чайником, она явно рада приходу гостя.

— Неудобно вас напрягать, Светлана... — с отвращением к самому себе произносит Антон.

— Напротив. — Светлана смотрит на него. — У меня такое отвратительное настроение — хоть вой. Вы со мной посидите, попейте чаю, ладно? Пусть это будет платой за неурочный прием. — Она пытается улыбнуться.

Антон кивает.

Двор перед домом Егора. В тени деревьев виден смутный силуэт — это Лариса, упущенная Антоном вампирша. Она смотрит вверх, на светящиеся под самой крышей окна. Временами непроизвольно сглатывает.

— Что, на слюну исходишь? — слышится насмешливый женский голос.

Вампирша резко оборачивается. В нескольких шагах за ее спиной стоит ведьма Алиса из Дневного Дозора. Вампирша шипит, делает к ней шаг — и отшатывается, когда Алиса выставляет перед собой руку. От руки идет багровый свет...

— Не дергайся, дура, — презрительно говорит Алиса. — Ты говорить-то не разучилась?

Вампирша снова сглатывает, хрипло произносит:

— Нет...

— И то ладно, — говорит Алиса. — Тебе твой дружок успел что-нибудь рассказать? Про Темных и Светлых, про Ночной и Дневной Дозоры?

Лариса кивает.

— Хорошо. Тогда ты должна понимать — за мальчишкой присматривают. В квартире — засада Ночного Дозора. Понимаю, как тебе хочется его крови, — сочувственно произносит Алиса, — но если ты пойдешь туда — тебя уничтожат.

— Мне... мне уйти? — спрашивает Лариса.

— Нет, дура. Тебя все равно поймают.

Лариса скалится, но подступить к Алисе боится.

— У тебя единственный шанс, — проникновенным голосом говорит Алиса. — Вымани паренька к себе. Подберись поближе — и вымани. Он уже поддавался на твой зов, он не сможет долго сопротивляться. Вымани, схвати — но не трогай! Ни в коем случае не трогай! Используй как заложника. Веди переговоры со Светлыми. Пусть придет тот Светлый, что убил твоего друга. Пусть они дадут обещание не трогать тебя.

— Если не дадут? — с усилием, будто говорить ей трудно, — спрашивает Лариса.

— Тогда дерись, — улыбается Алиса. — Выпей кровь мальчишки, это даст тебе силы. Разорви на клочки этого Светлого... ведь он убил твоего любимого. Впрочем, достаточно убить мальчика на его глазах. Он обещал ему защиту. А Светлый, нарушивший обещание, умирает.

Лицо Ларисы искажает злобная гримаса. Алиса тает в воздухе, исчезает. Лариса снова смотрит на окна. Потом переводит взгляд на крышу дома...

Антон и Светлана пьют чай. Светлана, чуть оживившись, рассказывает:

— А еще мы с родителями ездили в Грушинку, на фестиваль... знаете?

Антон кивает:

— Да. Не люблю самодеятельной песни, тем более в таких масштабах. Сидят тысячи людей, бренчат друг другу на гитарах, поют песни об одном и том же...

— Ну не всем же быть великими певцами... — говорит Светлана.

— Фальшивое в этом что-то, — убежденно говорит Антон. — Или пой песню по-настоящему, чтобы ее слушали тысячи, миллионы. Или пой друзьям, которым не песня важна — а ты сам.

— Разве не может быть тысячи друзей? — спрашивает Светлана.

Антон молчит. Потом качает головой:

— Нет. Не может быть тысячи любимых. Не может быть тысячи друзей. Когда любишь, когда дружишь — отдаешь часть своей души. Какая бы она у тебя широкая ни была — на тысячу не поделишь. В лапшу изрежешь, каждому достанется огрызок... ленточка на память. Разве это дружба? Друг — это тот, кому ты нужен часто. Ты весь, а не маленький кусочек тебя.

Светлана пожимает плечами.

— Пусть не друзья. Но все-таки — товарищи. Приятели. Хорошо было... — Она опускает глаза.

— А сейчас не ездите? — спрашивает Антон.

Светлана качает головой:

— Нет.

И внезапно добавляет:

— Мама болеет. Тяжело болеет.

Антон настораживается:

— Светлана... вы из-за этого так расстроены?

Светлана не поднимает глаз. Смотрит в стол. И вдруг произносит:

— Я предала свою мать.

— Что?

— У нее больные почки. Требуется регулярный гемодиализ... но это полумера. В общем... мне предложили... пересадку.

— Почему тебе? — не понимает Антон.

— Мне предложили отдать одну почку. Матери. Почти наверняка она приживется, я даже анализы прошла... потом отказалась. Я... я боюсь. Как потом жить... как рожать... И мать сама запретила даже думать...

— Светлана, ты не виновата, — говорит Антон. — Никакая мать не согласится на такую жертву.

— Да мне и говорить ей не стоило! — восклицает Светлана. — Пусть бы потом... узнала. А я специально сказала, понимаешь? Знала, что она откажется, потому и сказала! Испугалась! Да ей проклясть меня надо, дуру чертову!

«Антон, ты нашел! — раздается голос Ольги. — Ты молодец! Работай, я на время отвлекусь...»

Временный штаб Ночного Дозора. Ольга говорит Гесеру:

— По всему выходит — материнское проклятие. Отсюда такая сила. Но... это ведь такая редкость. Не знаю... — Ольга разводит руками. — Не пойму я людей.

— А на мой взгляд — ничего странного, — произносит Завулон. Усмехается.

Гесер смотрит на него, потом командует:

— Гарик, ты немедленно проверяешь мать Светланы. По полной программе. Как прокляла, когда прокляла, почему настолько ненавидит дочь...

Гарик кивает, идет к дверям. Гесер говорит вдогонку:

— Постой. Проверь, как и когда она заболела.

— Что именно проверять? — деловито спрашивает Гарик.

— Причину болезни. Ищи порчу, — Гесер колеблется, — ищи порчу, наведенную очень сильным магом.

— Насколько сильным?

— Примерно как я, только Темным, — говорит Гесер. — Ольга, Антон справляется? Он не слишком сильно давит на девушку? Она очень легко разоткровенничалась.

— Он совсем на нее не давит, — говорит Ольга. — В том-то и дело.

В этот момент в комнату входит Семен, деликатно покашливает. Гесер вопросительно смотрит на него.

— У нас тут еще проблема... образовалась... — мрачно сообщает Семен.

Сидящий в углу Завулон вдруг поднимается и, не говоря ни слова, выходит из комнаты. Гесер задумчиво смотрит ему вслед.

— Светлана, а нельзя помочь вашей маме иначе? — спрашивает Антон. — Неофициальная медицина...

Светлана невесело смеется:

— Антон, видела я всех этих экстрасенсов. Годами после них долечиваю.

— Большинство — шарлатаны, спору нет, — кивает Антон. — Но есть и настоящие. Которые сумеют помочь. Я... я могу с ними свести.

Светлана спрашивает:

— А вам не страшно дарить такую надежду, Антон?

Антон качает головой:

— Нет. Мне очень приятно, что я могу дарить надежду.

Светлана смотрит на него и вдруг произносит:

— Какой странный вечер, Антон. Тягостный и странный. Я сегодня познакомилась с одним парнем... хороший парень, но... Я едва не затащила его в постель! Кажется, он испугался... невесть что обо мне подумал, ушел. Потом вы... Я ведь вас два года знаю, правда?

Антон осторожно кивает.

— А сейчас мне кажется, будто мы только что познакомились, — признается Светлана. — И все равно — откровенничаю с вами. Антон, что происходит?

— Я не могу ответить, — говорит Антон. — Прости, не могу.

«Антон, ты слишком откровенно ведешь разговор...» — очень озабоченно говорит Ольга.

Антон вдруг настораживается. И мгновенно переходит в Сумрак. Черный вихрь все так же кружится над застывшей фигуркой Ольги.

— Ольга, что-то случилось? — спрашивает Антон.

«С чего ты взял?»

— Чувствую. Что происходит? Вихрь растет?

«Нет, вихрь стабилен. Дело в том... Антон, это мелочи. Сосредоточься на главном».

«Говори, партнер!»

«Эта психованная вампирша... — не выдерживает Ольга. — Она ухитрилась выманить пацана на крышу дома».

Антон на миг прикрывает глаза:

— И убила?

«В том-то и дело, что нет. Она требует переговоров. И хочет говорить только с тобой. Антон, не бери в голову. Мы тянем время. Ребята все сделают, возьмут ее...»

Не отвечая, Антон возвращается в реальный мир.

— И еще такое ощущение... — Светлана морщится. — Будто рядом есть еще кто-то. Будто за нами следят... кажется, стоит прислушаться — и раздастся чужой голос. Будто ты рядом, но временами исчезаешь куда-то. Антон, я схожу с ума?

— Нет. — Антон встает. Осторожно берет Светлану за плечи, она послушно поднимается: — Светлана, ты все чувствуешь правильно. Но... сейчас я не могу тебе ничего объяснить.

— Не понимаю, — беспомощно говорит Светлана.

— Ты мне веришь? — Антон заглядывает ей в глаза. — Не думай о том, как давно мы знакомы. Не думай о том, что тебя тревожит. Посмотри мне в глаза и скажи — ты веришь мне?

«Антон, без самодеятельности! — испуганно произносит Ольга. — Что ты себе позволяешь? Зачем это?»

— Верю, — говорит Светлана. — Не знаю почему. Но верю.

— Все будет хорошо. Верь мне. Все будет хорошо с твоей мамой. И все будет хорошо с тобой. И... самое главное... — Антон медлит, прежде чем сказать: — Ты ни в чем не виновата.

— Я виновата.

— Нет. — Антон улыбается. — И я это докажу.

— Ты меня жалеешь? — неожиданно спрашивает Светлана.

— Ни капельки, — отвечает Антон. — Это и не нужно. А сейчас я должен уйти, Светлана.

«Антон! — кричит Ольга. — Прекрати!»

— С одним моим приятелем случилась большая беда, — продолжает Антон, не реагируя на слова Ольги. — Помочь могу только я. Мне придется уйти.

— Навсегда? — спрашивает Светлана.

— Нет. Я вернусь утром и все тебе расскажу. А ты будь умницей, ложись спать и ничего не бойся.

Кажется, что Светлана хочет попросить его о чем-то. Может быть — остаться. Но вместо этого она спрашивает, полушутливо-полусерьезно:

— У тебя работа спасать тех, кому плохо?

— Да, — кивает Антон.

С лица Светланы исчезает улыбка. Она серьезно смотрит на Антона. Говорит:

— Тогда иди. Я понимаю.

«Антон... — безнадежно повторяет Ольга. — Не смей...»

— Дождись меня, хорошо? — говорит Антон. Целует Светлану. Выходит из кухни, открывает дверь квартиры, выходит в подъезд. Светлана так и остается стоять, глядя на стол. Потом берет чашки, начинает составлять их в мойку.

Антон быстрым шагом идет по улице. Пока он был у Светланы, уже наступил поздний вечер или ночь. Спрашивает:

— Как вихрь? Ольга?

«Уменьшился. Почти на метр, — в голосе Ольги радость и недоумение. — Ты ведь знал, что так случится? Но почему?»

— Потому что самое опасное сейчас — жалеть Светлану, — отвечает Антон. — Не спрашивай пока, хорошо?

«Ладно. Что ты собираешься делать?»

— Ехать на переговоры.

«Подожди... Гесер говорит, что Илья и Семен поедут с тобой. Они уже выходят. Я останусь наблюдать за Светланой».

— Удачи тебе, Ольга, — говорит Антон. Подходит к подъезду, из которого выскакивают Семен и Илья. Подходит к роскошному «ягуару», припаркованному на тротуаре. Семен садится за руль, Илья и Антон забираются на заднее сиденье.

Семен качает головой и произносит:

— А ты рисковый парень, Антон. Ты что-то понял?

Антон напряжен и задумчив. Отвечает Семену:

— Кажется, начинаю понимать. Все куда сложнее, чем мы думали...

Приземистая спортивная машина неуклюже переваливается по колдобинам, выбираясь на дорогу.

— Откуда эта тачка? — спрашивает Антон. — Кто у нас любитель шикарных и непрактичных машин?

Семен смеется:

— Тс-с! Шеф разрешил взять его машину.

— Надо же. — Антон качает головой. — Не расколоти...

— Не бойся, — бросает Семен. — Я семьдесят лет за рулем. Я по Дороге Жизни грузовики в Ленинград водил...

Машина стартует и пулей несется по проспекту.

— Антон, — заговаривает с ним Илья, — ты так уверенно прервал разговор... ты не боялся, что от этого станет хуже?

— Я не заставлял ее быть откровенной, — отвечает Антон. — Понимаешь? Она сама стала мне все рассказывать. И я тоже себя так чувствовал — будто мы давно знакомы. Мы просто нравимся друг другу. Без всякой магии! Тогда я подумал... ведь не могло случайно так выйти! Я натыкаюсь на Светлану в метро — и тут же вижу жертву вампиров. Все собираются возле Светланы — а я, единственный, с кем она станет откровенно говорить, — поджидаю вампиршу в засаде. Понимаете?

— Тебя отвлекали от Светланы... — говорит Илья. — Не подпускали к ней... Значит, этот мальчишка — ложная приманка? Не слишком ли дорогая приманка — Иной такой силы? Он же еще не определился, кем станет, его можно обратить и к Свету, и к Тьме! А вампиры? Им приказали напасть на мальчика? Или все было так подстроено, что и они — лишь пешки в игре?

— Тогда игру ведет очень сильный Темный маг, — говорит Семен, не отрываясь от руля. — Я знаю такого... да все мы его знаем.

— Все было рассчитано так, чтобы к моменту кризиса со Светланой я был занят другим делом, — кивает Антон. — Бегал за вампиршей, защищал маленького Иного...

Семен резко тормозит. Оборачивается:

— Антон, тогда стоит ли ехать?

— Там мальчик, которого мы обещали защитить, — отвечает Антон.

— Ты обещал? — с тревогой спрашивает Семен.

— Да. И он в лапах полубезумной вампирши. Я не знаю, как поступить, Семен. Но если нет выбора — выбирай самое доброе решение.

Машина вновь газует и уносится по проспекту.

Дом, в котором живет Егор. Возле машины стоят Семен, Илья, Антон.

— Я уж по старинке, — говорит Семен. — По балкончикам да на крышу... зайду сзади.

Антон с сомнением смотрит на высоченное здание.

— Ничего, — успокаивает Семен. — Я альпинизмом занимался... знаешь сколько?

— Сто лет, — рассеянно отвечает Антон. Достает из кобуры под мышкой пистолет, снимает с предохранителя. — Я пойду по лестнице, открыто. Илья?

— Я через квартиру мальчишки... — отвечает Илья. Они с Антоном бегут к подъезду, а Семен неторопливо подходит к зданию. Балконы начинаются высоко, но Семена это вроде бы не смущает. Он подпрыгивает, цепляется за ровную вроде бы стену — и начинает быстро, уверенно подниматься вверх...

Лифт. Илья кивает на пистолет в руках Антона:

— Ты на это не рассчитывай... Ты в вампира десяток пуль всадишь, прежде чем он себя плохо почувствует. Порвет мальчишку в клочки, вот и все.

Антон прячет пистолет. Лифт останавливается, Илья выходит, бросая:

— Тяни время. Говори с ней и тяни время...

Антон в лифте поднимается на последний этаж. Поднимается еще на пролет, подходит к запертой на висячий замок решетчатой двери. Он собран и сосредоточен. Секунду смотрит на замок, потом делает короткий жест рукой, будто разламывая что-то невидимое. Дужка замка разваливается, Антон открывает дверь и выбирается на крышу.

Здесь ветер. Очень сильный ветер. Невдалеке от выхода на крышу стоит вампирша, одной рукой прижимая к себе Егора. Руки вампирши заканчиваются длинными когтями, которые замерли у самой шеи мальчика. При виде Антона она издает торжествующий рев. Сейчас в ней очень мало человеческого — и кожа странного серого оттенка, и клыки во рту...

Метрах в пяти от вампирши скалит пасть молодая тигрица. Она на миг поворачивает голову, смотрит на Антона. По другую сторону замер бурый медведь. Подступить к вампирше они не пытаются.

Антон поднимает руки с раскрытыми ладонями, медленно идет к вампирше. Говорит:

— Я пришел. Все как ты требовала. Отпусти мальчика.

Вампирша смеется, кричит:

— Стой!

Антон послушно останавливается.

— У тебя на шее... сила, сила... сними это! — кричит вампирша.

Антон подцепляет ладонью амулет, который дал ему Завулон. Говорит:

— Это совсем другое. Это защита от другого...

— Сними!

Антон без колебаний снимает амулет, бросает под ноги вампирше. Говорит:

— Видишь — я подчиняюсь. Мы можем спокойно обсудить ситуацию. Только не надо делать глупостей. Чего ты хочешь?

— Жить! — отвечает вампирша. Ее глаза вспыхивают.

— С этим ты уже опоздала. — Антон пожимает плечами. Ты и так мертва.

— Правда? — Вампирша смотрит на Егора. — А мертвые могут... отрывать головы?

— Могут, — кивает Антон. — Только это они и умеют делать, Лариса...

Вампирша вздрагивает.

— С тобой случилась беда, большая беда. И в этом есть наша вина. — Гов`ря, Антон медленно приближается к вампирше. Та внимательно его слушает. — Мы знаем, что с тобой случилось. Тебя укусили и превратили в вампиршу. Тебе страшно, ты не понимаешь происходящего, тебя терзает голод. Но твое горе — вовсе не причина нести зло другим людям...

— Зло? — спрашивает вампирша. — Он меня любил! Любил! Меня, которую отдали ему как пищу! Вы, вы отдали! А он не хотел меня убивать! За это вы убили его! Ты убил!

В ее глазах вдруг показываются слезы. Она поднимает когтистую руку, вытирая слезы, — и смотрит на нее, будто увидела впервые. Егор на миг освобождается, но он слишком потрясен, чтобы бежать, — смотрит на вампиршу.

— В этом нет моей вины... — говорит вампирша. — Вы, вы, Светлые и добрые, кто называет себя Ночным Дозором, кто не спит ночами, кто решил, что вправе хранить мир от Тьмы... где вы были, когда пили мою кровь?

Антон останавливается. Кажется, он не знает, что ответить.

— Что делать мне? — говорит вампирша. И спрашивает с надеждой: — Я могу... снова стать обычной? Человеком?

Антон качает головой.

— Чем же я хуже вас? В чем я виновата?

— У тебя был выбор, — говорит Антон. — Я знаю, у тебя был выбор: умереть — или стать вампиром. Без твоего согласия тебя не могли обратить в нежить.

Вампирша горько улыбается.

— Лариса... не надо больше зла. Не надо. Вспомни — ведь ты была человеком! Отпусти мальчика. Пойдем с нами. Клянусь — все будет по справедливости. Мы учтем все обстоятельства... тебя не казнят... Клянусь. Я сам буду твоим заложником, пока не завершится суд...

Вампирша будто бы колеблется. Смотрит на мальчика и вдруг спрашивает:

— Ты... дрожащий сосуд с кровью... Ответь мне. Ответь, не бойся! Со мной поступили справедливо? Скажи! Я не обижусь. И если ты думаешь, что все справедливо... что я сама виновата... я отпущу тебя. Ответь!

Егор молчит. Смотрит на Антона, на вампиршу, на тигра и медведя... Позади, за спиной вампирши и Егора, перебирается через край крыши Семен, медленно, полусогнувшись, движется к ним.

— Ответь... — просит вампирша. — Кто прав? Я — или он?

— Ты тоже права... — тихо говорит Егор.

Вампирша смеется.

— Тогда я убью тебя, — решает вампирша. — Я в своем праве.

— Зачем? — кричит Антон.

— Потому что ты обещал ему защиту, — улыбается вампирша. — А Светлый маг, предавший человека, умирает. Ведь так? Так? Ваша мораль, фальшивая, трусливая мораль... вы умираете от стыда, когда предаете... И ты умрешь. Умрешь, как Артур!

Одновременно все приходит в движение. Прыгает тигрица, прыгает медведь. Антон выхватывает пистолет и стреляет в Ларису. Сзади на нее кидается Семен.

И все трое разлетаются в разные стороны, будто натыкаясь на стену: на миг в воздухе и впрямь вспыхивает синеватый купол, прикрывающий Ларису.

— Они под моей защитой! — раздается чей-то сильный голос.

Вампирша поражена не меньше дозорных. Все застыли, глядя на появившегося на крыше Завулона. На нем длинный темный плащ, руки сложены на груди. Лицо торжествующее.

— Кто ты? — кричит вампирша.

— Твой хозяин и покровитель, — небрежно говорит Завулон. — Дозорные, эти двое — принадлежат мне.

— Хорошо, забирай вампиршу и уходи! — отвечает Антон. — Ее судьбу решит трибунал.

— И вампиршу, и мальчика, — отвечает Завулон. — Я беру лишь свое, слуга Света.

— Завулон, ты сильнее любого из нас, — говорит Антон. — Но нас больше, ты не справишься.

Завулон улыбается, Семен с сомнением качает головой. Но тут из темноты за спиной Завулона появляются еще двое — ведьма Алиса и Петр из Дневного Дозора.

— Мы берём своё, — твёрдо говорит Завулон. — Расступитесь. Ваша жалкая магия вас не спасёт. И ты, недоучка, выйди из Сумрака, я всё равно вижу тебя!

Рядом с вампиршей материализуется Илья. В руках его — мерцающий белым светом жезл. Он не отрывает глаз от Завулона.

— Иди ко мне, бедная девочка, — ласково зовёт Завулон. — Тебя защитят. Тебе дадут много вкусной свежей крови. И ты иди ко мне, малыш. Ты один из нас. Мы не тронем тебя.

Ни вампирша, ни Егор не шевелятся.

— Ты говоришь от имени Дневного Дозора, Завулон? — спрашивает Семён.

Завулон колеблется:

— Нет. Я говорю от своего имени.

— Тогда у нас маленькое разногласие, — решает Семён. — Мы не отдадим тебе арестованную. И уж тем более — мальчика. Он ещё не решил, кем станет, Тёмным или Светлым.

— Глупцы... — презрительно произносит Завулон.

И в этот миг Егор, про которого все забыли, смотрит на свою тень. Тень поднимается — и Егор шагает в Сумрак, исчезая из лап вампирши.

Вампирша воет, бьёт руками вокруг, пытаясь зацепить кого-нибудь. На неё с рёвом бросается медведь. Молнией прыгает тигрица — и сплетается в драке с Алисой.

— Трижды глупцы! — поднимая руки, кричит Завулон. И тут Илья взмахивает жезлом. Столб света будто от прожектора проносится по небу и бьёт в Завулона, обращаясь в исполинскую светящуюся змею. Чудовище охватывает Завулона кольцами, бьёт о крышу. Семён быстро-быстро двигает руками, будто лепя из воздуха крошечные светящиеся шарики; те летят в Петра, бьют его, отталкивают всё ближе и ближе к краю крыши.

Антон поднимает свою тень и входит в Сумрак.

Даже здесь всё озарено вспышками света от магической схватки. Сквозь серую мглу едва виден Егор — скорчившийся, сидящий на корточках. Антон подходит к нему, протягивает руку:

— Холодно... — глядя на него, произносит Егор

— Это Сумрак пьет твои силы. Ты рискуешь раствориться, Егор. Давай руку, я помогу тебе выйти.

— Зачем?

— Чтобы жить.

— Хотите меня в свой Дозор? — спрашивает Егор.

Антон качает головой:

— Я боюсь, ты не будешь... в нашем Дозоре. Но это ничего не меняет. Идем.

Егор медлит. Потом берется за протянутую руку — и они вместе выходят из Сумрака.

В этот миг бой на крыше принимает новый оборот.

Белая змея, терзающая Завулона, вдруг разбухает и взрывается. Вспышки света, полосы огня — полыхает вся крыша, страшный ветер теперь дует из эпицентра взрыва. Алису и тигрицу отбрасывает в одну сторону, медведя и вампиршу — в другую. Семен, наклонившись против ветра и окутавшись светящейся мантией, пережидает. Ведьмак Петр не успевает заслониться — и с криком перелетает через ограждения, падает вниз с крыши... Антона и Егора швыряет на крышу.

А из центра взрыва поднимается Завулон, преобразившийся в демона. Его тело покрывает чешуя, он стал выше ростом, клочья одежды свисают с него. Он торжествующе рычит, взмахивает рукой — всех поднявшихся снова укладывает на крышу. Вместо тигра и медведя — уже Тигренок и Медведь. Падают все — кроме Ильи. Он словно и не замечает незримого удара.

— Жалкие маги-недоучки! — кричит Завулон. — Вы все потеряли! И все вы умрете! Все!

Антон встает. И говорит:

— Я знаю, за что шла схватка, Завулон. Я знаю, что ты задумал. Ты проиграл.

— Тогда ты умрешь первым. — Завулон вытягивает к нему руку. — Иди ко мне, раб!

Антон непроизвольно подносит руки к горлу — но на его шее уже нет амулета. Он делает шаг, другой... ноги сами несут его к демону.

— Антон, лови! — кричит Егор.

Антон оборачивается — Егор поднимает и бросает ему амулет на цепочке.

— Не бери его! — приказывает Завулон.

Но поздно — Антон уже коснулся амулета и надевает его на шею. Смотрит на Завулона и произносит:

— В тебе нет власти надо мной.

Демон ревет и тяжелыми шагами идет к Антону.

— Но-но, — произносит Илья. Взмахивает рукой — между магами и Завулоном встает стена огня. Завулон в панике отшатывается. Наступает тишина. Семен с явным удивлением смотрит на Илью, а тот говорит: — Расскажи нам, что ты понял, Антон.

— Многоходовая комбинация, — говорит Антон. — Ведь так? Волшебница... волшебница небывалой силы. Еще не осознавшая себя, еще не ставшая Иной. И абсолютно не склонная ко злу. Ей можно устраивать неприятность за неприятностью — она все равно не склоняется к Тьме. И что тогда делать Дневному Дозору? Как завлечь волшебницу на свою сторону? Или — как уничтожить, не нарушая Договор?

Все слушают Антона. Вампирша пытается подняться — Медведь ногой придавливает ее к крыше.

— Только один путь... — говорит Антон. — Подстроить ситуацию, в которой девушка возненавидит сама себя. Пусть у нее умрет мать. Пусть девушка винит в этом себя. Пусть ненавидит... хотя бы саму себя — но ненавидит. Пусть проклинает себя — каждый час, каждую минуту. А когда Ночной Дозор заметит происходящее — станет уже слишком поздно.

Антон пошатывается, он тоже измотан схваткой — его поддерживает Семен. Встает рядом. Антон продолжает:

— Вот только есть опасность... один-единственный сотрудник Ночного Дозора, кому она доверится и все расскажет. Кто не станет зря жалеть, не станет обольщать, кто не вызовет новых угрызений совести. Значит, надо отвлечь его. Подбросить начальству информацию, что он дружен с семьей вампиров. Устроить в городе беспорядки с участием вампиров. Пусть ловит вампиров, восстанавливает репутацию. Пусть возится, защищая маленького Иного, от которого просто пышет силой... только его ли это сила? Или Егор — пешка в игре, пешка, обряженная в ферзя?

Антон оглядывается на Егора. Тот сидит, слушая Антона. Демон скалится.

— И все ради того, чтобы завлечь к себе будущую великую волшебницу. Светлану... — говорит Антон. — Ручаюсь, на ее мать наведена порча. Значит — мы ее снимем. Мы расскажем Светлане, что произошло. И она будет с нами.

— Я убью вас всех! — скалится Завулон. За его спиной начинают вздыматься темные крылья. — Вам не продержаться долго, даже все вместе вы слабее меня!

Он пытается преодолеть световой барьер — и снова отшатывается.

— Так ничего и не понял... — говорит Илья. Идет к световому барьеру — и с каждым шагом меняется, превращаясь в Гесера. — Убирайся, Завулон. Вы проиграли.

— Ты! — восклицает Завулон, буравя Гесера взглядом. Тот спокойно стоит — невысокий, спокойный, в своем восточном халате и остроносых мягких туфлях. — Ты принял чужой облик... ты...

Он замолкает. И уже спокойнее говорит:

— Хорошо, я уйду. Но ничего еще не закончено... старый враг. Ты выиграл лишь начало партии.

Завулон оборачивается, кивает Алисе, ждущей за его спиной. Сводит крылья, заворачиваясь в них, — и исчезает.

Алиса — помятая, окровавленная, с безвольно свисающей рукой, но при этом злорадно улыбающаяся — идет к Антону.

— Ты тоже должна уйти, ведьма, — говорит Гесер.

— Хорошо, о великий Светлый маг, — саркастически кланяется Алиса. — Но у меня есть право. Мое маленькое-маленькое право на магическое вмешательство. Ведь так, Антон?

Антон кивает.

Гесер хмурится, но молчит.

— Я не стану желать тебе мелких гадостей, — улыбается Алиса. — Наоборот! Я прошу тебя стать чуть-чуть правдивее, Антон. Ты сказал Завулону все, что хотел. Так скажи и Гесеру то, что собирался сказать позднее! Будь честным до конца!

И она легким взмахом руки будто отправляет к Антону что-то невидимое.

Антон опускает глаза. Молчит. Потом смотрит на Гесера:

— Многоходовая комбинация. С обеих сторон. Шеф Дневного Дозора хочет привлечь на свою сторону волшебницу или уничтожить ее. А шеф Ночного Дозора с самого начала знает, в чем причина проклятия... Но расстроить планы врага мало. Еще нужно усадить старого врага в лужу. Разбить Дневной Дозор наголову. Устроить показательную порку врага. И ради этого — можно пойти на все. Темные — пожертвовали вампирами. Светлые — подставили под удар своих, рискнули жизнью мальчика-Иного со слабенькими способностями мага. Ведь так, Борис Иванович?

— Так, — говорит Гесер.

Алиса смеется, разворачивается и уходит. Как-то сразу начинают суетиться другие маги. Тигренок и Медведь уводят изорванную, окровавленную вампиршу — та уже не пытается сопротивляться. Семен вздыхает и уходит следом. Егор встает и тихо говорит:

— Гады вы все...

— Мальчик, эта война идет уже тысячи лет... — отвечает ему Гесер. — Завулон сделал из тебя приманку. А я лишь притворился, что не замечаю этого. Мы... мы ведь приглядывали. И все завершилось хорошо. У тебя и впрямь слабенькие способности, но я могу стать твоим учителем...

— Да пошли вы... — говорит Егор. И идет к лестнице вниз.

Гесер опускает глаза. Подходит к Антону. Они остаются на крыше вдвоем. Начинает накрапывать мелкий дождик.

— Ты прав, это была и моя операция, Антон. Я знал все с самого начала. Но надо было заманить Завулона в ловушку. Чтобы он раскрылся... чтобы не попытался просто уничтожить Светлану. И ради этого я рисковал. Всеми. И тобой тоже. И этим невинным ребенком. И самим собой. Ты понимаешь меня?

Антон кивает.

— У нас есть еще дела, — говорит Гесер. — Ты должен все рассказать Светлане. Объяснить, что на ней нет никакой вины. Что мы вылечим ее мать. А Ольга развеет черный вихрь.

Антон молчит.

— Мне некем тебя заменить, — виновато объясняет Гесер. — Тут ведь не годятся магические методы. Светлана — сама волшебница, пусть и не осознает этого. А ты — тот, кого она полюбит. И ты полюбишь ее. Вы уже друг друга любите... вот почему она все тебе рассказала. Это и счастье, и горе — ведь она намного превосходит тебя... и я не знаю, как долго вы останетесь вместе.

Антон кивает.

— Быть Светлым — куда труднее, чем быть Темным, — говорит Гесер. — Провокации, предательства, ловушки — это суть войны. Для нас они мучительны и почти запретны. Но мы должны держаться, Антон. Мы солдаты. Солдаты Света, пусть даже наша форма выпачкана в грязи.

Антон запрокидывает голову, подставляя лицо дождю. Непонятно — плачет он или это стекают дождевые капли.

— Я постою так немного, Борис Иванович, — говорит он.

Гесер кивает:

— Если бы ты знал, Антон, как часто я так стоял... глядя в небо. Будто чего-то ждал... благословения... или проклятия...

Дождь становится сильнее.

— Замерз я, Антон, — говорит Гесер, зябко ежась. — Я старый, измученный маг. Мне сейчас хочется выпить водки, задремать в кресле и ждать, пока ты доложишь о выполненном задании... А потом взять отпуск. Оставить вместо себя Илюху, раз уж он побывал в моей шкуре, и отправиться в Самарканд. Ты бывал в Самарканде?

— Нет.

— Ничего особенного, если честно. Ничего особенного, кроме воспоминаний... Но они только для меня. Ты как?

— Идемте. — Антон выпрямляется. Ежится. — И впрямь холодно...

— Права замерзнуть у нас тоже нет, — говорит Гесер. — Идем...

Конец второй серии

Серия 3

Раннее утро. Тихий центр — солидные дома, в которых живут серьезные люди, все чистенько и аккуратно... все как в кинофильмах семидесятых годов, где требовалось показать Москву с лучшей стороны. Прохожих еще нет, только стоят кое-где припаркованные машины. Город медленно просыпается...

В одной из машин — аккуратной «тойоте» — сидит за рулем человек. Он не спит, не курит, не читает. Просто сидит за рулем, ожидая чего-то.

Хлопает дверь подъезда. На улицу выходит молодая девушка, поправляет сумочку, идет к стоящей невдалеке машине — в руках у нее ключи.

При ее появлении мужчина оживляется, легко выбирается на тротуар и зовет:

— Галина!

Девушка оборачивается, совершенно спокойно смотрит на него. Не похоже, что ее испугал незнакомец, подкарауливший ее ранним утром у подъезда.

— Я вас не знаю, — говорит девушка с легким любопытством.

— Да, — кивает мужчина. — Зато я о вас кое-что знаю.

— И кто вы такой? — все так же спокойно спрашивает девушка.

— Судия, — напыщенно, но очень серьезно отвечает мужчина.

Девушка небрежно протягивает руку к своей машине, нажимает кнопку на брелоке, снимая ее с сигнализации. Машина приветливо попискивает.

— И кого же вы собрались... судиить? — уже с неприкрытой иронией спрашивает девушка.

— Вас, — строго произносит мужчина.

Девушка улыбается, смотрит на него. У нее, оказывается, странные глаза — желтоватые, звериные, будто у большой кошки.

— А получится? — спрашивает девушка.

— Получится, — говорит мужчина.

И вскидывает руку, в которой, оказывается, был зажат странный деревянный кинжал. Короткое лезвие легко входит девушке под сердце, она не издает ни звука — и падает наземь.

Мужчина стоит, ожидая чего-то.

Лежащая девушка начинает меняться. Черная шерсть покрывает кожу, все тело меняется, вытягивается... миг — и перед мужчиной лежит мертвая пантера, обряженная в строгий женский костюм. Потом, так же стремительно, зверь превращается обратно в девушку. Странно — блузка на груди у нее прорвана, но никакой раны уже нет.

Мужчина будто обмякает, прячет куда-то под полу пиджака кинжал и спокойно, как выполнивший тяжелую, но нужную работу человек, идет обратно к «тойоте». Мы так и не видим его лица, только со спины. А девушка остается лежать рядом со своей машиной.

По улице идет Антон Городецкий. Это совсем другая улица, шумная и многолюдная, да и утро уже явно давно началось. Антон улыбается, похоже, у него хорошее настроение, причем хорошее «просто так», беспричинно.

Он подходит к небольшому, этажа в четыре, зданию — в таких раньше были маленькие проектные институты и прочие госконторы. Сейчас на дверях вывеска — «Закрытое акционерное общество», чуть пониже — «Вход по пропускам». Больше никакой информации нет. Антон входит и оказывается в хорошо отремонтированном, современном вестибюле. За стойкой перед компьютером сидят два охранника. Антон молча достает карточку пропуска, кладет перед ними.

Один из охранников дружелюбно, как старому знакомому, кивает Антону. Но все-таки внимательно изучает карточку, смотрит на Антона, потом на экран компьютера — там фотография Антона и какое-то досье.

— Что сияешь-то так? — любопытствует охранник, возвращая пропуск.

Антон пожимает плечами и улыбается еще шире:

— День хороший. У тебя бывает так, с утра проснулся — и почему-то все замечательно?

— Бывает, — соглашается охранник. — Если накануне пива не перепил. Ты бы поспешил, Антон, шеф собрал всех в конференц-зале. Тебя уже искали.

- Я-то им зачем? — У Антона как-то сразу становится кислым лицо. — Опять вампиров ловить?

Антон идет к лестнице, охранники веселятся. Тот, кто говорил с Антоном, просительно произносит вслед:

— Слушай, ты мне обещал игрушку новую поставить... я как раз на сутки заступил... ага?

Антон кивает, торопливо взбегая вверх по лестнице.

Небольшой конференц-зал. В нем сидят сейчас тридцать — сорок Иных — среди них есть и знакомые лица: Гарик, Илья, Тигренок, Медведь, Семен. Антон входит, тихонечко крадется к задним рядам и присаживается рядом с Гариком. Они здороваются, Гарик шепотом спрашивает:

— Чему ты радуешься-то?

— Так заметно? — шепотом спрашивает Антон. — Сон хороший приснился.

Перед сидящими выступает пожилой невысокий Иной, говорит он достаточно застенчиво и косноязычно, хотя и не без гордости:

— Таким образом, финансовые показатели у нас хорошие, я бы рекомендовал увеличить... э... выплаты... хотя это на усмотрение высшего руководства, но я бы рекомендовал...

Слушают его вполуха, видимо, все основное он уже давно сообщил, а сейчас просто мямлит, не зная, как закончить. Из первого ряда поднимается Гесер:

— Спасибо, Виталий Маркович, нареканий к финансовому отделу нет, вопросов, полагаю, тоже? Спасибо. А теперь, когда все в сборе...

Он внимательно обводит взглядом зал. Шепотки сразу стихают, Гесера слушают внимательно. Выступавший с облегчением садится.

— Теперь можно перейти к основному вопросу... — произносит Гесер.

— Основной вопрос — уплата партийных взносов за декабрь месяц, — шепчет Антону Гарик. Оба ухмыляются.

Гесер либо не слышит этого, либо не обращает внимания.

— Основной вопрос — протест Дневного Дозора, полученный мной два часа назад, — сообщает Гесер. По залу пробегает
легкий шум, похоже, никто не в курсе происходящего. — Суть
протеста такова... — Гесер потирает переносицу. — Сегодня, ранним утром, приблизительно в полшестого, в районе Гагаринско-
го переулка была убита женщина. Иная. Темная. Семен доложит
нам обстоятельства более подробно...

Встает и выходит вперед Семен. Откашливается в кулак,
говорит:

— Зовут ее... звали ее Галина Рогова. Двадцать четыре
года. Распознана как Иная и инициирована в семь лет, семья к Иным не принадлежит. Воспитывалась под патрона-
жем Темных... — Он печально разводит руками. — Настав-
ницей была Анна Черногорова, маг четвертой степени. В
восемь лет Галина Рогова определилась как оборотень-пан-
тера. Способности средние. В Дневном Дозоре работать отказалась, Договор соблюдала. На людей никогда не охоти-
лась, лицензии не запрашивала. Несколько раз использовала
способности Иного для самозащиты... однажды убила напа-
давшего на нее насильника. Но даже в тот раз до людоед-
ства не опустилась, у нее был хороший самоконтроль. В
общем... — Семен задумывается, — побольше бы таких Темных. Да, она была замужем за человеком, есть маленький
ребенок — тоже без способностей Иного. Все.

— Как ее убили? — деловито спрашивает Тигренок. — Уни-
тожить оборотня не так-то просто, я вам скажу...

— Это и странно, — кивает Семен. — На одежде обнару-
жен разрез, словно от удара тонким кинжалом. Но никаких
ран нет. Причина смерти предположительно — полная потеря
Силы.

— Лихо, — говорит Тигренок, мрачнея.

— Не то слово, — соглашается Семен. — Был у меня один
случай, давно, в гражданскую. Надо было отловить оборотня-
тигра, а тот, гаденыш, в ЧК работал, да причем...

— Спасибо, Семен, — останавливает его Гесер. — Многие
помнят тот случай, но он к делу не относится.

Семен кивает и садится.

— Можно вопрос? — робко спрашивает девочка-подросток, сидящая среди Иных.

— Спрашивай, Юля, — улыбается Гесер.

— Борис Иванович, как я понимаю, оборотня убили магическим воздействием, — неуверенно говорит Юля. — И оно было очень сильным... лишить оборотня всей жизненной энергии...

Гесер кивает.

— Это воздействие первого-второго уровня, — продолжает Юля. — Ну... третьего?

— Возможно, что и третьего, — соглашается Гесер.

— Так ведь у нас мало таких сильных магов! — говорит девочка. — Ну, вы, конечно. Ольга. А еще Семен, Илья... Гарик...

— Гарику пришлось бы очень постараться, — с сомнением говорит Гесер.

Гарик что-то возмущенно бормочет, Антон пихает его локтем и шепчет:

— В данной ситуации я бы не стал спорить с шефом!

— Ну так надо вам всем подтвердить свое алиби, и все, — говорит девочка. — Вряд ли в Москву мог приехать сильный Светлый маг, который не стал регистрироваться.

— Нас обвиняют в том, что в Москве действует дикий Светлый маг, не ознакомленный с Договором, — поясняет Гесер. — Серьезный упрек! Более того, я поднял архивы — уже были случаи, когда в Москве от невыясненных причин погибали Темные. И на одежде находили разрезы... но не придавали им значения. Возможно, что способности у мага появляются периодически, и он даже не осознает своих способностей. Просто чувствует слабеньких Темных Иных и уничтожает.

В зале молчание.

— А теперь — всем работать, — заключает Гесер. — Аналитикам — проверить все архивы за последние... э... десять лет. Оперативникам — поиск сильного Светлого мага, усиленные патрули на улицах. Научной группе... отправьте в Дневной Дозор парочку спецов, пусть осмотрят тело. Темные согласились на это. Все, выполняйте.

Все начинают подниматься. Гарик возмущенно говорит Антону:

— Да не могло такого быть, чтобы мы Светлого мага такой силы упустили!

— Антон, а вас я попрошу остаться, — неожиданно говорит Гесер.

Гарик мрачно улыбается Антону:

— Иди... Штирлиц.

Антон подходит к Гесеру. Из зала выходят все, остается лишь сидящая в первом ряду Ольга. Они с Антоном приветливо кивают друг другу.

— Очень мне не нравится происходящее... — говорит Антону Гесер. — Очень сильно.

— Я не понимаю, — неуверенно говорит Антон. — Ну — прошляпили мы, бывает...

— Антон, этот «дикарь» убивает Темных уже несколько лет, — говорит Гесер. — Мы-то убийства Темных отслеживаем постольку поскольку, не наша это работа. Но они-то почему не заметили раньше?

— Думаете, нас подставляют? — уточняет Антон. — И Темных убивает такой же Темный маг?

Гесер кивает:

— Да. Гибнет мелочь, а жертвовать пешки — в традиции Дозора...

— Дозоров, — тихо замечает Антон.

— Дозоров. — Гесер отводит глаза. — Давай подумаем, зачем им это потребовалось? Обвинить Ночной Дозор в плохой работе? Ерунда, не выйдет. Обвинить кого-то из наших конкретно?

Антон кивает.

— Допустим, — продолжает рассуждать Гесер, — что у кого-то из наших не будет алиби на все время убийств. Что происходит дальше? Темные требуют созвать трибунал. Мы обязаны подчиниться.

— Ну и что, просмотрят магу память... — говорит Антон. Замолкает.

— Просмотрят память магу, работающему в Дозоре, — говорит Гесер. — Ты представляешь, сколько информации уйдет к Темным? И какой информации!

— Этого нельзя допускать ни в коем случае... — сухо вставляет Ольга.

— А если маг откажется от проверки памяти, то его признают виновным, — заканчивает Антон. — Так вы полагаете, цель Темных — уничтожить... кого-то нашего?

— Меня. Ольгу. Семена. Илью, Гарика... — Гесер разводит руками. — Любая подобная потеря невосполнима. Так что иди, Антон, открой досье на всех нас и проверь — кто и чем занимался в момент убийств. Вот диск с ключом к закрытой базе данных.

Он протягивает Антону компакт-диск. Добавляет:

— И проверь еще себя.

— Я не настолько силен, — говорит Антон.

— Не скажи. — Гесер качает головой. — Я наблюдал за тобой, когда шла та заварушка на крыше... У тебя почти третий уровень.

— И вы мне не сказали? — спрашивает Антон.

— Допустим — мне важнее хороший программист, чем боевой маг... не любящий охотиться на вампиров... — Гесер примирительно улыбается. — Иди работай.

Антон с диском в руках идет к двери. Вдруг Гесер снова окликает его:

— И еще одно... Антон, не удивляйся, если кто-то из наших и впрямь убивал Темных.

Двор — уютный, зеленый, с хорошей детской площадкой, огороженной заборчиком. Детей почти нет — только возится в песочнице девочка лет пяти под присмотром старенькой бабушки. Старушка горестно смотрит на девочку, временами едва не начинает плакать.

С тихой улицы — той самой, где «дикарь» убил девушку-пантеру, во двор заходит Алиса. Оглядывается, видит девочку в песочнице и уверенно идет к ней. Бабушка на лавочке настораживается, окликает ее:

— Гражданочка!

Алиса досадливо морщится, подходит к старушке, говорит, глядя ей в глаза:

— Как зовут девочку?

— Машенька... — изменившимся голосом говорит старушка.

— Маша Рогова? Дочь Галины Роговой? — уточняет Алиса. Старушка кивает.

— Я поговорю с девочкой, — сообщает Алиса. — Очень хорошо, что я с ней поговорю. Вы посидите на скамейке и даже не запомните, что я к вам подходила. Меня здесь не было и нет.

Старушка пытается было что-то возразить... и беспомощно кивает. Алиса, больше не обращая на нее внимания, идет к девочке. Присаживается у песочницы:

— Здравствуй, Машенька.

Девочка смотрит на бабушку — та сидит совсем рядом. Девочка успокаивается.

— Здравствуйте, — отвечает девочка, с любопытством глядя на Алису.

— Хорошие куличики? — спрашивает Алиса. Зачерпывает рукой песок, высыпает — песок неожиданно складывается в причудливый песочный замок, с маленькими флажками над воротами, цветными стеклышками окон...

Девочка восхищенно смотрит то на замок, то на Алису.

— А где твоя мама, Машенька?

Девочка сразу же грустнеет и голосом, готовым сорваться на плач, говорит:

— Мама уехала... Мама надолго уехала...

— Ай-ай-ай... — сочувственно произносит Алиса. — Нет, Машенька. Твоя мама вовсе не уехала. Твоя мама умерла. Ее убил злой дядя. Взрослые не хотят про это говорить. Но ты больше никогда не увидишь маму.

Мгновение девочка смотрит на Алису, широко раскрыв глаза.

— Насовсем умерла, — с напором говорит Алиса.

Девочка вскакивает и с ревом бросается к бабушке. Алиса с жадным любопытством смотрит ей вслед.

— Мама умерла! — кричит девочка, утыкаясь в бабушку. — Бабушка! Мама насовсем умерла!

Алиса наблюдает за происходящим.

Бабушка начинает причитать, обнимая девочку:

— Ох горюшко... кто тебе сказал, Машенька, кто?

— Тётя! — кричит девочка, не отрываясь от бабушки. — Тётя пришла и сказала...

— Нет тут никого... — крутя головой и глядя мимо Алисы, шепчет бабушка. — Нет... это мама к тебе попрощаться приходила... Господи, спаси и помилуй...

Алиса встаёт и уходит с детской площадки. Удалившись от ребёнка и старушки, которые теперь рыдают вместе, достаёт телефон и набирает номер. Говорит:

— Это я. Девочка — абсолютная пустышка. Я её хорошо р скачала: восторг, а потом горе. И полное отсутствие реакции Иного. Да, никаких сомнений. Интереса не представляет... Пару часов не беспокойте, я заеду домой, перекушу. Ну хотя бы час...

Она неторопливо уходит от дома, двора, песочницы, плачущей девочки и причитающей старушки...

Вычислительный зал. За столом сидит Толик, возится с какой-то платой. Входит Антон, кивает ему, садится рядом.

— Привет.

— Сдохла, — мрачно говорит Толик, глядя на плату. — Хоть мозги выну...

— Потом, — качает головой Антон. — У нас срочная работа. Помнишь закрытую базу данных на сотрудников?

— Угу, — кивает Толик.

— Вот ключ к ней. — Антон показывает диск. — Нам придётся проверить, не убивают ли наши великие маги всякую нечисть.

— Ого... — Толик жадно смотрит на диск.

— Даже не думай копировать! — предупреждает Антон. — Только открыть и посмотреть. Ты проверишь Семёна, Илью, Гарика... и меня.

Толик смеётся:

— А что, ты убиваешь Тёмных?

Антону явно не до смеха.

— Нет, но ты мне не верь... Я проверю шефа и Ольгу. Давай работать.

— Откуда эта база вообще взялась? — усаживаясь за машину, спрашивает Толик.

— Про Инквизицию слышал? Про Трибунал?

— Это те маги, что следят за выполнением Договора? Темные и Светлые, что работают вместе? — уточняет Толик.

— Ага. Вот они и ведут свое досье... на всех нас.

Некоторое время спустя. На столе перед Толиком — пепельница, полная окурков. Антон пьет чай. Оба проглядывают какие-то файлы на экране. Иногда там мелькают какие-то удивительные картинки — вроде Гесера в старинной восточной одежде на фоне глинобитных хижин, Семена в пышном мундире и со здоровенной пищалью, Ольги на палубе старинного парусника, в широкополой шляпе с перьями и веером.

— Откуда в те времена фотоаппараты? — спрашивает Толик.

— Да это не снимки, это реконструкция памяти, — поясняет Антон, откидывается в кресле. — Какие они все-таки старенькие, наши маги...

— Да уж, твое досье куда короче... — ухмыляется Толик. — Хочешь посмотреть?

Антон качает головой:

— Нет... противно что-то.

— Ну, у тебя все в порядке, — заявляет Толик. — Известны пять случаев убийства Темных. И в одном у тебя бесспорное алиби.

— Правда? — с облегчением спрашивает Антон. Встает, подходит к Толику, читает через его плечо файл. Явно смущается. И качает головой:

— Нет... гляди.

— Да, ты вышел за шампанским, — улыбается Толик. — Тебя не было почти два часа... что ж так долго?

— Гулял. Думал. А убийство в тот раз произошло далеко?

— Так... постой... всего в двух кварталах... — постучав пальцами по клавишам, говорит Толик. — Ого. Ты ведь... мог. И впрямь мог.

Антон неохотно произносит:

— А у Гесера и Ольги алиби есть...

— У Семена, Ильи и Гарика — тоже.

Антон и Толик переглядываются.

— Давай диск, — говорит Антон. — Досье закрой, с компьютера все удали, винт почисти.

Толик протягивает ему диск, осторожно спрашивает:

— Слушай... а ты...

— Нет. Но как я это буду доказывать?

Большой двор — перед какими-то зданиями, похожими на учебные корпуса. Много молодежи, юношей и девушек. На невысоком парапете, за которым — река, сидит Алиса, с удовольствием ест мороженое. Разглядывает выходящих из здания людей.

Когда среди молодежи появляется Костя, Алиса негромко, одними губами, шепчет:

— Костя! Вампиреныш!

Костя вздрагивает, как от пощечины. Крутит головой, замечает Алису. Что-то коротко бросает веселящимся приятелям и идет к Алисе. Подойдя, выпаливает:

— Да кто ты такая...

— Я — Дневной Дозор, мальчик, — улыбается Алиса. — Алиса Донникова, ведьма. Так что цыц. Садись.

Присмиревший Костя садится рядом. Алиса продолжает есть мороженое. Сообщает:

— Представляешь, такая запарка, пообедать некогда. Заработаю себе язву в молодые годы... На кого учишься, мальчик?

По возрасту они почти ровесники, вряд ли Алиса намного старше, но Костя явно выглядит «подчиненным».

— На биолога, — отвечает он.

— Замечательно! — в полном восторге говорит Алиса. — Дай я догадаюсь? Дай, дай, дай! — хлопая в ладоши, как ребенок, повторяет она.

Костя отворачивается.

— Хочешь стать великим ученым и научиться превращать вампиров обратно в людей, — торжественно говорит Алиса. — Или хотя бы жить без человеческой крови. Верно?

Костя молчит. Алиса со смехом отбрасывает за спину недоеденное мороженое, обнимает парня за плечо.

— Да ты не сердись. Ты хороший мальчик и очень симпатичный. Жалко, что вампир, а то мы могли бы и подружиться.

— А так не можем? — уточняет Костя.

— Не люблю низшие формы Иных, — морщится Алиса. — Ладно-ладно, шучу. Среди моих друзей даже есть вампиры. Ты мне лучше ответь, Костя, каким образом среди твоих друзей оказался Светлый маг Антон Городецкий?

— Ты никогда не была изгоем, — с вызовом говорит Костя. — Тебе было с кем поделиться... своими умениями. А представь, что на всю Москву нас меньше сотни? И при этом рядом живет Иной, который от тебя не шарахается... как от прокаженного.

— И это повод дружить со Светлым?

— Да. Был повод. Он нас не презирал... жалел, наверное, но не показывал этого... — Костя старается не смотреть Алисе в глаза.

— А потом он прикончил одного из ваших, — кивает Алиса. — Знаю-знаю. Нет, я ничуть не осуждаю тебя, Костя. Любой Темный вправе делать все, что он хочет. Даже дружить со Светлыми. Ты мне лучше расскажи немного про Антона.

— Зачем?

— Я не обязана отвечать, — говорит Алиса. — Но скажу. Антон Городецкий подозревается в серийных убийствах Темных. Особенно низших и слабейших: оборотней, вампиров, бескудов...

— Чушь какая-то... — неуверенно говорит Костя.

— Но это так, — продолжает Алиса. — Скажи, он никогда в разговорах не называл себя судьей? А случалось такое, что несколько дней Антон ходил взбудораженный, сам не свой, а потом вдруг резко успокаивался? Ты не видел у него предмет, похожий на деревянный нож?

— Нет, — неуверенно говорит Костя. — Да не настолько хорошо я его знаю...

— Может быть, он расспрашивал тебя про Темных? — спрашивает Алиса. — Где собираются оборотни, где любят проводить время вампиры... у вас же есть свои любимые местечки...

Костя напряженно думает. Качает головой:

— Я мог и сам что-то рассказывать... да не сумел бы он так притворяться!

— Он может не понимать, что делает, — говорит Алиса. — Неприязнь к Темным копится, потом помрачение сознания, и...

Она проводит рукой поперек шеи. Вздыхает.

— Зачем ему это? — спрашивает Костя с недоверием.

— Зачем? Это у нас с тобой, — подчеркивая «нас», говорит Алиса, — все разумно. А у Светлых на первом месте — «долг» и «убеждения». К разуму они отношения не имеют.

Алиса спрыгивает с парапета. Говорит:

— Ладно, дружок. Вспомнишь что-нибудь — звони в Дозор. И будь поосторожнее, если столкнешься со своим соседом на темной лестнице.

Она уходит, а Костя так и остается сидеть.

Кабинет Гесера.

Антон сидит перед шефом, тот выжидающе смотрит на него. Наконец Антон произносит:

— Вы знали?

Гесер вздыхает:

— Я подозревал. У тебя нет алиби? Ни на одно убийство?

— Нет.

Гесер барабанит пальцами по столу. Потом отвлекается — берет дорогую авторучку и сосредоточенно помешивает оранжевый порошок, стоящий в тигле над маленькой спиртовкой, прямо на столе.

— Что это, Борис Иванович? — спрашивает Антон.

— Страшный яд... — мрачно говорит Гесер. — Шучу я, шучу... высушенная и размолотая кожура одного редкого вида орехов. Без вкуса и запаха, никакими эффектами не обладает... если не приложить немного магии. Что будем делать, Антон?

Антон пожимает плечами:

— Постараюсь чаще бывать на виду. Ведь возможны новые провокации?

Гесер кивает:

— Это правильно. Одному — только в туалет. И то, если по маленькому...

Открывается дверь, в кабинет входит Ольга. За дверью видна маленькая комната отдыха с уютной обстановкой.

— Как и предполагали? — спрашивает она.

— К сожалению. Полагаю, у Антона есть два-три дня, потом Дневной Дозор предъявит обвинение. Ты готова?

— Готова. — Ольга вздыхает.

Антон вертит головой, ничего не понимая. Спрашивает:

— Но зачем им устраивать за мной такую охоту?

— Ты помешал Завулону. Ты, дорогой мой, стал его личным врагом. А у него очень немного живых врагов... — Гесер резко поднимается, берет с огня тигель. — Антон, встань с Ольгой спина к спине. Я произведу небольшое магическое воздействие... не пугайся и не пытайся сопротивляться.

Антон подчиняется. Шепотом спрашивает:

— Что вы придумали?

— Сейчас узнаешь, — так же тихо отвечает Ольга. — Ты помог мне, а я сейчас помогу тебе. И ручаюсь... это будет необычно.

Гесер подходит к Ольге и Антону. Берет из тигля щепотку порошка, сыплет на пол, обводя вокруг них круг. Остатки порошка он высыпает на головы Ольги и Антона. Отходит на шаг, будто любуясь работой.

И произносит несколько слов на странном незнакомом языке...

Очертания Ольги и Антона становятся нерезкими, размытыми. Воздух вокруг них дрожит, будто от невидимого жара, они заключены в мутную колонну, их фигуры размываются, растекаются, переплавляются друг в друга...

Когда все кончается, Ольга и Антон все так же стоят спина к спине, только теперь они поменялись местами.

Ольга вдруг поднимает руки, смотрит на них — маникюр, серебряные кольца... И начинает кричать.

Гесер, устало присевший на край стола, терпеливо ждет. Вмешивается Антон — берет Ольгу за плечи, встряхивает, прикрикивает:

— Прекрати! Ты мужик или истеричная баба?

«Ольга» внезапно замолкает. И отвечает:

— Теперь не знаю. Что вы сделали, Борис Иванович?

— Истинное перевоплощение, — говорит Гесер. Вытирает со лба пот. — Не было времени тебя уговаривать, Антон... а ты бы не согласился. Зато теперь пусть попробуют Темные устроить для тебя провокацию.

«Ольга» смотрит на «Антона», потом бросается в комнату отдыха. Смотрит в зеркало. Кривится...

Следом за ним идет «Антон», с не меньшим удивлением разглядывая свои руки, запинаясь чуть ли не на каждом шаге... Начинает хохотать. Говорит:

— Как же вы... мужики... ходите... Бедные!

«Ольга» мрачно косится на нее. Потом трогает руками пышную грудь. Удивленно поднимает брови. И тоже начинает ржать.

— У тебя помада размазалась... — говорит сквозь смех «Антон». — Умеешь краситься?

— Сдурела? — отвечает «Ольга». — Нет, конечно.

— Ничего, научу. Нехитрая наука. Тебе еще очень повезло, Антон!

— В чем? — подозрительно спрашивает «Ольга».

— На недельку позже — и пришлось бы учить тебя пользоваться тампонами.

— Как любой нормальный мужчина, — упирая руки в боки, говорит «Ольга», — регулярно смотрящий телевизор, я умею это делать в совершенстве. Тампон надо зажать в кулаке, полить его синей водичкой, а потом крепко сдавить!

Кабинет Гесера.

Хозяин кабинета стоит у окна, о чем-то говоря по телефону.

«Антон» и «Ольга» сидят рядом на диване. «Антон» умело подкрашивает «Ольге» брови. Говорит:

— Не забудь на ночь снять всю косметику. Только не водой, косметическим лосьоном! И сделай питательную маску, хорошо?

«Ольга» хмурится:

— Где я их возьму?

— В сумочке лежат, разберешься... А на завтра я записана на маникюр. В блокноте помечено.

«Ольга» говорит:

— Не справлюсь я так быстро... Буду ходить как чучело.

— Гесер? — вопросительно произносит «Антон». — Можно ему?..

Гесер смотрит на них, кивает.

— Можешь рассказать все Светлане, — говорит «Антон». — Она поможет. А если хочешь, поживи у нее.

Ольга вздыхает, но согласно кивает.

— Я специально кроссовки надела и джинсы, чтобы тебе полегче было, — говорит «Антон». — Только в карманах ничего не таскай, это мужская манера. У тебя для вещей есть сумочка! Ну... замечательно.

«Антон» отстраняется, рассматривает «Ольгу». Кивает:

— А ведь я хорошенькая... Ладно, партнер. Не стоит тебе слишком задерживаться.

«Ольга» встает. Делает несколько шагов. Возмущенно восклицает:

— Почему я так виляю задом?

— Рефлексы остались мои... — потупив глаза, отвечает «Антон». — Контролируй себя. И береги это тело — оно мне долго служит!

-- Верну в целости и сохранности, — отвечает «Ольга».

Гесер подходит к ним, говорит:

— Удачи тебе...

Тянется было к «Ольге», чтобы поцеловать ее на прощание, спохватывается и смущенно отстраняется. «Ольга», окинув Гесера негодующим взглядом, выходит из кабинета.

В коридорах офиса немноголюдно. Несколько попавшихся на пути Иных вежливо здороваются с «Ольгой». Она спускается ниже на этаж и осторожно заглядывает в приоткрытую дверь. Там — что-то вроде маленькой учебной аудитории, доска на стене, проектор... На большом металлическом столе лежит элегантный смокинг. Рядом стоит аккуратная старушка — Полина Васильевна — и увлеченно говорит:

— Теперь вы видите, что и в сказках бывает здравое зерно. Тыкву в «мерседес» вы, конечно, не превратите, но сотворить из ватника приличный смокинг может каждый. Только не забывайте проверить, насколько хватит заклинания... иначе окажетесь на балу в обносках.

Полина Васильевна замечает «Ольгу» и прерывается. Вежливо произносит:

— Прошу вас, госпожа. Большая честь для нас.

«Ольга» заходит. Аудитория у Полины Васильевны небольшая — худощавый кореец неопределенного возраста, парнишка лет пятнадцати-шестнадцати, молодой парень, пожилой толстяк... и Светлана.

— Возможно, вы продемонстрируете ученикам что-нибудь действительно интересное? — спрашивает Полина Васильевна.

«Ольга» откашливается и говорит:

— Не сейчас. Простите, что прерываю урок, но мне надо забрать у вас Светлану. Очень спешное дело.

— Конечно, госпожа, — кивает Полина Васильевна. Похоже, она боготворит Ольгу.

Светлана кивает «Ольге», быстро собирается и вместе с ней выходит из аудитории.

— Света, нам надо поговорить, — говорит «Ольга». — И не здесь... поедем к тебе?

Светлана берет ее за руку:

— Подожди, я обещала дождаться Антона.

— Все в порядке, он в курсе, — сообщает «Ольга». — Антон у тебя появится.

— Хорошо... — с легким удивлением соглашается Светлана.

Они выходят из офиса, «Ольга» предлагает:

— Возьмем машину?

Светлана с удивлением смотрит на нее:

— А ты что же, пешком сегодня?

«Ольга» неуклюже пытается вывернуться:

— Так я и говорю — на машине поедем?

Светлана недоуменно кивает.

Они подходят к стоящему у офиса спортивному кабриолету с открытым верхом. «Ольга» долго роется в сумочке, прежде чем находит ключи.

— Сними сторожевое заклятие, я не могу подойти, — окликает ее Светлана, замершая за несколько метров от автомобиля.

— А сама сумеешь? — спрашивает «Ольга».

— Попробую... — неуверенно говорит Светлана. Делает причудливый жест руками, будто развязывая невидимый узелок. И расцветает в улыбке: — Получилось!

Женщины садятся в машину.

Машина мчится по трассе. «Ольга» ведет, Светлана задумчиво смотрит перед собой. Потом спрашивает:

— Почему ты не захотела дожидаться Антона?

— Я... попозже объясню, — отвечает «Ольга».

Светлана поворачивается к ней и спрашивает, будто продолжая давний разговор:

— Скажи... Он любит меня? Все-таки да или нет? Ты ведь знаешь?

«Ольга» вздрагивает, машина виляет.

— Или... он любит тебя? — напряженно спрашивает Светлана.

— Антон относится к Ольге очень хорошо, — говорит о себе в третьем лице «Ольга». — Боевая дружба. Но не более того.

Светлана чуть расслабляется, извиняющимся жестом касается руки «Ольги». Говорит:

— Тогда почему он так странно себя ведет? Иногда кажется, что он от меня без ума. А иногда — что я для него лишь коллега... одна из сотен знакомых Иных...

— Антон боится... — тщательно подбирая слова, отвечает «Ольга». — Понимаешь, ведь когда вы с ним встретились, вас сразу потянуло друг к другу... без всякой магии... ему нужно было внушить тебе симпатию, но она возникла сама собой...

— И что же?

— Ты — будущая Великая волшебница, — говорит «Ольга». — Антону никогда не достигнуть тех высот, которые ждут тебя.

— И?.. — ждет Светлана.

— Рано или поздно твой путь уведет тебя от Антона. Вы расстанетесь. Антон боится тебя любить... он знает, что обречен на эту любовь и что обречен на разлуку. Ему... уже довелось такое испытать.

— Вот как... — задумчиво говорит Светлана. — Какие идиоты мужики... Зачем любить, если разлюбишь? А зачем тогда жить — ведь все равно умрешь. Каждый человек приговорен к любви и к расставанию.

«Ольга» не отвечает, они уже приехали. Машина останавливается у дома Светланы, женщины входят в подъезд, заходят в квартиру Светланы. Там почти ничего не изменилось.

— Чай будешь? — запирая дверь, спрашивает Светлана.

«Ольга» стоит, колеблясь.

— Ольга? — вопросительно произносит Светлана.

— Я не Ольга, — говорит «Ольга».

Молчание.

— Я не мог сказать в офисе, все это надо скрывать даже от своих...

— «Не мог»? — переспрашивает Светлана.

— Это лишь тело Ольги, — говорит «Ольга».

— Антон! — выпаливает Светлана. И с размаху дает ему пощечину.

— За что? — кричит «Ольга».

— За то, что подслушивал чужой разговор! — сообщает Светлана и пытается дать вторую пощечину.

«Ольга» уворачивается, хватает Светлану за руку:

— Света, я обещал беречь это тело!

— А я — нет! — Светлана в ярости, она наступает на «Ольгу», прижимая ту к двери. — Убирайся вон! И оставайся в этом теле, оно тебе больше подходит, ты не мужик, тряпка! Любить он боится...

Гнев ее мгновенно обращается в слезы. И тогда «Ольга» подходит и обнимает ее, успокаивая. Боль теперь на лице «Ольги»...

Квартира Светланы. «Ольга» и Светлана сидят перед бормочущим что-то телевизором, на журнальном столике перед ними — бутылка сухого вина, чай, всякая снедь к чаю.

— Ты разве любишь булочки? — удивленно спрашивает Светлана.

— Люблю. С маслом и вареньем, — разрезая и намазывая очередную булочку, говорит «Ольга».

— По-моему, кто-то обещал беречь это тело, — замечает Светлана.

— А что плохого я ему делаю? Можешь поверить, организм в полном восторге!

— Ну-ну... — отзывается Светлана. — Потом спроси у Ольги, как она бережет фигуру. За каждые набранные сто грамм она у тебя сто грамм мяса выгрызет.

«Ольга» с сожалением смотрит на надкушенный бутерброд, откладывает его в сторону.

— Это чья была идея — спрятать тебя в женском теле? — спрашивает Светлана.

— Кажется, шефа. Ольга его поддержала. Полноценное перевоплощение, не какие-нибудь фокусы с иллюзией!

— Кто бы сомневался... — Светлана задумчиво смотрит на «Ольгу». — Так что нам необходимо делать?

— Нам?

— Ну, раз уж послали ко мне, значит, я должна тебе помогать.

— Шеф считает, что все эти убитые Темные — провокация Дневного Дозора, — объясняет «Ольга». — Причем провокация против меня — только я не имею никакого алиби на время убийств. Теперь, чтобы окончательно упечь меня под трибунал, Темные совершат еще одно убийство... когда я буду дома один. Вот тут-то и надо будет заявить, что я находился совсем в другом месте, что этому есть свидетели!

— Значит, спать будешь у меня, — с улыбкой говорит Светлана. — М-да... Замечательно. Ты выбрал великолепный момент, чтобы впервые остаться на ночь.

— Я от этого тоже не в восторге, поверь, — мрачно говорит «Ольга».

— Антон, я с вами совсем недавно, — говорит Светлана. — Но вот что я думаю... как-то слишком уж просто все получается. Знаешь, на что походит? На тот случай, когда ты ловил вампиров, а надо мной висел черный вихрь... — Она морщится.

— Ты хочешь сказать, слишком просто?

Светлана кивает:

— Мне кажется, что провокация Темных, их попытка тебя подставить — это неправда. Или только часть правды. Ты уж извини, Антон, но разменивать одного Светлого мага на пятерых Темных — слишком расточительно. И такая мелкая мстительность для Завулона... Главе Дневного Дозора преследовать задевшего его мага? А Гесер? Запихивает тебя в тело Ольги и считает, что никто из Темных этого не заметит?

Она качает головой и продолжает:

— Нет, Антон. И у Темных игра посложнее, и Гесер себе на уме.

«Ольга» кивает:

— Хорошо, согласен. Но какой у меня выход? Предложение Гесера отсидеться в теле Ольги выглядит разумным.

Светлана резко встает:

— Тогда не будем отсиживаться в моей квартире. Поехали куда-нибудь?

— Давай, — соглашается «Ольга». — Я знаю один милый ресторан... а потом в какой-нибудь ночной клуб. Самый дурацкий, молодежный, чтобы толпа юнцов прыгала до утра. И надо будет побольше танцевать перед сценой, чтобы нас заметили...

— Антон, милый, — с чувством говорит Светлана. — Спасибо тебе. Ты меня наконец-то куда-то пригласил. Я этого ждала уже два месяца. Жаль только... эх...

«Ольга» явно смущается, а Светлана подходит к гардеробу, начинает перебирать одежду. Замечает:

— Жалко, на твой размер ничего не найду... пустят в ресторан в джинсах?

— Если потребуется — внушу персоналу, что меня надо пропустить.

— А это будет доброе воздействие на человека? — уточняет Светлана.

— Конечно! — говорит «Ольга». — Ведь форма одежды — лишь частности, нельзя из-за нее отказывать человеку в праве поужинать.

Светлана бросает перебирать одежду, поворачивается к «Ольге»:

— Вот что меня поражает, так это умение опытных дозорных любой поступок объявлять светлым и добрым! Надо будет — воздействуем на человека, внушим ему ложную память, изменим настроение, заставим помогать себе... Где грань, Антон? Где грань между нами и Темными?

— Только в тебе, — отвечает «Ольга». — Если ты действительно хочешь добра человеку, то можешь и причинить ему боль. Хирург тоже режет по живому.

— Слова... только слова... — качает головой Светлана. — А благими намерениями знаешь куда дорога вымощена? Мне кажется, Антон, что я всю жизнь буду мучиться — имею право использовать свою Силу или нет...

— Да, будешь, — кивает «Ольга». — Именно потому мы и Светлые, что мучаемся этими вопросами. А если ты хотела полной уверенности в своем праве поступать как хочешь, то выбрала не ту сторону.

Светлана качает головой:

— Нет, Антон. Я выбрала свою сторону.

Она достает из шкафа блузку, прикладывает к груди:

— Пойдет мне?

Центр Москвы, Тверская. Витрины магазинов, спешащие прохожие, машины...

Алиса паркует машину, включает сигнализацию, подходит к неприметной двери в одном из домов — невысоком, этажей пять-шесть... Дверь, похоже, ведет то ли в совсем маленький офис, то ли в какие-то служебные помещения... Она касается кнопки звонка, ждет, глядя в объектив камеры.

Дверь открывается, и Алиса входит в маленькое помещение. Что-то вроде тамбура — за столом сидит охранник в форме, еще один поджидает Алису у двери. Внимательно оглядывает, потом кивает и улыбается.

— Шеф у себя? — спрашивает Алиса, направляясь к внутренней двери.

— Нам не докладывал, — фыркает охранник за столом.

Алиса открывает дверь — за ней еще одна комната, в ней лифтовые двери. Еще один охранник провожает Алису внимательным взглядом.

В лифте Алиса нажимает кнопку девятого этажа. Лифт поднимается. Алиса выходит в широкий коридор, проходя мимо окна — смотрит вниз, на свою машину.

Снаружи хорошо видна Алиса, стоящая у окна. Почему-то и она, и окна — все черно-белое, в серой дымке. При удалении взгляда видно, что над самым обычным «сталинским» домом надстроено еще несколько этажей — куда более современных, но словно подернутых туманом, явно незаметных для обычного человеческого взгляда.

Алиса идет дальше по коридору. Входит в приемную — секретарша за столом смотрит на нее с неприязнью, но тут же докладывает по селектору:

— Пришла Донникова.

— Пусть войдет, — раздается в ответ голос Завулона.

Алиса входит в кабинет Завулона.

В отличие от кабинета Гесера — здесь ничего лишнего или старомодного. Все очень функционально, все неприметно дорого и современно. Завулон сидит за столом, откинувшись в кресле, и лениво, одной рукой, поигрывает на компьютере. По экрану бегают монстры. Завулон, улыбаясь, уничтожает нечисть. Спрашивает:

— Что скажешь?

— Хорошо играете, шеф, — говорит Алиса.

Завулон усмехается, выключает компьютер. Поворачивается к Алисе, произносит одно лишь слово:

— Он?

Алиса пожимает плечами:

— Может быть, и он. Алиби нет... обвинение мы выдвинуть можем.

— Требуется еще один неверный шаг Городецкого, — говорит Завулон.

— Поможем? — улыбается Алиса.

Завулон качает головой:

— Все-таки ты глупа, девочка. Зачем помогать? Он сорвется сам.

— А если это не он? — спрашивает Алиса.

— Тогда — тем более, — отвечает Завулон. — Если есть обвинение, то факты под него найдутся. Что он сейчас делает?

Алиса смотрит на часы:

— Едет домой. За ним наблюдают. Ничего необычного, совершенно ничего.

— Вот это и странно, — говорит Завулон. — Скажи...

Он задумывается, потом продолжает:

— Чем занимается его подруга?

Алиса пожимает плечами.

— Наблюдайте, — решает Завулон. — За Светланой. За Ольгой. За Колобовым... с кем еще он дружен? Всех держите под присмотром.

Алиса кивает:

— Идти выполнять?

— Иди сюда, — неожиданно говорит Завулон совершенно с другой интонацией. Алиса с готовностью склоняется над креслом — она и Завулон сливаются в поцелуе. Через несколько мгновений Завулон отрывается от губ Алисы и шепчет ей в ухо: — Но смотри, сорвешь операцию — шкуру спущу...

Они вновь начинают целоваться.

Ресторан. Приглушенный свет, тихая музыка. «Ольга» и Светлана сидят за столиком. Перед ними — открытая бутылка вина, какая-то еда.

— Хорошее местечко, — говорит Светлана. — Спасибо. Вот только...

Она чокается с «Ольгой».

— Ты Иного заметил? — вполголоса спрашивает Светлана.

— Старик за моей спиной? — тихонько отвечает «Ольга».

— Какой же он старик? — удивляется Светлана. Она искоса поглядывает на крепкого мужчину средних лет, сидящего за столиком с женой и маленьким сыном.

— Глубокий старик. Я не глазами смотрю.

— Пока не получается возраст определить... — со вздохом признает Светлана. — Даже не пойму, Темный или Светлый...

— Темный. Маг средней силы. Не из Дневного Дозора, но Темный. Кстати, он тоже нас заметил.

— И что мы будем делать? — напрягается Светлана.

— Мы? Ничего. Как работники Ночного Дозора можем проверить у него документы. Но они наверняка в порядке.

Светлана размышляет. Спрашивает:

— А когда мы вправе будем вмешаться?

— Ну, если он встанет, взмахнет руками, превратится в демона и начнет откусывать всем головы...

— Антон!

— У нас нет никаких оснований мешать честному Темному отдыхать...

Немного в стороне от Светланы и «Ольги» сидит за столиком еще одна парочка. Мужчина, чем-то напоминающий самого Антона, и женщина, судя по поведению — жена. Женщина поглядывает на «Ольгу» и Светлану, потом презрительным шепотом говорит:

— Лесбы...

— Что? — спрашивает ее спутник. Он смотрит на того Темного мага, которого заметили Антон со Светланой.

— Вон, сидят две девицы... та, темненькая в джинсах, по повадкам совсем мужик.

Мужчина кивает. Кажется, его не особо интересуют эти девицы. Он напряженно поглядывает на Темного мага.

— Знаешь, мне даже чем-то симпатичен «дикарь», преследующий Темных, — говорит Светлана. — Он не мирится с Договором, он старается избавить мир от зла...

— Света, а знаешь, почему он не выходит на контакт с нами? — спрашивает «Ольга».

Светлана качает головой.

— Вероятно, он просто не видит Светлых. У него спонтанно проявляются способности Иного, он видит зло и уничтожает его. А вот добро он увидеть не в силах. Тебя это не пугает?

Светлана пожимает плечами. Говорит:

— Темный маг встал... куда-то пошел. Небось будет сосать чужие силы, готовить злобные заклинания...

«Ольга» поглядывает через плечо — Темный маг и впрямь вышел из-за столика и удалился.

— Отлить он пошел, Света. Пописать. — «Ольга» улыбается. — А семья у него обычная, никаких способностей. Вот как они воспримут, если любимого мужа и отца ликвидируют?

Тем временем из-за своего столика поднимается и мужчина, наблюдавший за Темным магом. Тоже уходит.

— Не могут же у Темного мага быть нормальные, добрые жена и дети! — говорит Светлана.

— Здрасте, — иронически отвечает «Ольга». — У Гарика отец — Темный маг! Сколько угодно таких примеров.

— Все равно как-то неприятно тут стало... — говорит Светлана.

— Тогда по коктейлю, и двинем отсюда? — спрашивает «Ольга». Подзывает официанта, тот подает «Ольге» меню, «она» удивленно передает меню Светлане.

— «Альтер эго», — заглядывая в карту, говорит Светлана.

— Два коктейля и счет, — решает Ольга.

Тем временем возвращается мужчина, ушедший за Темным магом. Тоже просит у официанта счет, что-то говорит жене... та спорит, потом раздраженно встает, и они уходят.

Светлане и «Ольге» подают коктейль — два тяжелых, несмешивающихся слоя в бокале, черный и белый.

— За Дозор, — поднимает тост «Ольга».

— За Дозор, — кивает Светлана. — И чтобы ты побыстрее выбрался из этой истории.

«Ольга» допивает коктейль, говорит:

— Схожу я тоже на дорожку...

— Дверью не ошибись, — с улыбкой напоминает Светлана. — И не прибей Темного мага в туалете.

«Ольга» встает и идет по направлению к туалету. Обе двери отгорожены от зала высокой ширмой. Уже подойдя к двери женского туалета, «Ольга» смотрит на дверь мужского.

Дверь закрыта не до конца. Что-то мешает.

«Ольга» медленно подходит к двери, открывает ее...

У самого порога на кафельном полу лежит Темный маг. В руке у него зажата тонкая витая трубочка, будто из хрусталя — словно он потянулся за оружием, но не успел. Рубашка на груди мага прорезана наискось. Но крови нет.

— Гады... гады... — шепчет «Ольга», оглядываясь.

— Идем, Павлик, — раздается женский голос. Жена Темного мага тоже идет к туалетам, держа за руку сына.

— Не хочу, мам! — капризничает ребенок.

— Зайдешь, скажешь папе, что мы скучаем, — терпеливо говорит женщина. Поднимает голову и видит «Ольгу».

— Позовите кого-нибудь! — громко кричит «Ольга». — Позовите! Здесь человеку плохо! Уведите ребенка и позовите кого-нибудь!

При этом «Ольга» наступает ногой на хрустальную трубочку — та лопается, и осколки тут же тают, будто ледяные.

В зале сразу наступает тишина, только играет музыка.

Женщина, выпустив ребенка, бросается к лежащему мужу. Расстегивает ему воротник, тормошит, причитая что-то, потом в полном отчаянии начинает хлестать по щекам, будто надеясь привести в чувство.

— Мама, ты зачем папу бьешь? — удивляется маленький Павлик.

«Ольга» берет ребенка за руку и отводит в сторону. К ней тут же подступает официант, «Ольга» передает ему притихшего ребенка.

— Уведите малыша. Там, кажется, человек умер.

— Кто нашел тело? — очень спокойно говорит официант.

— Я.

Официант кивает, передает начинающего хныкать ребенка кому-то из прибежавшей прислуги. Спрашивает:

— А что вы делали в мужском туалете?

— Дверь была открыта, я и заметила...

— Вам придется дождаться милиции, — кивает официант.

— Конечно. — «Ольга» видит приближающуюся Светлану, говорит: — Света, там такой ужас, там труп!

— Оля! — Светлана обнимает ее, уводит в сторону — и негодующе шепчет: — Зачем, зачем ты это сделал?

— Что? — «Ольга» столбенеет.

— Не ты? — неуверенно говорит Светлана. — Извини... я подумала... — Она садится за столик и обреченно охватывает голову руками.

— Я позвоню Гесеру, — тихо говорит «Ольга». — И... в Дневной Дозор. Я обязан их вызвать.

За столиком «Ольги» и Светланы сидит милиционер. Вид у него усталый, замотанный, особого рвения он не проявляет и вопросы задает только ради проформы:

— Труп так и лежал?

— Так и лежал, — говорит «Ольга». — Ужасно! А потом пришла жена трупа с ребенком...

Милиционер косо улыбается:

— Спасибо. Если вы понадобитесь, с вами свяжутся.

— Его убили? — спрашивает «Ольга».

— Не думаю, — говорит милиционер, вставая. — Сердце подвело... не надо пугаться, девочки...

Он уходит, а «Ольга» осторожно смотрит на соседний столик — там сидит Гесер, задумчиво курит сигару. Как только милиционер удаляется, он подходит к девушкам, говорит, будто передразнивая милиционера:

— Можно присесть, девочки?

Не дожидаясь ответа, садится. И раздраженно спрашивает «Ольгу»:

— Доигрались?

— Мы?

— Да. Вы. Точнее — ты!

— Я же никого не трогал, — говорит «Ольга».

Гесер вздыхает:

— Я тебе верю. Но назови мне еще одного психа, который поверит! Это уже не просто отсутствие алиби, это прямые улики!

— Косвенные... — мрачно говорит «Ольга».

— Борис Иванович, — вдруг говорит Светлана. — Не ругайте Антона, пожалуйста! Да, он зря пошел в туалет, когда там находился Темный маг. Но теперь надо думать, как спасать ситуацию.

— Как? — спрашивает Гесер. — Антон по уши в дерьме! Единственное, чем он может доказать свое алиби, — это позволить Темным прочитать его память. Но ты представляешь объем информации, которым он владеет? Методики обучения и поиска Иных, разбор боевых операций, сети людей-осведомителей, статистика потерь, анкетные данные сотрудников... — Гесер разводит руками. — Антон защитится, а вот Ночной Дозор после этого можно расформировывать!

— Я не позволю читать свою память, — говорит «Ольга».

— Тогда тебя уничтожат, — говорит Гесер. — И я никак не смогу тебя защитить. Думаю, Темные прекрасно понимают, что кончится все именно этим...

— А пусть ему проверят память только за сегодняшний день? — предлагает Светлана.

— Это невозможно. Память раскручивается целиком, с первого мига жизни... даже не с рождения — раньше. Все равно что заново прожить свою жизнь... страшное это испытание... — Гесер раздраженно давит сигару в пепельнице, будто вульгарный бычок. — Зачем они тратят такие силы? Неужели ты им так насолил, Антон?

— Может быть, я важен не сам по себе? — спрашивает «Ольга». — Как в той истории — они пытались отвлечь меня, чтобы погибла Светлана. Вдруг и сейчас удар рассчитан на... на...

— На что? — интересуется Гесер.

— Чтобы я что-то сделал... или не сделал. — «Ольга» пожимает плечами.

— Тогда твой единственный шанс — найти «дикаря», — говорит Гесер. — Он был рядом с вами, понимаешь? Вспоминай!

— Был какой-то мужчина, сидел вон за тем столиком, — показывает «Ольга». — Зашел в туалет вслед за Темным. Но я не запомнил лица!

— Я подругу его неплохо запомнила, — говорит Светлана. — Она почему-то злобно на нас смотрела... красивая женщина. Еще подкрашивалась, я заметила, что косметика у нее, как у меня.

— Замечательная примета... — Гесер вскидывается: — Как они расплачивались? Карточкой?

— Наличными, — качает головой Ольга. — Мужик этот долго деньги пересчитывал...

— Все, Темные пожаловали, — цедит сквозь зубы Гесер. — Говорить буду я!

В ресторан входят и тут же уверенно идут к ним трое Темных — ведьма Алиса и двое парней с мрачными лицами.

Подходя к столику, Алиса наигранно-удивленно поднимает брови:

— О, какая честь! Великий Светлый... неужели это вы были свидетелем убийства?

— Они, — кивает на девушек Гесер.

— Вы знаете ситуацию, Светлый. Мы вынуждены их задержать, — говорит Алиса. — До выяснения...

— Они выполняют мое задание и не будут задержаны, — не повышая голоса, произносит Гесер. — Я проведу служебное расследование.

— Нет, — говорит Алиса. При этих словах ее спутники достают короткие жезлы, светящиеся мрачным багровым светом. На Гесера они смотрят с откровенным страхом, но все-таки подчиняются.

— Прочь! — говорит Гесер, вставая. Делает жест ладонью — у парней ломаются жезлы, их и Алису отшвыривает в сторону. Гесер разъярен.

Люди в ресторане с испугом смотрят на происходящее. Гесер на миг отвлекается, говорит:

— Здесь не происходит ничего интересного!

Все мгновенно возвращаются к своим разговорам, еде, напиткам. Происходящее их и впрямь больше не волнует.

— Пошли, — бросает Гесер «Ольге» и Светлане.

Привставшая с пола Алиса кричит:

— Завулон! К тебе взываю!

Из пустоты, из Сумрака, в зале появляются еще два Темных мага. Их боевые жезлы нацелены на Гесера. Сбитые им маги тоже готовятся к схватке.

— Я не позволю задержать своих сотрудников, — говорит Гесер. — Присутствие на месте преступления — недостаточное основание для ареста.

— Мы предъявляем обвинение в многократных убийствах Темных! — кричит Алиса.

— Кому? — быстро спрашивает Гесер.

— Одному из присутствующих, — неуверенно отвечает Алиса.

Гесер ухмыляется и повторяет:

— Пошли.

Гесер, «Ольга», Светлана идут через ресторан, мимо занятых своими делами людей. Темные кольцом движутся за ними, не решаясь напасть.

Когда они подходят к самой двери, Алиса кричит в очередной раз:

— Завулон! К тебе взываю!

И дверь ресторана открывается. Тихо и неспешно входит Завулон. Одет он так же неприметно и непритязательно, как и раньше. Улыбается Алисе, потом переводит взгляд на Гесера:

— Какая интересная ночь, Гесер... Я предъявляю обвинение в многократных убийствах Темных сотруднику Ночного Дозора Антону Городецкому.

— Каким образом это касается нас? — с вызовом спрашивает Светлана.

Мрачный Гесер печально смотрит на нее. Завулон хихикает:

— Пресветлый Гесер, а ты тоже не заметил, что в теле твоей любовницы — Антон Городецкий? Тот, кого мы подозреваем в многократных убийствах рядовых Темных. Беззащитных, мирных граждан, даже не состоящих в нашем Дозоре...

— Ой! — с восторгом, как-то по-детски, говорит Алиса и смотрит на «Ольгу».

В следующий миг «Ольга» бросается вперед. Завулон насмешливо смотрит на нее, явно пренебрежительно относясь к способностям Антона. Но «Ольга» не собирается колдовать. Она резко бьет Завулона в живот, тот сгибается. Лицо его мигом утрачивает спокойствие. Ударом ноги в колено «Ольга» обрушивает Завулона на пол — и выбегает на улицу.

Тихий переулок где-то в центре Москвы. Поздний вечер, немноголюдно. По улице бежит «Ольга». За ее спиной из дверей ресторана выскакивает Гесер, держащий за руку Светлану. Следом за ним — все еще согнувшийся Завулон. Завулон поднимает руку, его губы что-то шепчут — и пылающая багровая струя несется вслед за «Ольгой». «Ольга» резко бросается в сторону, заряд проходит над ней, разворачивается, пытается снова нацелиться на «Ольгу» — но врезается в угол какого-то дома. Летят камни. «Ольга» бежит. За ее спиной еще один заряд подбрасывает в воздух автомашину, та вспыхивает. Гесер удерживает рвущуюся Светлану. Светлана поднимает руки — между ними начинает змеиться разряд молнии, но Гесер сдерживает ее, заставляет опустить руки, оттаскивает от Завулона.

Прохожие, которые абсолютно не реагировали на летящие заряды, начинают в панике разбегаться. Последствия взрывов им заметны.

«Ольга» сворачивает за угол. Она тяжело дышит. На лице — решимость и ярость. Она выхватывает взглядом какую-то машину, едущую по улице, протягивает руку...

Машина с визгом тормозит и прямо из третьего ряда подруливает к тротуару. Водитель открывает дверцу, с блаженным лицом смотрит на «Ольгу», говорит:

— Садитесь...

— Вперед! — запрыгивая на заднее сиденье, командует Ольга.

Машина едет, вслед ей из переулка вылетает еще один заряд огня — и начинает кружиться на перекрестке, будто ища «Ольгу».

«Ольга» тем временем достает мобильник, торопливо набирает номер...

— Алло? — спрашивает мужской голос.

— Это Антон, — говорит «Ольга». Водитель поворачивает на миг голову, все так же блаженно, но с удивлением, смотрит на «Ольгу».

— Дубина! — говорит «Антон». — Где ты?

— Еду в машине. Готовлюсь залезть под землю.

— Это ты всегда успеешь. Я сейчас говорю с Гесером... Завулон прекратил погоню, но пообещал поймать тебя за пару часов.

— Мне нужно мое тело, — говорит «Ольга».

— Где встречаемся?

— Станция, где я пытался сбить со Светланы черный вихрь. Я называл.

— Помню. Когда?

— Через двадцать минут в центре зала.

— Через полчаса, — говорит «Антон». — Что-нибудь тебе принести?

— Меня, — говорит «Ольга» и складывает трубку. Устало говорит водителю: — К ближайшей станции метро.

Медлит и добавляет:

— Ты уж извини...

Водитель с блаженным лицом кивает «Ольге».

Конец третьей серии.

Серия 4

Звонок в дверь. Видна только женская рука на кнопке.

Не сразу, но раздаются шаги, и дверь открывается. На пороге стоит мужчина — высокий, бледный, с каким-то аристократически изможденным лицом. В квартире шумит телевизор. Вопросительно смотрит на звонившую в дверь девушку — это Алиса.

— Мне бы Костю, — вежливо говорит Алиса.

Мужчина внимательно изучает ее — словно Алиса ему чемто не нравится. Не оборачиваясь, зовет:

— Костя!

Появляется Костя — с какой-то книжкой в руках. Вздрагивает, видя Алису.

— Выйдем, поговорить надо, — с улыбкой говорит Алиса.

Костя сразу начинает нервничать. Откладывает книгу, торопливо обувается, протискивается в дверь мимо отца. Тот все так же неприязненно смотрит на Алису, но ничего не говорит.

Алиса и Костя выходят из подъезда — этот тот самый дом, где живет и Антон Городецкий. Уже темнеет. Алиса усаживается на скамейку во дворе, закуривает. Костя мрачно стоит перед ней, засунув руки в карманы.

— Интересно дела складываются, — говорит Алиса. — Антона Городецкого застали над убитым Темным магом.

— Он не маньяк, — упрямо говорит Костя. Новость его то ли не удивила, то ли он уже знал о случившемся. — Он всегда говорил, что Договор о перемирии...

— Мало ли что он говорил! — перебивает его Алиса. — Антон был в другом теле, Светлые пытались его спрятать. При задержании ему удалось уйти. Теперь прячется где-то... его ищут.

— И что ты хочешь? — спрашивает Костя. — Чтобы я следил за его квартирой?

— Без тебя найдется кому следить, — отвечает Алиса. — Я все думала над твоей ситуацией, Костя. Хочешь не хочешь, а ты выглядишь не лучшим образом. Ты много общался с Антоном. Мог что-то лишнее сболтнуть.

— Это что, арест? — спрашивает Костя.

— Нет. — Алиса качает головой. — Я хочу тебе помочь. А ты можешь помочь своему приятелю... если он невиновен, конечно. Чем раньше Антон сдастся, тем больше у него шансов уцелеть. При задержании, сам понимаешь, в средствах не стесняются...

К ногам Кости подлетает футбольный мяч, вылетевший с детской площадки неподалеку. Костя не глядя пинком отправляет его обратно, говорит:

— Я не знаю, где Антон. Жена его бывшая заходила сегодня, тоже искала и не нашла... Если Антон объявится, я ему посоветую сдаться. Все?

— Ты можешь помочь по-настоящему, Костя, — говорит Алиса. — Антон будет прятаться. Принимать чужой облик... он довольно сильный маг, он сумеет. Обычные патрули могут и пройти мимо. А ты с ним давно знаком, должен почуять под любой маской...

В этот миг за спиной Алисы материализуется из воздуха, проявляясь из Сумрака, отец Кости. Он разъярен. В его рту видны клыки.

— Слушай, ведьма... — кладя руки на плечи Алисе, угрожающе говорит он. — Оставь в покое моего сына. Он не в Дневном Дозоре и не обязан...

Алиса поворачивает голову, смотрит на вампира. Спокойно отвечает:

— Если понадобится — у меня есть власть, чтобы привлечь его в Дозор.

— Ведьма, твоя кровь ничем не хуже человеческой! — говорит вампир. — Не рискуй.

— А с Завулоном тоже так говорить станешь? — интересуется Алиса. — Не пугай. Потребуется — так и ты по улицам бегать будешь.

Она встает, вырываясь из рук вампира. Еще раз смотрит на Костю:

— Подумай, парень. Если поможешь нам — всем будет лучше.

Одна из станций метро.

«Ольга» стоит где-то в центре станции. К ней никто не подходит, люди сворачивают за несколько шагов, обтекают ее, смотря мимо. «Ольга» ждет кого-то, потом роется в сумочке. Находит открытую пачку сигарет, задумчиво достает одну... смотрит на кончик сигареты — тот вспыхивает. «Ольга» неумело, давясь, закуривает.

На нее по-прежнему никто не реагирует.

А потом раздается хрипловатый голос подростка:

— Я вас знаю...

«Ольга» поворачивается — рядом стоит и смотрит на нее Егор.

— Привет, Егор, — говорит «Ольга». — Надо же...

— Вы были с Антоном... тогда... — говорит Егор. Мнется, спрашивает: — А почему вы курите в метро?

«Ольга» пожимает плечами, бросает и затаптывает сигарету:

— Люди меня сейчас не видят. Только Иные.

«Ольга» протягивает руку, хлопает проходящего мимо человека по плечу. Тот озирается, подозрительно смотрит на Егора, проходит дальше.

— Магия! — понимающе говорит Егор.

«Ольга» кивает.

— Скажите, а Антону не попало? За то, что он поругался со своим начальником, там, на крыше?

— Нет, мне не попало. — «Ольга» улыбается. — Я и есть Антон.

Егор подозрительно смотрит на «Ольгу».

— Это только оболочка, — говорит «Ольга». — За мной охотятся Темные... мне приходится прятаться. Веришь?

Егор пожимает плечами. Спрашивает:

— А зачем вы мне это все говорите?

— Заранее ожидаешь подвоха? — спрашивает «Ольга». — Просто так, Егор. Чтобы ты знал — нам тоже бывает несладко.

— Я вам всем не верю, — говорит Егор. — И Светлым, и Темным. Лучше бы вас не было!

— Иногда я тоже об этом мечтаю, — говорит «Ольга». — Ты иди, Егор. Если меня обнаружат Темные, тут станет жарко... можешь и пострадать.

— Вы ведь думаете, что я тоже стану Темным! — говорит Егор. — Слабым, никчемным Темным магом. Зачем вам обо мне заботиться?

— Но ты ведь им еще не стал? — улыбается «Ольга». — Удачи тебе.

В этот момент из толпы появляется «Антон». При взгляде на Егора он удивленно поднимает брови. Говорит:

— Надо же, какие прихотливые повороты судьбы...

— Я тут часто пересаживаюсь, когда из бассейна еду... Вы — Ольга? — спрашивает Егор.

— Все рассказал? — интересуется «Антон». — Что ж, тебе виднее, Антон. Давай не будем тянуть. Просто повторяй за мной...

«Антон» берет «Ольгу» за руку. Произносит:

— Верни мне мое...

— Верни мне мое... — откликается «Ольга».

— Отдаю чужое...

— Отдаю чужое! — говорит «Антон».

Их бросает друг к другу, секунду они стоят обнявшись, прижимаясь друг к другу, потом их тела начинают «переплавляться», перетекать друг в друга. Егор ошарашенно смотрит на происходящее, потом бросается бежать. Прохожие все так же идут вокруг, обтекая Антона и Ольгу...

Квартира — неплохо обставленная, просторная. На балконе, глядя вниз с какого-то высокого этажа, стоит тот самый мужчина, что был в ресторане вместе с «Ольгой» и Светланой. Уже вечереет, в домах вокруг загораются окна.

— Максим! — На балкон выходит его жена, тон ее вначале очень резкий, но, глядя на мужа, она сразу же смягчается. — Максим, что происходит?

Она подходит к мужу, обнимает его, негромко говорит:

— Ты весь вечер сам не свой... почему мы ушли из ресторана?

Максим молчит.

— Ты кого-то там увидел? — спрашивает жена «проницательным» голосом.

Максим искоса смотрит на нее:

— Да. Увидел.

Жена какое-то время молчит. Потом говорит, суховато, но твердо:

— Это у нее ты был прошлой ночью?

— Что? У кого? — Максим удивленно поворачивается.

— У той девушки, из-за которой мы ушли. Ты встретил ее в ресторане и испугался, что она подойдет? — заглядывая ему в глаза, говорит жена. — Максим... пусть не будет недомолвок...

Максим начинает смеяться:

— Нет... Лена, ты не поняла... нет. Я не был ни у какой женщины, у меня была... работа.

— Какая работа? — устало говорит жена. — Ни один банк не работает ночами... И почему тогда мы ушли?

— Лена... я же говорил... — Максим колеблется. — Я вижу... иногда... очень плохих людей. Чувствую их. И... — Он замолкает. — Мы не должны были там оставаться.

— Ты опять за свое... — Жена отворачивается, отстраняется от Максима. — Нет, я не спорю... может быть, ты и впрямь чувствуешь... у меня тоже бывает, что человек на вид приятный, а от него будто холодом тянет... но при чем тут это?

— Я должен вас оберегать, — говорит Максим. — Тебя, Машку... всех людей.

— Все-таки ты больной, — обреченно говорит жена. — Да еще и с манией величия!

Максим пожимает плечами. Смотрит вдаль. Город вдруг стремительно сереет, блекнет... только далеко впереди тянется вверх столб багрового света...

Максим сглатывает, закрывает глаза. Говорит:

— Может, я и болен... Я пойду, Лена.

— Куда? Куда ты собрался? — мгновенно вскидывается жена. — Максим!

— Извини... — Уже не слушая ее, Максим проходит в комнату, надевает пиджак, идет обуваться. Из другой комнаты на миг высовывается девочка-подросток, глядит на отца и прячется обратно в комнату, откуда раздаются громкие звуки музыки.

— Пока, Маша, — говорит Максим в пространство.

Вслед ему в прихожую выходит жена. Она явно приняла какое-то решение. Сухо говорит:

— Если ты сейчас уйдешь, то можешь не возвращаться.

— Я должен, Лена, — говорит Максим. — Я должен вас беречь.

Он открывает дверь, жена говорит ему вслед:

— Лучше бы ты любил, чем берег...

Максим медлит секунду, но все же закрывает за собой дверь.

Антон и Ольга сидят на скамеечке на станции метро, они уже в своих телах.

— Мог бы и поаккуратнее ко мне относиться... — говорит Ольга, разглядывая руку. — Синяк... и копчик болит.

— Завулон бил в меня «плетью Шааба», — говорит Антон. — Тут уж было не до аккуратности.

Ольга кивает:

— А в туалет ты хотя бы мог заглянуть?

— Только под конвоем Завулона.

Ольга вздыхает:

— Ладно. Что ты задумал, Антон? У тебя есть какой-то план, верно?

— Ольга, ведь я не такая важная цель, чтобы ради нее Темные терпели мага-убийцу, подставляли ему своих... — говорит Антон.

Ольга пожимает плечами.

— Опять все дело в Светлане? — спрашивает Антон. — А я не добыча, я приманка? Такая же, какой был Егор?

— Светлана — будущая Великая волшебница, — говорит Ольга. — Она... она превзойдет даже меня. Возможно, что и самого Гесера. Но пока... — Ольга колеблется.

— Пока она по большей части человек, — кивает Антон. — И если за мной начнется охота, если меня убьют или схватят и будут судить — Светлана может сорваться. Попробует меня спасти... и попадет под удар сама. Темные не смеют тронуть ее напрямую, это все равно что объявить войну. А вот спровоцировать...

— Ты все прекрасно понял, — говорит Ольга. Теперь она твердо смотрит Антону в глаза.

— И Гесер это понимает? — спрашивает Антон. — Лишь делает вид, что поверил Завулону?

Ольга кивает.

Антон прячет лицо в ладони. Молчит какое-то время. Потом спрашивает:

— Какая польза нашему Дозору с происходящего? — спрашивает Антон.

— Та же самая, — отвечает Ольга. — Светлана. Только для нас важно сохранить ее.

— И развить, — говорит Антон. — Когда Завулон стрелял в меня... Светлана едва не ударила его «огненной цепью». Это четвертый уровень силы, я уверен, еще утром она не способна была на такое...

— У нас нет времени, чтобы развивать ее силы обычным путем, — говорит Ольга. — Это займет долгие годы. Пойми, Антон, сейчас, в стрессовой ситуации, Светлана растет с огромной скоростью, прыгает через ступеньки. Она учится накапливать силу, применять ее... а самое главное — контролировать себя!

— Мне вы могли сказать об этом сразу? — спрашивает Антон.

— Это ничего бы не изменило, — отвечает Ольга. — А так все выглядит очень естественно.

— Что мне нужно делать?

— Прячься. Тяни время. Ищи «дикаря»... мы все его ищем.

— Сколько мне надо продержаться? — спрашивает Антон.

— До утра.

— Сейчас на улицы Москвы выйдут все Темные маги, все оборотни и вампиры, все колдуны и ведьмы... — говорит Антон. — Ты сама веришь, что я справлюсь?

Ольга молчит.

Антон улыбается, встает. Уже уходя, спрашивает:

— Скажи, если бы Завулон сжег меня «плетью Шааба»... что бы тогда случилось?

— На земле бы лежало обугленное тело Антона Городецкого, — отвечает Ольга. — А я вернулась бы в свое тело.

— Почему-то я так и думал, — улыбается Антон. — Привет Гесеру.

И уходит, теряется в толпе.

Ольга мрачно сидит на скамейке. Потом роется в сумочке, достает сигарету и так же, как Антон, взглядом «прикуривает» ее.

*　*　*

Антон едет в вагоне метро. Временами мир становится серым, медленным — Антон смотрит на него из Сумрака.

На одной из станций в вагон входит молодой человек приятной наружности, очень вежливый — извиняется, пропуская задержавшегося с выходом пассажира. Становится где-то за спиной Антона и начинает оглядывать вагон.

Оглядывать точно так же — из Сумрака. И видит, что вокруг Антона пылает зеленовато-синее свечение, аура Иного.

Антон, стоящий спиной к вошедшему, замирает. Напрягается. Смотрит в отражение в стекле на стоящего за ним человека. Потом — себе под ноги, на тень. Тень поднимается, и Антон ныряет в Сумрак. Резко оборачивается.

Среди серых, вяло шевелящихся силуэтов людей следящий за ним Иной выглядит несколько иначе. Да, это человек, но его лицо искажено, исковеркано — наполовину маска демона, наполовину человеческое лицо, оскаленное в радостной улыбке.

Антон снова поворачивается к нему спиной. Улыбается — это тоже нехорошая, жесткая улыбка. Возвращается в реальный мир.

И выскакивает из вагона на следующей станции.

Иной выбегает следом, не забывая рассыпаться в извинениях. Антон поднимается по эскалатору, Иной следует за ним, стараясь держаться поближе, но и не приближаясь вплотную.

На выходе из метро Антон сразу же бросается в сторону, огибает павильон метро, оказывается в тихом, полутемном уголке. Замирает в ожидании.

Иной появляется из дверей вслед за ним. Крутит головой, потом уходит в Сумрак. И раскидывает руки, что-то беззвучно шепча...

Раздается тихий многоголосый звук — будто десятки людей выдохнули одновременно. Мерцающие цветные струйки отрываются от людей и втягиваются в тело Иного.

В обычном мире лица людей мгновенно темнеют, будто они вспомнили что-то очень печальное. Кто-то останавливается, хватаясь за сердце.

Иной будто стал выше ростом. Он снова оглядывается — и уверенно бежит за угол павильона, вслед за Антоном..

И, едва завернув за угол, получает удар камнем по голове...

* * *

Преследовавший Антона юноша моргает, открывает глаза. Он лежит где-то в кустах, руки его плотно скручены брючным ремнем. Антон сидит рядом, на корточках, терпеливо ждет, пока Иной придет в себя. Когда Иной открывает глаза, Антон спрашивает:

— Что, насосался от людей энергии и осмелел? Думал, сила — в заклинаниях?

Подбрасывает на ладони камень, опускает его на землю. Говорит:

— А сила — она в ньютонах...

— Ты... ты вне закона! — шепчет юноша.

— А тебе это сейчас поможет? — с иронией спрашивает Антон. — Сколько Иных за мной охотится?

— Все, кто умеет... — с ненавистью в голосе отвечает юноша.

— И те, кто не умеет, тоже, — улыбается Антон. — Что вам приказано?

Иной молчит. Шевелит пальцами, будто пытается сложить из них какую-то фигуру.

— Не выходит? — спрашивает Антон. — Я так и подумал, что ты бездарь. Вся магия — простейшая, требующая обеих свободных рук.

— Козел! — ругается Иной.

— Видимо, ты чего-то не понимаешь, — говорит Антон. — Я, как тебе известно, вне закона. Я — жестокий убийца, по ночам уничтожающий Темных. Что тебе приказано?

Он снова поднимает камень.

— Нам приказано задержать тебя, — быстро говорит Иной.

— Врешь, — говорит Антон, занося камень.

— Немедленно сообщить в штаб и по возможности уничтожить, — говорит Иной.

— Вот это похоже на правду, — кивает Антон. Откладывает свое «оружие». — Ты сообщил?

— Да! — говорит Иной.

Антон качает головой:

— Опять врешь. Не сообщал ты. Не захотел делиться славой... решил сам меня прикончить.

Иной начинает дергаться, пытается освободить руки. Кричит:

— Да что ты от меня хочешь, я Договор чту, велели тебя искать — я ищу!

— Тс-с! — шепчет Антон, прижимая к губам палец. — Не надо кричать, людей испугаешь. Где развернут штаб?

— Не знаю... где-то поблизости... — бормочет Иной.

— Средства связи со штабом? — продолжает допытываться Антон.

— Телефон... в кармане...

Антон достает у него из кармана мобильник.

— Номер забит на кнопке экстренного вызова... — поясняет Иной. — Слушай, ну что это тебе даст? Лучше сдавайся. Я тебя не трону, арестую и доставлю к нашим. Потребуешь заседания трибунала... тебе какой-то шанс, мне — благодарность...

Антон лишь улыбается.

— Слушай, Светлый, ты же меня не убьешь? — говорит Иной. — Не убьешь, не можешь, это не ваши методы...

— Не наши, — с сожалением соглашается Антон. — Как жалко, что не наши...

Он встает. Протягивает к Иному руку.

— Не надо заморозку, я же тут до утра окочурюсь! — в панике кричит Иной.

— Высосав из людей столько силы? — спрашивает Антон. — Не смеши меня.

Поток синего света бьет из его ладони в Иного — тот цепенеет, замирает с полуоткрытым ртом.

— А вот комары на тебе попируют. И простатит ты можешь заработать, — злорадно говорит Антон. Смотрит на номер, высветившийся на экране мобильника, потом возвращает аппарат в карман Иного. Идет к метро. Звонит по телефону-автомату. Долгие гудки, потом кто-то берет трубку:

— Да!

— Толик, это я, — не представляясь, говорит Антон. — Пробей мне этот номер... — Диктует номер, который был на телефоне Темного. — Это срочно.

Пауза, перестук клавиш. Потом голос Толика:

— Это мобильный...

— И так понятно. Ты мне скажи, где этот мобильный сейчас находится?

— Гостиница «Космос», — отвечает Толик. — А вот этаж, извини, не скажу, техника не позволяет.

— О как... — произносит Антон.

— Не знаю, что ты задумал, но удачи тебе, — говорит Толик.

— Спасибо. — Антон вешает трубку. Снова смотрит на башню.

Поднимает руки и начинает «мять» свое лицо, будто вылепливая из него чужое.

Его лицо начинает меняться. Когда Антон отнимает руки от лица — он выглядит в точности, как «замороженный» им Иной.

Площадь Шарля де Голля перед гостиницей «Космос». Появляется Антон — он идет пешком, задумчиво поглядывая на гостиницу. Вечер, по фасаду гостиницы сверкают разноцветные огоньки, горят рекламы казино...

Антон — в облике Темного мага — входит в вестибюль и направляется к дверям казино. Покупает несколько фишек, входит, осматривается. Начинает словно бы бесцельно блуждать между карточными столами, мимо рулетки... оглядывается. Подходит к стойке бара, покупает бокал вина. Стоит, задумчиво глядя на зал. Похоже, что ничего интересного для себя он здесь не нашел.

— Ничего тут нет интересного, — раздается вдруг голос. — Так, локальный центр мирового зла.

Антон оборачивается — рядом стоит с бокалом вина высокий широкоплечий мужчина средних лет. Дружелюбно улыбается.

— Вы извините, но видно, что вы тут впервые, — говорит мужчина. — Мой вам совет — не втягивайтесь. Все это зло, тьма и испорченное настроение!

— Нет, на центр зла это все-таки не тянет, — отвечает Антон. — Проигрались?

— Бывает, — уклончиво говорит мужчина, глядя на зал. — Не втягивайтесь, поверьте старому игроку

— Да я и не собираюсь, — отвечает Антон. — Статистику не обманешь.

— Некоторым все-таки везет, — вдруг оживляется мужчина. — Вот час назад зашли двое постояльцев, сорвали банк и тут же ушли. Без всякого азарта, словно не играть приходили, а деньги в банке получить.

Антон с интересом:

— А откуда вы знаете, что это постояльцы? У них были ключи?

— Я наблюдательный, — с усмешкой говорит мужчина. — Ключей у них не видел, а вот одеты были так, словно из номера вышли... или из офиса. Наверное, с девочками приехали — сами-то москвичи.

— А откуда... — начинает Антон.

— Я же говорю — наблюдательный, — снова усмехается мужчина. — Сам не коренной москвич, так что приезжего всегда отличу. Вот вы — в Москве родились, верно?

Антон кивает. Без видимого интереса говорит:

— Никогда не видел людей, сорвавших банк.

— Они на самом верху, в ресторане сидят, — сообщает мужчина.

Антон уже с явным подозрением смотрит на собеседника.

— Я слышал их разговор, — усмехается игрок.

— С такой наблюдательностью вам бы следовало выигрывать, — говорит Антон. — Что ж, воспользуюсь советом, не стану втягиваться. Удачи вам.

Он отходит на пару шагов, оборачивается. Смотрит то на рулетку, то на собеседника. Говорит:

— Поставьте на сорок семь.

Мужчина некоторое время иронично смотрит ему вслед.

А потом оставляет бокал и торопливо идет к рулетке.

Антон поднимается в лифте. Выходит где-то на верхних этажах «Космоса». И сразу же, в холле перед рестораном, лицом к лицу сталкивается с Темным Иным, лениво крутящим в пальцах магический жезл — короткую палочку, искрящуюся красным светом. Иной стоит у входа в ресторан, перегораживая дорогу.

— Привет, — говорит Иной. — Ты что здесь делаешь?

— Надо получить инструкции, — голосом замороженного Иного отвечает Антон. — А почему разместились в таком людном месте?

— Подпитываемся помаленьку, — крутя в руках жезл, отвечает Иной. — Какие инструкции тебе нужны?

— Я сам выясню, — отвечает Антон. — Где штаб?

— В ресторане, — пожимает плечами Иной.

Антон идет к лесенке вниз, Иной окликает его:

— Постой... откуда ты вообще узнал, что штаб здесь? По твоему рангу... Стой!

Антон бросается обратно к Иному — на ходу перед ним поднимается его тень, Антон «вбегает» в нее, оказывается в Сумраке. И уже оттуда, из серой мглы, в которой шевелятся медленные силуэты людей, поднимает перед собой тень снова — уходя куда-то еще глубже. Как ни странно, но в этом слое Сумрака никакого здания вообще нет — только клубящийся туман, ветер, призрачная тень Иного... и горящие высоко в небе две Луны.

Антон упирается руками в призрачного Иного — и медленно сдвигает его все дальше и дальше, шагая по клубящемуся туману.

А потом выныривает в обычный мир.

Он стоит у широкого панорамного окна. А перед ним, за стеклом, в пустоте, застыл Темный Иной, уже поднявший свой магический жезл. Мгновение он будто висит в пустоте, его глаза испуганно расширяются, Иной беззвучно кричит — и падает вниз...

Антон пятится от стекла. Прислоняется к лифтовой стене, тяжело дышит. Он первый раз убил Иного — не вампира, а такого же мага, как он сам...

Потом Антон снова начинает мять свое лицо. Вначале он обретает свой прежний облик. Потом превращается в убитого им Темного мага.

Только потом Антон идет в ресторан.

Ресторан на верхних этажах гостиницы. За столиками сидят Иные — некоторые зарылись в топографические карты, некоторые на телефонах, некоторые перед ноутбуками, некоторые — перед хрустальными шарами, в которых плывут смутные образы. Это оперативный штаб Темных. Впрочем, бродят и официанты — заторможенные, ко всему равнодушные, разнося еду и спиртное — Темные не забывают подкрепиться во время работы.

За одним из столиков сидят Тигренок и пожилой мужчина — Темный маг.

— Я очень рад, что наблюдателем от Светлых выступает такая симпатичная девушка... — с улыбкой говорит Темный. Поднимает бокал. — За ваше здоровье, милый оборотень.

— Я не оборотень, — отвечает Тигренок. — Я — маг-перевертыш.

— Слова, слова... как вы их любите... — досадливо говорит Темный. — И ваш сотрудник наверняка прикрывает свои действия высокими словами...

Тигренок смотрит через его плечо — на приближающегося Темного мага. Что-то настораживает ее — она щурится, смотрит сквозь Сумрак... и видит Антона.

— Мы уверены, что Антон Городецкий не совершал этих преступлений, — говорит Тигренок.

Антон останавливается в сторонке, слушает. Кто-то из официантов подносит ему бокал с пивом — Антон берет бокал.

— А кто же тогда? — спрашивает Темный маг с иронией.

— Неизвестный нам неполноценный Светлый маг, которого контролируют Темные.

— Зачем, девочка? — удивляется Темный. — Объясни, зачем нам губить своих, пусть и не самых ценных.

— «Не самых ценных» — ключевая фраза, — сообщает Тигренок.

— Допустим. — Темный маг разводит руками. — Но столь ли важен Антон Городецкий, чтобы устраивать за ним подобную охоту?

— Зачем вам это потребовалось — мы узнаем, — говорит Тигренок. — А не странно ли, что Завулон не смог поразить Антона «плетью Шааба», своим любимым оружием?

Темный маг сразу серьезнеет:

— У руководства свои причуды. На то оно и руководство. Но Антона мы схватим, можете не сомневаться. Город закрыт в кольцо, разделен на сектора и прочесывается.

— Антон сумеет спрятаться, — уверенно говорит Тигренок. — Вы пройдете рядом и не заметите. Разве что какой-нибудь оборотень учует его запах. — Она улыбается. — Но я думаю, Антон догадается его изменить. Да и не знают ваши сотрудники его так хорошо, чтобы запомнить запах.

Антон едва заметно кивает Тигренку — он догадался, как та его обнаружила.

— Он может менять запахи, лица, даже пол. Но мы его схватим, — твердо отвечает Иной.

— Кстати, а почему Завулон не в штабе? — интересуется Тигренок.

— У руководства свои причуды, — с улыбочкой повторяет Темный.

— Думаю, готовит очередную пакость, — заключает Тигренок. — Еще одного мертвого Темного, слабенького и ненужного.

— Я отвергаю эти инсинуации, — ухмыляется Темный маг.

Антон вздрагивает. Быстро идет по кругу, склоняется к одному из Иных, сидящему за ноутбуком; на экранчике — карта Москвы, испещренная сеткой.

— Закурить найдется? — спрашивает Антон.

Парень — по виду «типичный программист», длинноволосый, бледный, в очках — молча протягивает ему пачку сигарет, зажигалку.

— Какие районы закрываем последними? — спрашивает Антон, закуривая.

— Останкино, ВДНХ, — рассеянно отвечает парень, даже не глядя на него. — К штабу выдавливаем гада...

— Спасибо, очень помог, — говорит Антон.

— Фигня, — отмахивается Темный.

Антон быстрым шагом идет к лифтам.

И у самых лифтов видит Костю — тот входит в штаб, он одет в темную одежду, в руках у него пачка каких-то бумаг. Костя почти натыкается на Антона, хмурится, делает еще несколько шагов — и оборачивается.

Антон, подошедший к лифту, останавливается, будто спиной чувствуя взгляд юноши-вампира. Оборачивается.

Несколько мгновений они смотрят друг на друга.

Костя приоткрывает рот, будто готовясь позвать на помощь, крикнуть... Но молчит, кусает губы.

Антон ждет.

Костя отводит взгляд. Перехватывает бумаги поудобнее. И уходит.

Антон вызывает лифт, резко, почти ударом, вдавливая кнопку.

Квартира Егора.

Мальчик сидит перед телевизором. В комнату входит его отец.

— Егор, сбегай мне за сигаретами.

— Темно уже, — косясь в окно, отвечает Егор.

— Опять эти страхи? — спрашивает отец. — Егор...

— Да не боюсь я больше никаких вампиров! — вскидывается Егор. — Магазин уже закрыт.

— Добеги до метро, — предлагает отец. С улыбкой продолжает: — Или погонишь старого отца?

— Вот уж сразу и старый, — ворчит Егор, вставая. — Денег дай...

Дворы, темная узкая улочка. По ней идет Антон, погруженный в задумчивость. Он уже в своем обычном облике.

Будто эхом слышатся голоса, которые он вспоминает:

«Останкино, ВДНХ... К штабу выдавливаем гада...» — программист из Дневного Дозора.

«Думаю, готовит очередную пакость... Еще одного мертвого Темного, слабенького и ненужного», — голос Тигренка.

«Вы же думаете, что я тоже стану Темным! Слабым, никчемным Темным магом», — голос Егора.

Антон кивает своим мыслям. Негромко говорит в пространство:

— Завулон... если ты слышишь... ты не мог рассчитать все. Ты подставил девушку-оборотня, чтобы заявить протест... ты подставил «дикарю» Темного мага в ресторане... сейчас очередь Егора?

Ему никто не отвечает, да Антон и не ждет ответа.

— Да, я приду к его дому. Я постараюсь его защитить, — говорит Антон. — Это и есть твоя цель? Но ты не мог предусмотреть всего! Всегда есть выбор... всегда есть поступок, который все меняет... Слышишь?

Последнее слово он уже кричит.

Но никто не отвечает. Только звонит в его кармане мобильник.

Антон замирает. Осторожно, будто гремучую змею, вынимает телефон из кармана. Медлит. Потом решительно прикладывает к уху:

— Алло!

— Антон? — раздается женский голос.

— Надя? — растерянно спрашивает Антон.

— Как ни позвоню, дома тебя нет, — то ли с иронией, то ли с кокетством говорит женщина. — Вкушаешь радости свободной жизни?

Антон молчит, лицо у него совершенно ошарашенное.

— Я вот что звоню, — переходя на деловой тон, говорит женщина. — Я, оказывается, тапочки у тебя забыла. Когда можно забежать?

— А... — бормочет что-то Антон.

— И если ты не против, — настроенным заранее «на скандал» голосом говорит женщина, — я бы взяла кое-что из дисков и кассет, мы же их все-таки вместе покупали...

Антон тихо, беззвучно смеется. Отключает мобильник. Размахивается и запускает его в кусты.

Он так там и лежит, снова начиная названивать, когда Антон уже удаляется по аллее.

Егор, что-то насвистывая, выбегает из подъезда. Во дворе уже темно, Егор идет вдоль дома — и тут его окликают:

— Мальчик...

Егор останавливается.

Неподалеку на скамейке сидит Максим. Задумчиво, печально смотрит на Егора.

Егор на всякий случай оглядывается. На улице еще много прохожих, едут по дороге машины, в окнах домов горит свет.

Егор подходит к Максиму.

— Садись, — сдвигаясь по скамейке, говорит Максим.

— Вы Иной, — говорит Егор. — Я чувствую. Вы Светлый.

Максим морщится, будто от боли:

— Я Судия.

Егор безбоязненно садится рядом. С любопытством смотрит на Максима.

— Ну почему так? — спрашивает его Максим. — За что мне эта ноша? Я ведь не хотел... никогда не хотел этого... Но если я вижу, что какой-то человек — зло, что он несет людям страдания... если могу остановить его... что мне делать?

— Не знаю, — говорит Егор. — О чем вы?

— Да все ты понимаешь, — раздраженно говорит Максим. Он лезет за отворот пиджака, достает короткий деревянный кинжал. — Знаешь, что это?

— Игрушка, — говорит Егор.

Максим кивает:

— Игрушка... Когда я был в твоем возрасте, у меня был друг... мы иногда играли в мушкетеров, в рыцарей... сами делали себе деревянные мечи. — Максим улыбается воспоминаниям. — Это его кинжал. Он где-то услышал или прочитал красивое слово — мизерикорд. «Милосердие» по-латыни. Так назывался кинжал, которым рыцари добивали раненых врагов.

Егор внимательно слушает.

— Он подарил мне этот кинжал, — продолжает Максим. — Сказал — пусть он служит тебе верой и правдой, убивай им зло... Даже не знаю, как я его не потерял... не сломал... пока не понял, что это не только игрушка. Может быть, он очень сильно верил в свои слова? И часть его веры перешла в деревянный клинок?

Егор улыбается.

— Он погиб, — неожиданно говорит Максим. — Три месяца назад. Упал с крыши этого дома... и зачем его туда понесло?

Теперь на лице Егора появляется изумление и опаска. Он помнит упавшего с крыши Темного Иного...

— И не спросишь никого... — говорит Максим. — И выбросить кинжал не могу! Я должен делать то, что делаю. Понимаешь?

— Что вы делаете? — тихо спрашивает Егор.

— Я Судия. Я убиваю порождения Тьмы, — отвечает Максим.

Егор пытается вскочить, но Максим крепко хватает его за руку, говорит:

— Не кричи! И попытайся меня понять — я не хочу этого делать! Но кто-то должен вас остановить, кто-то должен наказать зло!

— Я не зло, я ничего плохого не делал, я только ребенок! — громко говорит Егор. — Отпустите меня!

— Мне самому трудно — оттого что ты ребенок, — говорит Максим. В его глазах лихорадочный блеск. — Но ты еще и дитя Тьмы. Не бойся, я подарю тебе милосердие... покой... очищение... Я должен спасти тебя — и я спасу!

Он заносит кинжал...

И за его спиной словно из ниоткуда появляется Антон. Молча бросается на Максима, успевает отбить его руку — Максим падает со скамейки, катится по земле, вскакивает...

— Остановись! — кричит Антон. — Не делай этого!

Егор бросается за спину Антона, опасливо выглядывает оттуда.

— Кто ты? — стоя перед Антоном и Егором, спрашивает Максим.

— Антон Городецкий, Ночной Дозор. Выслушай меня!

— Ночной Дозор? Ты из Тьмы?

— Нет! — Антон медленно приближается к Максиму. — Как тебя зовут?

— Максим, — отвечает тот. — Кто ты такой?

— Я служу в Ночном Дозоре. Я защищаю людей. Я Светлый маг, такой же, как ты!

Максим подозрительно смотрит на Антона.

— Ты не знаешь этого, — успокаивающе говорит Антон. — Твоя сила проявляется лишь временами, поэтому мы не нашли тебя раньше. Это наша вина. Но то, что ты делаешь, — преступление. Пойми, в Москве сотни, тысячи Светлых и Темных магов. Есть законы, есть Великий Договор, который накладывает свои ограничения... мы все тебе объясним. Еще можно все исправить!

— Ты не Темный... — говорит Максим. На его лице удивление. — Я вижу. Я никогда не ошибался... Но мальчик за твоей спиной — Темный маг!

— Будущий Темный маг, — говорит Антон. — Слабый маг. Он не сотворит много зла.

— Какая разница? — говорит Максим. — Не бывает меньшего зла!

— Не бывает? — Антон начинает злиться. — Когда ты заколол в туалете Темного мага — почему не остался еще на десять минут? Не посмотрел, как будет кричать его ребенок, как будет плакать жена? Они ведь — не Темные! А меня чуть не убили из-за твоих преступлений — это не было злом?

— Это война... — говорит Максим.

— Ты сам породил свою войну. Ты сам ребенок со своим деревянным кинжалом. Решил, что все дозволено в битве за Свет?

— Я борюсь не за Свет! — кричит Максим. — Не за Свет, а против Тьмы!

Антон поворачивается, берет Егора за плечи, выталкивает перед собой. Говорит:

— Он будущий Темный маг. Наверное. Он мог стать кем угодно... но узнал слишком много и слишком быстро. Понял, что Светлые не брезгуют методами Темных. Понял, что его предают и те, и другие. Да, теперь он станет Темным. Будет использовать людей. Будет думать не о других — о себе. Но все это еще только будет! И ты готов его убить? Остановись, Максим! Идем со мной. Ночной Дозор постарается тебя защитить!

— Я пойду с тобой, — говорит вдруг Максим. И улыбается.

Невольно расслабляется, начинает улыбаться и Антон.

— Я пойду, — продолжает Максим. — Вы расскажете мне про свой Договор и почему позволяете Темным жить. Я выслушаю. Но вначале я закончу свое дело.

И, прекращая разговор, шагает к Егору, заносит кинжал..

В движении деревянная игрушка будто меняется — сереет, становится похожей на стальной клинок, окутанный лепестками серого пламени...

В последний миг Антон отшвыривает Егора в сторону. Выбрасывает вперед руку — с растопыренными в классической «распальцовке» пальцами.

Максима откидывает назад, будто от сильного удара. Но откидывает и Антона — он падает, неловко поднимается, в изумлении глядя на Максима. Тот стоит, пошатываясь. Потом говорит, улыбаясь:

— Это знак Силы? Я знаю. Были уже такие, кто пробовал. Твой удар вернется к тебе.

— Так ты зеркальный маг... — восклицает Антон. — Вот почему с тобой никто не мог справиться!

Максим быстро идет к Антону.

Антон поднимает свою тень и входит в Сумрак. Мгновение застывший силуэт Максима виден серым, потом он тоже становится быстрым и цветным — Максим входит в Сумрак вслед за Антоном.

В сером тумане, откуда едва угадывается реальный мир, Максим и Антон кружат друг против друга. Антон опускает взгляд, смотрит на свою правую руку — туман сгущается в его ладони, образует сверкающий огненный меч.

— Добро, Зло... — криво улыбаясь, говорит Максим. — А посмотреть — так никакой разницы...

Какое-то время длится их дуэль — Антон пытается не убить, а обезоружить Максима, Максим безбоязненно прет прямо на меч.

Наконец Антону удается приставить меч к горлу Максима. Тот останавливается, ожидая удара. Антон не двигается, держа меч у его горла.

— Бей, — спокойно говорит Максим.

— Я не могу тебя убить, — говорит Антон.

— Почему? — спрашивает Максим.

— Все твои преступления повесят на меня.

— Очень удачно, — кивает Максим. И, подныривая под меч, бьет Антона кинжалом под ребра.

Антон роняет меч — тот кружится в падении, растворяясь. Падает на колени, зажимает рану рукой. Меж пальцами течет кровь.

Антон вываливается из Сумрака, появляется в обычном мире. Вслед за ним — Максим. Подходит, глядя на скорчившегося Антона, спрашивает, недоуменно и обиженно:

— Почему ты еще жив?

Снова заносит кинжал.

К ним подбегает Егор. Становится, заслоняя Антона.

Максим замирает в растерянности. Переводит взгляд с Антона на Егора и обратно.

— Я жив, потому что твое оружие — оружие Тьмы, — говорит Антон. — Не знаю, откуда он у тебя взялся... но сделал его — Темный маг. Против меня — это просто деревянный кинжал.

— Ты Светлый, — говорит Максим.

Антон криво улыбается.

— Он — Темный. — Максим кинжалом указывает на Егора.

Антон кивает.

— Почему? — спрашивает Максим. — Ты Светлый, он Темный... кто же тогда я?

— Полагаю — Инквизитор, — доносится голос Гесера. — Будущий великий Инквизитор.

Гесер выходит из темноты, из-за спины Антона. За руку он держит Светлану — бледную, перепуганную, не отрывающую взгляд от Антона. Как только он отпускает руку Светланы — та бросается к Антону, склоняется над ним, расстегивает одежду, пытается остановить кровь. Молча, собранно, без причитаний и паники.

— Потерпишь минутку? — спрашивает Гесер Антона. — Потом я займусь твоей царапиной.

Антон кивает. У него на губах пузырится кровавая пена, но он держится.

— Убивай ты только Темных, — говорит Гесер оцепеневшему Максиму, — тебе бы не избежать смерти. Но ты поднял руку и на Светлого. Такие, как ты, — редкость. Такие становятся между Светом и Тьмой.

Гесер улыбается и добавляет:

— Только не подумай, что это удача. Это каторга.

Гесер поворачивается и говорит:

— Господа, прошу вас!

Из темноты вслед за ним выходят еще двое — молчаливые, в серых плащах, ничем не проявляющие эмоций.

— Забирайте своего будущего коллегу, — говорит Гесер. — Вы убедились, что Антон Городецкий не виновен?

— Сегодня он пробрался в штаб Темных и убил охранника, — напоминает один из пришедших.

— Вынужденная мера. — Гесер пожимает плечами. — После такой травли... но я думаю, что если мы замнем дело, то я не стану подавать официальный протест.

Инквизиторы подходят к Максиму. Тот растерянно позволяет себя увести — все еще оглядываясь на Антона и остальных...

Гесер садится рядом с Антоном, который полулежит на коленях Светланы. Вопросительно смотрит на него.

— Добрый вечер, шеф, — говорит Антон.

— Сейчас я тебя подлатаю, — говорит Гесер. — Кстати, поздравляю. Ты смог создать меч. Это честный третий уровень Силы!

— А до какого уровня удалось поднять Свету? — спрашивает Антон с иронией.

— До четвертого, — отвечает Гесер. — Обычными путями ей пришлось бы учиться годы.

Гесер поворачивается, смотрит на Егора, наблюдающего за происходящим.

— А ты что стоишь, приятель? У тебя отец без табака мучается.

— С ним все будет в порядке? — спрашивает Егор, кивая на Антона.

— К утру и следа не останется, — обещает Гесер. — Лови.

Он достает из кармана и бросает Егору пачку сигарет. Уточняет:

— Такие твой отец курит?

Егор кивает. Медлит, но под пристальным взглядом Гесера уходит к подъезду.

Гесер снова поворачивается к Антону. Говорит:

— Жаль, что паренек по другую сторону баррикад... Но все-таки он за тебя вступился. Как я и предполагал. И вообще все окончилось удачно... как планировалось. Даже лучше. Не только Светлана стала сильнее, но и ты.

— Что это Завулон не спешит появиться? — перебивает его Светлана. — Не хочет терять лицо?

Гесер смотрит ему в глаза. Потом говорит с некоторым напряжением:

— Ты уж извини меня, Светлана. Но Завулон здесь совершенно ни при чем.

Антон тоже смотрит на Светлану и говорит:

— Зачистка Москвы от Темных магов... продвижение Светлого в Инквизицию... твоя учеба... Все это, от начала и до конца, было операцией Ночного Дозора.

— Так ты знал? — удивляется Гесер.

— Да.

— Откуда?

— Когда мы с Ольгой обменялись телами. Она проговорилась, что нарочно пришла на работу в джинсах, чтобы мне было удобнее в ее теле. Да и ночной крем в женской сумочке обычно не носят. Вы с ней все спланировали заранее, Гесер. Может быть, у меня потому и не оказалось алиби на время убийств?

Гесер некоторое время молчит, глядя на Антона. Говорит, и в голосе его слышится уважение:

— Ты вел себя совершенно естественно. Так, словно ни о чем не догадывался.

— Гесер, больше не играй со мной втемную, — говорит Антон.

Гесер поднимается, пожимает плечами:

— Думаешь, так будет легче?

Конец.

АРГЕНТУМНЫЙ КЛЮЧ

Писатели, как правило, любят розыгрыши. Я — не исключение.

«Аргентумный ключ» был распространен в сети ФИДО как замысел моего нового романа с вопросом: «Что-то он мне какую-то книгу напоминает...» Большая часть читателей, к моей радости, шутку оценила. Но нашлись и такие, кто поспешил обвинить меня в замышляемом плагиате, нашлись и те, кто объявил сюжет новым и не имеющим никаких аналогий в литературе.

Кстати, в последнее время, посмотрев фильм «Искусственный интеллект», я порой думаю: «А почему это Кубрику и Спилбергу можно переосмысливать «Пиноккио», а мне — нельзя?» Так что не удивляйтесь, если увидите на прилавках «Аргентумный ключ»!

Я Вас честно предупреждаю!

«Кобландды-батыр и Барса-Кельмес» — розыгрыши другого плана. Десять лет назад в стране было очень развито движение КЛФ — Клубов Любителей Фантастики. Собирались в них люди молодые, энергичные, увлекающиеся. И помимо чтения фантастики, им очень хотелось найти фантастику в жизни.

Мистификация с островом Барса-Кельмес, и впрямь существующим в Аральском море, была бы вполне рядовой мистификацией, случившейся в узком дружеском кругу. Но она интересна тем, что вышла из-под контроля мистификаторов и была изложена в популярном журнале «Техника — молодежи», после чего заняла свое почетное место в верованиях уфологов. Те, кто хочет полностью ознакомиться с историей, могут найти полный вариант этой статьи на моей странице в Интернете www.rusf.ru/lukian.

Для книжного издания я несколько сократил и осовременил статью, сделал несколько примечаний и оставил лишь самые любопытные материалы. В конце концов, на примере этой статьи можно и нужно увидеть, как рождаются мифы, а вовсе не изучать историю КЛФ. Но ту несколько вольную форму, в которой статья написана, я решил не менять. Кто сказал, что рассказ о сотворении мифа должен быть скучным и сухим? Ведь сам миф получился очень даже живеньким!

КОБЛАНДЫ-БАТЫР
И БАРСА-КЕЛЬМЕС

Посвящается КЛФ МГУ и лично Г. Неверову
«А Несси там случайно не водится?
А то НЛО есть, Бермудский треугольник тоже...
Уж больно красивая история вырисовывается...»

Г. Неверов (из письма)

Почему я решил наконец-то рассказать всю правду про Барса-Кельмес? Не только потому, что это одна из самых удачных моих мистификаций, осуществленных с минимальнейшими усилиями. И даже не потому, что после данного розыгрыша я навсегда утратил веру в летающие тарелки, бермудские треугольники и пришельцев из «прекрасного далека». Главная причина в том, что интеллигентный, но настырный Григорий Неверов с частотой раз в полгода напоминал мне о клятвенном обещании изложить все на бумаге. И я покоряюсь — ведь благодаря настойчивости Неверова и выплыл из тьмы Кобланды-батыр. Выплыл прямо на песчаные берега острова Барса-Кельмес...

Год, как вспоминается, тысяча девятьсот восемьдесят восьмой. Еще Советский Союз. Еще энергии хватает на розыгрыши, а студенческой стипендии — на переписку и билеты в Свердловск, на единственный в ту пору фестиваль фантастики «Аэлита». Президент свежевылупившегося алмаатинского клуба любителей фантастики (в просторечии — КЛФ) «Альфа Пегаса» Сергей Лукьяненко с энтузиазмом неофита рассылает письма собратьям по увлечению. И вот, в прохладный декабрьский вечер, в руках президента письмо из Москвы. Из КЛФ МГУ! Звучит-то как! Вымыв руки, президент распаковывает письмо и читает:

«...мы случайно услышали рассказы о непонятных явлениях, якобы происходивших в 60-е годы с одной из геодезических экспедиций на острове Барса-Кельмес (в переводе с казахского — «Пойдешь — не вернешься») в Аральском море... Сейчас наша секция по этой теме занимается сбором информации... Особенно нас интересует статья Г. Новожилова «Тайна острова Барса-Кельмес», помещенная в 1959 г...»

Честно говоря, я был в растерянности. Подводить московских фэнов? Немыслимо! А помочь им с информацией? Как? В клубе десять подростков и пятеро изредка бреющихся «молодых людей». Энтузиазм сводится в основном к чтению, попыткам писать и ролевым играм (не на местности, а на словах). Либо нужно бегать самому, либо... И в этот момент ко мне зашел приятель по клубу Гриша Савич. Я рассказал ему о письме и со вздохом сказал:

— Что делать? Попробуем помочь?

— Д-да, — слегка заикаясь, сказал Гриша. — М-мы, к-конечно, самые б-близкие к Аральскому морю.

Мысль была краткой и ясной. Казахстан — страна огромная и может покрыть, как бык — овцу, не только Швейцарию, но и парочку стран посолиднее. До Арала от нас... А информации о злополучном «море» — меньше некуда. Экологическая трескотня еще не началась, никто и не вспоминает об этих краях... Я тоскливо перелистал письмо и сказал:

— Вишь ты, еще и сомневаются в правдивости легенд о Барса-Кельмесе. Недоверчивые. Журналист какой-то пошутил тридцать лет назад, а мы теперь...

Я поднял глаза и встретился с горящим Гришиным взглядом. Савич, как и я, пробовал писать и от любого творчества приходил в экзальтацию.

— Почему бы и н-нет?

Идея пришла мгновенно. Возможно, даже сразу в обе головы, но Гриша, стесненный заиканием, был менее расторопен в достижении приоритета.

— Легенда! — заорал я. — Древняя казахская сказка! Тайна острова Пойдешь-не-Вернешься! Кобланды-батыр, Алдар Косе и духи острова! Летающие тарелки, плезиозавр в волнах Арала, снежный человек в степях Казахстана!

— П-пришельцы из будущего, г-гости со звезд...

Вечер начинал удаваться. Из НЗ (сломанного холодильника, служившего складом всякого хлама) была извлечена двухсотграммовая фляжка спирта. Из продуктов... Ох. Из продуктов — и твердых, и жидких — было только молоко. Зато большая литровая бутылка. Для воодушевления мы перелистали сборник казахских народных сказок, извлекая оттуда крупицы оригинальных идиом и пласты первобытных архетипов. Уселись рядом перед моей старенькой машинкой «Москва», на которой позже были написаны «Рыцари Сорока Островов», «Лорд с планеты Земля» и многие, многие другие произведения... И принялись за работу.

«В давние-предавние времена, когда бабка моей бабки еще была девочкой, жил в одном ауле могучий батыр...»

Я не могу разделить текст этой сказки на свою и Гришину половины. Сейчас, имея уже небольшой опыт работы в соавторстве, я вижу, что в тот вечер мог родиться новый дуэт писателей: не то Брайдер с Чадовичем (АБС в пример брать не будем, это уж слишком), не то Ильф с Петровым. Увы... Дохлебывая последние глотки спирто-молочного коктейля, сдобренного сахаром (сами того не зная, мы изобрели что-то вроде молочного ликера), мы перечитали свой опус. Первым высказал опасение Григорий.

— А не обидно ли это будет, — перестав от опьянения заикаться, спросил Григорий, — для национальной гордости казахского народа?

— Д-для чего? — заикаясь от молочного коктейльчика, спросил я.

Гриша объяснил.

Я ответил, что любой народ, и казахский, и русский, и даже тувинский, должен был бы носить нас на руках за такой вклад в свою культуру. И вообще этим рассказом навсегда закреплен приоритет казахов в путешествии во времени.

Гриша согласился, сказал, что пойдет умыться, и вышел на балкон. Я немножко подремал, потом пошел искать соавтора, но в кухне его не было. (Утром я обнаружил его спящим на стуле в коридоре. Поступок с его стороны глупый, ибо вокруг было еще две пустые комнаты и три кровати.)

Да, молоды и энергичны мы были в ту пору... Неоперившиеся ф-фэны из азиатской глубинки.

Через пару дней, задумчиво перелистывая нашу «сказочку», я почувствовал творческий зуд в указательном пальце правой руки (дело в том, что печатал я одним пальцем, этим самым указательным). Результатом зуда стал документ «Из бесед с местными жителями» за подписью некоего Сержана Егимбаева.

Так была запущена машина грандиозной мистификации. Решающим было еще и то, что ведение переписки взял в свои руки Григорий Неверов (не мой алма-атинский друг, а московский, известный фэндому). Он явно был более увлекающимся и доверчивым человеком, чем скептическая Т. Березина, писавшая первоначальное письмо.

Получив письмо от Неверова, я слегка приуныл.

«...Свежая информация о Барса-Кельмесе, полученная от наших алма-атинских коллег, представляется крайне интересной. С ее учетом мы пришли к выводу о целесообразности «рекогносцировочной» поездки...»

Похоже, близилась пора извиняться. Я стал как мог оттягивать сей момент. Для этого я периодически успокаивал москвичей обещанием новых материалов, добыл «оригинал» письма некоего побывавшего на острове Тимура Джолдасбекова на казахском языке. (Если бы москвичи знали, как трудно было в то время найти казаха, свободно владеющего родным языком и умеющего писать на нем! А потом еще уговорить его перевести с русского на казахский глупый текст... А потом трое суток носить письмо в заднем кармане джинсов (Азия! Лето! Жара!), чтобы оно приобрело рыбацкий вид. Заключительным этапом было обертывание письмом вкуснющей ставриды холодного копчения. Если у Григория Неверова был в то время кот, то оригинал письма, наверное, не сохранился — так сильно он благоухал.)

Итак, выполнив обещанную работу, я стал готовиться к приезду экспедиции московских фэнов. Жалко, честно говоря, что они не приехали. Был уже готов проводник — Тимка Рымжанов из клуба, способный с каменным лицом плести самые дикие байки и сбить ориентировку группе туристов даже в казахских степях. Были произведены опыты по старению бумаги и изготовлению артефактов. Один из них, носящий гордое имя «кусок антитемпоральной оболочки», до сих пор валяется у меня на балконе. Не знаю, как бы он служил в качестве обшивки Машины Времени, а гвозди на нем выправляются хорошо.

И вот в этот безмятежный период москвичи продемонстрировали алма-атинцам столичную оперативность. Поздно вечером ко мне ворвался бледный Гриша Савич и вручил журнал «Техника — молодежи» № 3/91. На странице 48-й я увидел...

«Остров «Пойдешь-не-вернешься».

«Считаем полученный материал заявкой на проведение Всесоюзной научно-фантастической экспедиции...»

«Г. Новожилов описывает беседу со старым рыбаком Нурпеисом Байжановым... Его дед и отец... увидели, как из «белого камня»... вылупился шайтан... Зуб опознали как принадлежащий птеранодону...»

«Пропала целая экспедиция... был сразу отправлен в психлечебницу, ибо уверял всех, что пробыл на острове три дня...»

Я утер холодный пот. Слава Аллаху, пока еще речи о нас не было... Вот оно!

«Мы завязали контакты с КЛФ Алма-Аты. От наших казахских братьев...»

Почему-то фамилии казахских братьев — Лукьяненко и Савича — указаны не были. Я обиделся.

«...давно и скрупулезно изучающих местный фольклор...»

Н-да.

«...приаральский вариант распространенной сказки о Кобланды-батыре и семи богатырях...»

— И семи братьях! — заорал я. — Не о семи богатырях, это вам не Пушкин!

«Заколдованный остров описан... для местного фольклора нетипично...»

— Нормально описан, — обиженно сказал Савич.

Далее шло письмо рыбака — на этот раз не в пересказе. Как мы ржали над этим текстом... «Мы проходили мимо острова, когда у нас полетел подшипник...» (В примечаниях для внутреннего пользования указывалось — «полетел на северо-восток».) «Работы там на час, так что до вечера справились...» «Дома... вроде наших кошар, только железом обиты». «Цистерны... на летающие тарелки похожие». «Антенна стальная... штопором скрученная... в нее зачем-то вставлена прозрачная труба». «Площадка светилась ярко, хоть ламп не было видно. Они там, наверное, спрятаны где-то были».

Я схватился за голову. В печатном виде анекдотичность, неправдоподобность текста, «подстава» были видны ярко-ярко. Хоть ламп и видно не было.

— «На Барса-Кельмес всякая глупость бывает, но военных там еще никто не видел», — процитировал вдруг Гриша. И зашелся в полуистерическом хохоте. И я был близок к раскаянию.

Ночью мне снились кошмары. «Аэлита», где москвичи гневно рассказывают о розыгрыше. Укоризненное лицо Виталия Бугрова*. Бессрочное исключение нас с Гришей из числа любителей фантастики и переход на нелегальное положение. Гнев казахского народа, чей герой стал объектом мистификаций.

— Не буду! — закричал я во сне голосом крапивинского мальчика**. — Я больше не буду разыгрывать отдельных граждан и серьезные печатные органы!

После чего, успокоенный, уснул.

На «Аэлите-92» я поведал Грише Неверову правду. И мы долго хохотали над всей историей, прежде чем он взял с меня обещание в течение месяца выслать рассказ обо всем случившемся.

---

* Виталий Иванович Бугров — организатор многих «Аэлит», человек, которого уважали и любили все фэны Советского Союза. — *Здесь и далее примеч. автора.*

** Юные персонажи книг Владислава Крапивина отличаются высокими моральными качествами и всегда переживают, совершив неблаговидные поступки.

Но история еще не закончилась. У нее оказалось достойное логическое завершение.

Конец 1992-го года. Я сижу в гостях у Дениса Новожилова, сына Надежды Черновой, заведовавшей в журнале «ПРОСТОР» отделом фантастики. Денис — «дикий фэн». На коны не ездит, но фантастику знает, а его библиотеке позавидовало бы 99 процентов фэндома*. Разговор, естественно, о фантастике. Я рассказываю о Барса-Кельмесе, и Денис оживляется:

— А у меня дед про этот остров писал. Лет сорок назад. Дедушка!

Из соседней комнаты выходит девяностолетний дед. Несмотря на возраст, мгновенно входит в суть разговора, ехидно улыбается и выносит картонную папку. Там — пожелтевшие вырезки из «Ленинской смены» и «Техники — молодежи».

— Ко мне на днях из Академии наук Казахстана приходили, — сообщает дед. — Расспрашивали, где зуб птеранодона и что на острове творится. Я прикинулся, что у меня склероз, и ничего не сказал.

— А что там вообще было-то? — с надеждой спрашиваю я. И журналист Новожилов не обманывает ожиданий.

— Что было? Молодые были, веселые. Решили разыграть народ.

Получилось.

Финал...

История, на которую «Техника — молодежи» позже начала ссылаться как на бесспорный факт существования летающих тарелок и машин времени, оказалась полностью высосана из пальца. Независимо друг от друга в розыгрыш включались все новые и новые поколения. И если не поставить сейчас точку над Барса-Кельмес, то и наши внуки будут организовывать экспедиции на несчастный островок. Так что — каюсь. Грешен. И бодрая картинка из «ТМ», где птеранодон несет в клюве летающую тарелку, увы, лишена оснований.

---

* Еще десять лет назад, как ни удивительно это может показаться молодому читателю, фантастику не покупали, а «доставали» — и хорошая библиотека фантастики была очень большой редкостью...

* * *

Иногда я задаю себе вопрос — а есть ли хоть что-то, выходящее за рамки обыденного? Экстрасенсы, тарелки, инопланетяне... Задаю и боюсь ответить себе. Ибо ответ так обиден, тем более для писателя-фантаста! Так несправедливо обиден! Чудес нет. Все они лишь порождения человеческой фантазии, попытка вырваться из рамок обыденности. Я встречал ребят, «бывавших» на моих Сорока Островах. Я знаю массу мастеров Прямого Перехода и прочих чудес из книг Крапивина, про верящих же в толкиновское Средиземье и говорить не приходится. Контактеры, экстрасенсы... Бог ты мой, как нам хочется чуда! Но его все нет и нет, и тогда находятся те, кому нравится обманывать, и те, кому хочется обмануться. Посмотрим друг другу в глаза и шепотом признаемся в этом.

Тихо-тихо, чтобы за стенами фэндома никто не услышал.

Но... если я однажды снова начну врать... пожалуйста... Сделайте вид, что верите.

Мне нечего добавить. Мораль пусть каждый извлекает сам — по своему вкусу. Я, со своей стороны, хочу поблагодарить всех друзей и знакомых — очных и заочных, которые так или иначе являются соавторами этой фантасмагории. И что из того, что некоторые из них никогда не существовали в реальности? Это, право же, не столь важно — в этой истории вообще очень трудно отделить «на самом деле» от «почти совсем на самом деле».

Я благодарен Г. Новожилову и Нурпеису Байжанову, Григорию Савичу, Сержану Егимбаеву и Тимуру Джолдасбекову, Г. Морозову и Андрею Страхову, сотрудникам кзылординской библиотеки и многим, многим другим, без которых случившееся невероятное было бы невозможным. (Особую благодарность хочется высказать редакции родной «Техники — молодежи» — хотя гонорара за «мою» статью я от нее так и не дождался.)

А всем прочим, до сих пор черпающим достоверную информацию о злосчастном аральском островке из газет, журналов и других средств массовой информации, меня так и подмывает задать один-единственный вопрос. Только один!

Все-таки красиво мы вас всех разыграли, а?!

Приложение:
вот как создавался миф...

1. Г. Новожилов. Тайна острова Барса-Кельмес (отрывок).
«Ленинская смена» (Орган ЦК ЛКСМ Казахстана) № 111
(4799), 7 июня 1959 г.

...Так получилось, что пришлось посидеть в Муйнаке, надо было ждать, пока спадет вода. В дни ожидания я и познакомился с Нурпеисом Байжановым. <...> Мне не терпелось скорее начать свои расспросы, и я с трудом удерживался, понимая, что поспешностью можно испортить все дело. Впрочем, я мало надеялся узнать что-либо, старик за чаем все время молчал и не сказал даже двух слов своей жене, старой Сабире. Наконец с чаем было покончено. Старик немного отодвинулся от стола к стене и, подтянув к себе подушку, оперся на нее локтем. Жена тут же подала ему кисет с табаком. Я поспешил вытащить свой «Казбек» и протянул открытую коробку старику. Он взял папиросу и, помяв ее своими узловатыми, скрюченными ревматизмом пальцами, не спеша закурил. Выпустив дым, он долго смотрел сквозь него на задернутое занавеской окно и вдруг, не дожидаясь моих вопросов, заговорил:

— Зачем пришел — знаю, что спрашивать будешь — знаю, а вот зачем тебе это — не знаю.

Я понял, что со стариком хитрить нельзя, надо говорить прямо. Я решил, что настал подходящий момент, и, глядя на старика в упор, сказал, понизив голос:

— Шевченко был на Барса-Кельмесе и видел там кости.

Старик вздрогнул, но, может быть, мне это только показалось.

— Кости, ты говоришь, кости. — Он потер зачем-то лицо руками, словно стирая паутину, и уже спокойнее спросил: — Про какие кости ты говоришь, какие кости видел Шевченко на Барса-Кельмесе, они бывают разные?

— Шевченко видел на острове необыкновенные кости, — все так же вполголоса ответил я и неожиданно для себя добавил: — Необыкновенные кости — не то зверя, не то птицы.

Старик закрыл глаза и несколько секунд молчал.

— Значит, это правда, — заговорил он, не открывая глаз. — Слушай, добрый человек, а ты не соврал мне про Шевченко, откуда знаешь?

Я рассказал старику о письмах Шевченко. Он опять закрыл глаза и покачал головой.

— Смеяться над стариком будешь, скажешь — байки рассказываю, а это не байки, и я тебе докажу. — Старик поднялся и подошел к стоящему в углу небольшому обитому цветной жестью сундучку. Он было наклонился к нему, но, махнув рукой и сказав «потом», снова вернулся на свое место.

— Я ничего не видел и не знаю, — заговорил он, скручивая папиросу из самосада, — расскажу то, что говорил мне отец. Давно это было, давно. — Старик помолчал, отдавшись воспоминаниям. — Мой отец, — снова начал он, — в ту пору был еще подростком. Дед охотно брал его с собой в море, и всегда они возвращались с хорошим уловом, с ними еще Копан Давлетов ходил рыбачить. В те годы не было у казахов ни хороших лодок, ни моторов, но и на своих парусниках заплывали рыбаки далеко. У берегов Барса-Кельмеса рыбачили часто, тогда его по-другому называли — «Суджок», значит, «Безводный».

Однажды — рассказывал отец — в сильный ветер сорвало у них парус, и лодку понесло к южному крутому берегу острова, где они рыбачили редко — глубоко там и к берегу пристать негде, крутой он очень. Ну, пока возились с парусом, подогнало их ветром, и того гляди разобьет лодку о берег. Кое-как удалось все же закрепить парус и понемножку вдоль берега двигаться. Вот тут и увидели они высоко над морем в обрыве берега белый камень.

Ты говоришь, был на острове, знаешь, камней там нет. А этот камень большой, белый и круглый, рыбаки заметили, только посмотреть им его поближе не удалось, ветер помешал.

Это было более ста лет назад. Жара тогда стояла необычная, а рыба хорошо ловилась, и ее сушили прямо на острове, не увозя домой. Много тогда рыбы насушили. И вспомнил как-то отец в свободную минуту про белый камень, захотелось ему посмотреть на него. Уговорил он деда поехать в то место, и пошли они втроем на лодке к южному берегу.

Нашли. Берег там как стена стоит. Причалили, вышли из лодки, а до камня не добраться — снизу высоко, а наверх и совсем пути нет.

И лежит этот камень вроде как в пещерке маленькой, весь на солнце. Круглый такой камень, белый да гладкий, ну, как яйцо, только большое.

Захотел мой дед яйцо сковырнуть и пошел к лодке за веслом, а отец взял кусок глины сухой да и бросил тем комком в каменное яйцо, бросил да со страху чуть не умер на том месте. Как только шлепнулась глина о яйцо, оно и лопнуло, вроде как скорлупа раскололась, и оттуда какое-то чудовище вылезать стало, черное, противное, с глазищами.

Закричали рыбаки со страха, да бежать, да в лодку, а это чудовище вылезло совсем из скорлупы, да с обрыва вниз и свалилось, только не шлепнулось, а как птица полетело. Крылья у него были, только без перьев и огромные, да с когтями.

Как оно свалилось, это уже один дед видел, он с веслом у лодки стоял, а отец и Копан как шлепнулись в лодку, так и голов не поднимали, орут: «Шайтан!» и больше ничего. Копана, так того трясти даже стало.

Дед тоже в лодку вскочил да скорее за парус, а шайтан по берегу скачет да крылья свои растопыривает, только лететь еще не может. Ростом он с теленка был, а крылья больше нашего паруса. И клюв у него был длиннее его самого, да с зубами. Как только он в том яйце помещался. Дед до того перепугался, что не помнил, как среди моря очутился.

Копан сразу и заболел тогда, его домой в горячке привезли, неделю провалялся и помер, а мои ничего, пообтерпелись. Рассказали они людям, что произошло, только никто не поверил, решили, что дед из хитрости пугает, чтобы его рыбу на острове не трогали, а за рыбой той и дед побоялся поехать, так и бросили ее на Суджоке.

После жаркого лета началась суровая снежная зима. Знаешь ли ты, что такое джут? Для казаха-овцевода это смерть, вот в ту зиму и случилось это несчастье. Овцы не могли пробить копытами смерзшийся слой снега, чтобы добраться до травы, и, напрасно изранив ноги, погибали от бескормицы. Ведь запаса сена тогда не делали.

В ту зиму целый аул откочевал на Суджок. Арал не всегда замерзает так далеко, но в тот год море замерзло, и люди со скотом перешли на остров, где снега было меньше. Потом начались ветры, лед взломало и угнало в море, что произошло на острове — никто не знает.

Старик покачал головой и повторил:

— Никто не знает. Весной, когда утихли шторма, — продолжал он, помолчав, — деда уговорили съездить на остров узнать, что с людьми. Дед долго отказывался, все еще боясь встречи с шайтаном, но мой отец по молодости лет уже успел забыть пережитый страх и, снедаемый любопытством, до тех пор приставал к деду, пока тот не согласился.

Тебе вот говорили, что люди там погибли от отсутствия воды и корма, может быть, только дед и отец не нашли на острове ни одного трупа. Ни людей, ни овец, ни живых, ни мертвых. Только юрты, наполовину изодранные ветром, стояли над обрывом недалеко от берега моря.

Все еще надеясь найти кого-нибудь из оставшихся в живых, дед и отец стали заходить в юрты. Их было всего три. В двух ничего не было, кроме одеял и кое-какой посуды, а в третьей, наиболее сохранившейся, нестерпимо пахло разлагающимся трупом.

В этой юрте было темно, и пришлось открыть тундук, чтобы рассмотреть, что там лежало. Сначала они ничего не поняли, увидев на полу огромную черную тушу, покрытую сморщенной кожей, но, разглядев зубастую пасть, догадались, в чем дело, и бросились вон из юрты.

В юрте лежал шайтан, тот самый зверь-птица, появление которого так напугало их прошлым летом. Дед ни за что не хотел возвращаться в юрту, но отец, поняв, что шайтан давно мертв, пересилил отвращение и еще раз зашел посмотреть на чудовище.

Впрочем, как следует рассмотреть его им удалось уже потом, когда они разобрали юрту, оставив труп шайтана на земле под открытым небом.

То, что они приняли за кожу, было перепончатым крылом этого чудовища. Свернувшись в клубок и завернувшись в свои крылья, оно напоминало огромную летучую мышь, только у него громадная пасть, вытянутая, как птичий клюв. В пасти торчали острые, как клыки, наклоненные вперед зубы. Длинный и очень тонкий хвост как арканом охватывал скрюченное тело шайтана. Отец говорил, что они не сразу разглядели все это... Пришлось арканом зацепить за когти на концах перепончатых крыльев и растягивать их, чтобы осмотреть тело чудовища.

Вот и все, что рассказал мне отец, — заключил старик. — Юрты они собрали и отвезли на берег, а на остров больше никто не ездил. Про шайтана они решили никому не рассказывать, чтобы не пугать людей. Мне это отец рассказал уже перед самой своей смертью, а я в ту пору был еще мальчишкой. Остров с тех пор все равно стали называть Барса-Кельмес.

Старик замолчал. Он поднялся с места и подошел к уже знакомому маленькому сундучку. Открыв его, старик вынул что-то завернутое в тряпку и, развернув ее, протянул мне на ладони нечто белое, похожее на кусок мрамора, величиной с чайный стакан.

Я взял его в руки и вздрогнул от изумления. Это был зуб — настоящий зуб, только странной формы и необычных размеров. Это был настоящий зуб ископаемого, вымершего ящера Юрского или, может быть, Пермского периода. И это не был зуб, пролежавший в земле миллионы лет и случайно найденный. Нет, белый, блестящий и гладкий, он был совершенно «свежий», без малейших следов окаменелости, свойственной ископаемым костям.

Я долго не мог произнести ни слова. Старик тоже молчал, довольный произведенным эффектом.

— Я не сказал тебе, — прервал он наконец молчание, — что, уходя с острова, отец взял топор и вышиб у шайтана один из зубов, вот этот самый, — кивнул он на кость, которую я еще держал в руках. — Этими зубами жалмауз сожрал на острове всех людей, и овец, и всю нашу сушеную рыбу, оставленную тогда на острове дедом.

Вот теперь и решай, сказки я тебе рассказываю или быль.

2. Сказка о Кобланды-батыре и семи братьях (вариант аула Канбак, Приаралье)

В давние-предавние времена, когда бабка моей бабки еще была девочкой, жил в одном ауле могучий батыр (комм. № 1). Был он так силен, что мог побороть в казахша-курес подряд семерых джигитов, обогнать в беге самого быстроногого коня или так сильно ударить по склону горы, что на противоположной стороне сыпались листья с деревьев. Звали его Кобланды. Был он к тому же наделен зорким глазом (комм. № 2), острым умом и умением превосходно играть на домбре. Не раз побеждал он в состязаниях, байге и айтысах. Но не было у Кобланды любимой девушки, и ни одна красавица не могла взволновать его сердце.

Как-то раз спал Кобланды на склоне горы на расстоянии семи дней пути от своего аула (комм. № 3). И вдруг разбудил его топот копыт горячего скакуна. Поднялся Кобланды с травы и увидел девушку, прекрасную, как молодая луна.

— О могучий батыр, — взмолилась девушка. — Спаси меня от злой судьбы. Гонятся за мной семеро братьев, хотят они выдать меня замуж за старого бая, чей облик подобен шакалу, а дыхание зловонно.

— Не бойся, кыз, — воскликнул батыр, пораженный ее красотой. — Езжай на вершину горы и жди меня там.

Вскочил он на своего верного коня и поскакал по следам девушки. Ехал он до тех пор, пока не увидел над степью облако пыли. «Семь братьев», — подумал Кобланды и остановил коня (комм. № 4). Неслись семь братьев над степью, словно стая птиц в поисках поживы.

— Эй, джигит! — крикнул один из братьев. — Не видал ли ты здесь девчонки на вороном скакуне?

— Здесь не видал, — ответил Кобланды.

— А где видал?

— В нашем ауле их много.

Нахмурились братья. Поняли они, что Кобланды смеется над ними.

— Джигит! Не хочешь ответить добром, так заставим силой! — воскликнул старший брат.

А Кобланды все сильнее распалял братьев.

— Наверное, вы играли в кыз-куу, — сказал он. — Но на ваших клячах можно гоняться только за ишаками.

Рассвирепели братья. Выхватили они камчи и накинулись на батыра. Схватил Кобланды двух братьев за камчи и сбросил с коней. А потом повернул коня и поскакал прочь, уводя братьев от девушки. И так скакали они три дня и три ночи, пока кони от усталости не стали идти медленнее пешего. Слез тогда Кобланды с коня, отпустил его пастись в степь, а сам побежал дальше.

Добрался он до холодных вод Арала и увидел, что братья не отстают.

— Здесь ты найдешь свою смерть! — закричали братья, увидев, что отступать батыру некуда.

Выхватили они мечи и набросились на Кобланды. Дрались они до тех пор, пока мечи не затупились. Сели они передохнуть, и тут догнали их два брата. Понял Кобланды, что не одолеть ему отдохнувших братьев. Бросился он в воду и поплыл. А братья в бессильной злобе посылали ему вслед проклятия (комм. № 5).

Приплыл Кобланды на остров. Лег он спать и от усталости проспал три дня и три ночи. А когда проснулся, то вспомнил о прекрасной девушке, которая ждала его на вершине горы, и поплыл обратно.

Выбрался Кобланды на берег и с удивлением увидел, что поодаль стоят семь богатых аулов и от каждого аула идет запах готовящегося угощения.

— Эй, бала! — крикнул Кобланды пробегающему мимо мальчику. — Чьи это аулы?

— Это аулы семи братьев, победителей Кобланды-батыра.

Разъярился Кобланды, поблагодарил мальчика и пошел к самому большому аулу. И увидел, что вокруг стола сидят семь стариков. Пригляделся к ним Кобланды и узнал семерых братьев (комм. № 6). Удивился батыр, но не показал и виду. Сел он молча рядом с братьями и стал есть.

Присмотрелись к нему братья и побледнели. А старший сказал:

— Ты очень похож на Кобланды, которого мы тридцать три года назад загнали на заколдованный остров!

Вытер Кобланды руки о бороду (комм. № 7) и сказал:

— А я и есть Кобланды-батыр.

Закричали братья от страха и попадали перед Кобланды на землю. Расхохотался Кобланды, выбрал себе самого лучшего коня и поскакал к девушке. Добрался он до той горы, где оставил ее, и поднялся на вершину. На вершине, в белоснежной юрте, сидела старуха.

— Ты совсем не изменился, Кобланды! — воскликнула она.

— Жди меня здесь, апа, — сказал Кобланды и поскакал вниз (комм. № 8).

Комментарий к сказке

1. Для восточных сказок нехарактерно измерение возраста по женщинам. Обычно используется оборот «во времена моего деда» или «когда отец моего отца был ребенком». Однако путем расспросов удалось выявить в районе Приаралья еще несколько сказок с подобными матриархальными оборотами — очень любопытный факт.

2. В казахских сказках, как и во многих других, зоркость героя подразумевается сама собой. Особое выделение его зор-

кости предполагает какой-либо эпизод, связанный с этим качеством, которого в тексте нет. Возникает предположение, что перед нами «усеченный» вариант сказки. Смотри примечания 3 и 4.

3. Переход от вступления к основной части сказки очень короткий. В то же время короткое упоминание о «семи днях пути» предполагает существование какого-то эпизода, приключения героя, позднее выпущенного. После расспросов удалось найти несколько человек, помнящих эту сказку. Они подтвердили, что в сказке описывается еще и спасение Кобланды говорящей лисицы — эпизод весьма стандартный и бытующий в сказках разных народов. Позднее, в месте, отмеченном как комм. № 5, лисица предупреждает задремавшего героя о приближении врагов.

4. В полном варианте сказки, очевидно, встреча героя с братьями описывалась по-другому. Возникает предположение, что исследователь, записавший эту сказку, сознательно отсек лишние, с его точки зрения, и не относящиеся впрямую к сюжету эпизоды. Если это так, то свидетельствует о его крайне низкой культуре. Возможно, впрочем, и то, что сказка уже была рассказана ему в сокращенном виде. Дальнейший диалог героя с братьями очень любопытен, так как представляет собой элемент бытовой, сатирической сказки, введенный в сказку волшебную.

5. Умение плавать — очень значительно для героя. Его противники по законам сказки просто не могут обладать таким умением.

6. Очень любопытная подача основного волшебного эпизода — коротко и без каких-либо разъяснений.

7. Имеется в виду скорее всего мусульманский обычай благодарить после еды пророка, проводя руками по щекам. Напрямую не описан по понятным в то время причинам.

8. Далее, по всей видимости, должна следовать известная сказка о поисках Кобланды молодильной воды — варианты этой сказки есть у многих народов (Иван Царевич и молодильные яблоки).

Данная сказка записана около пятнадцати лет назад. То, что заколдованный остров и его волшебные свойства даются в тексте без объяснений, свидетельствует о существовании данного фольклорного элемента и в других сказках или легендах. К сожалению, найти их не удалось.

С. Егимбаев, С. Лукьяненко

3. Рассказ Тимура Джолдасбекова, моториста РТ-25, об острове Барса-Кельмес (выдержки из письма, перевод с казахского С. Егимбаева и Г. Савича)

«Что касается Барса-Кельмес, то он фактически врос в берег (комм. № 1). Мы проходили мимо, когда у нас полетел подшипник (комм. № 2). Работы там на час, так что мы с Канатом до вечера справились. Канат лег спать, ты же знаешь, какой он слабак. А мне тоскливо стало, и я пошел погулять. Ходил я, наверное, час, далеко не заходил. Когда обратно пошел, дорогу решил срезать. Пошел не вдоль берега, а через холмы. Там два холма больших есть. Я на один поднялся — вижу свет. Сначала решил, что я уже к своим подошел. А потом удивился, что свет какой-то синий. Решил пойти посмотреть. Прошел немного, смотрю — ограда. Как в армейке.

Я немного удивился. Думаю, откуда взялось? Давно здесь живу, ничего такого не видел. Да ты и сам там был, видел, ничего нет. А я смотрю — дома одноэтажные, вроде наших кошар (комм. № 3), только железом обиты. Посередке, между домами, площадка бетонная, ровная. На ней какие-то цистерны стояли, по форме странные, круглые, на летающие тарелки похожие, как о них в газетах пишут. Вокруг площадки еще одна изгородь была, такая же, как снаружи, из проволоки квадратиками, только пониже. Между цистернами стояла антенна, стальная труба, штопором скрученная. Я такие видел, когда служил на «Полюсе», такие антенны со спутниками связываются (комм. № 4). Только в эту трубу зачем-то была вставлена прозрачная труба из стекла. По виду словно пушка получилась. Между цистернами ходили двое или трое, я их хорошо не разглядел, но помню, что они в непонятной форме были. Такая светлая, брюки узкие, а в плечах широкая. И все светилось ярко, хотя ламп не видно. Они там, наверное, спрятаны где-то были. Думаю, может, учения готовятся или гарнизон секретный. Я немного посмотрел, пошел дальше. Если б охрана увидела, принялась бы выяснять: кто такой. Зачем мне это надо?

Пришел к себе и думаю: какая это часть? Часовых не видно, у самой проволоки стоял, руками ее трогал, никого не видел. И дома хоть на казармы и похожие, а ни одного окна нет.

Утром обратно решил сходить посмотреть. Ничего нет, даже следов никаких. Рассказал ребятам, они смеяться стали.

А у нас, в совхозе, Ерали, он раньше бригадиром был, сказал, что видел такие дома и в том же месте. Только это давно было, лет пять. А близко он подходить не стал — над домами вертолет висел, блестящий, как военный. Остальные мне не поверили, говорят, что на Барса-Кельмесе всякая глупость бывает, но военных еще никто не видел (комм. № 5).

Комментарии

1. Арал сейчас пересох настолько, что остров летом «соединен» с берегом мелководьем, не позволяющим, правда, пройти человеку, но мешающим плаванию крупных судов. Видимо, имеется в виду это.

2. Авария, очевидно, выдумана. Как правило, рыбаки в хорошую погоду предпочитают заночевать на траулере у берега, а не возвращаться домой среди ночи.

3. Кошара — загон для овец. Одна из наиболее распространенных форм — половинка цилиндра.

4. Т. Джолдасбеков служил на станции связи «Полюс», расположенной где-то в Киргизии, недалеко от Фрунзе.

5. Утверждение несколько сомнительно — смотри мое письмо.

С. Лукьяненко

АРГЕНТУМНЫЙ КЛЮЧ

Вот задумал роман с таким сюжетом...

...После развала Второй Галактической Империи Папа объединенной церкви Карл Первый оказывается заброшенным на отсталую планету Тарбэр. Вынужденный скрываться от местных властей, впавший в нищету и пробавляющийся игрой на портативном электронном органе по кабакам, Карл тщетно ищет секретный военный ангар, где надежно укрыт линкор «Молния» — древний корабль, настолько ужасающе мощный, что сразу же после постройки его спрятали на этой дикой планете. Сейчас «Молния» — последняя надежда сил добра. Если Карлу удастся найти линкор — то он сможет с крестом и кадилом пройти по Галактике, примиряя отбившееся от рук человечество и принося покой обнаглевшим Чужим...

(Как же без Чужих???)

Уроженец Тарбэра, мастер косметической биопластики Джузе, дарит своему другу, о чьем высоком сане он, впрочем, и не догадывается, кусок активной протоплазмы, редкий продукт местных девственных лесов. Используя податливость протоплазмы к излучению человеческого мозга, Карл создает из нее двенадцатилетнего мальчика — своего духовного наследника, который продолжит поиск «Молнии»...

* * *

(Малолетний персонаж роман сразу оживляет!)

Но познания Карла в моделировании людей были ограниченны. Его приемный сын, Окки, не похож на серьезного помощника стареющего понтифекса, он обыкновенный проказливый мальчишка. Окки ссорится с соседом, древним и мудрым другом Папы — насекомоподобным реликтовым существом, пытающимся наставить мальчика на путь истинный. Позже, обокрав Карла, он начинает бродяжничать и попадает в лапы к садисту и маньяку Бару Карасу, содержащему под видом театральной студии притон, где беспомощные и бесправные малолетние биороботы подвергаются чудовищным издевательствам.

(Ну, тут я такие жути опишу, что уже самому заранее страшно!!!)

(Увы, с развалом Второй Империи они утратили дарованное им равноправие и ныне находятся на положении бесправных рабов...) Однако маньяк Бару почему-то отпускает Окки невредимым и даже снабжает его деньгами. Мальчику неведомо, что, обладая эмпатическими способностями (вот почему Бару такой жестокий — он на самом деле не садист, а мазохист, воспринимающий чужую боль как собственную!!!), негодяй почувствовал в его сознании отзвуки разума Карла — и решил выследить Папу, наблюдая за Окки...

(Зачем маньяку нужен Карл — не знаю. Может, исповедаться хочет? Тут главное будет сделать его образ неоднозначным, в чем-то трагическим...)

Надежды Бару Караса тоже не сбываются. Окки, получивший от него кредитную карточку на пять галактических единиц, не попадает домой. Он связывается с Базом и Алой — «продвинутыми» животными, сочетающими в себе человеческий разум и звериные инстинкты. Прельстившись деньгами мальчика, негодяи обещают научить его искусству хакера и многократно умножить имеющуюся сумму. Разумеется, на самом деле они замыслили банальное воровство...

(Тут маленько компьютерного сленга — это чтобы в сети Интернет роман зацепили!)

Но мальчику удается удрать и от этих негодяев! Он знакомится с Грин-Риной Т*рт*лл** — еще одной эндемичной разумной формой планеты, и получает от нее

(Долгое описание загадочных обычаев и ритуалов расы т*рт*лл — панцирных амфибий...)

аргентумный ключ — хранящий тайну ангара с кораблем! Раскаявшись и помирившись с Карлом, Окки поднимает восстание андроидов, жестоко наказывает маньяка Бару Караса и находит древний линкор Империи — непобедимую «Молнию». С экипажем из детей-андроидов Папа Карл Первый отправляется привносить мир и покой в Галактику...

(Ну, тут я задельчик на вторую часть оставил...)

Так вот, народ, вопрос у меня! Придумал я такой крутой сюжет, но сомневаюсь, а вдруг что-то подобное уже было?

Содержание

Официальная страница
Сергея ЛУКЬЯНЕНКО
в сети Интернет доступна по адресам

http://www.rusf.ru/lukian/
http://rusf.yingternet.com/lukian/(США)
http://sf.hikarigaoka.gr.jp/lukian/(Япония)
http://sf.alarnet.com/lukian/(Казахстан)
http://sf.dnepr.net.ua/lukian/(Украина)

Информация о самом писателе, список его произведений, интервью и много интересного для почитателей его творчества. В разделе представлены рецензии, написанные читателями, постоянно проводится несколько конкурсов: наиболее интересны и популярны конкурсы рисунков, VRML миров и конкурс на пароль хакера Падлы. Особенное место в разделе занимает галерея иллюстраций к работам автора. Страница производит очень приятное впечатление и не оставит равнодушными всех любителей фантастики!

Литературно-художественное издание

Лукьяненко Сергей Васильевич
Атомный сон
Повести и рассказы

Художественный редактор О.Н. Адаскина
Компьютерный дизайн: А.С. Сергеев
Технический редактор О.В. Панкрашина
Младший редактор А.С. Рычкова

Общероссийский классификатор продукции
ОК-005-93, том 2; 953000 — книги, брошюры

Санитарно-эпидемиологическое заключение
№ 77.99.02.953.Д.000577.02.04 от 03.02.2004 г

ООО «Издательство АСТ»
667000, Республика Тыва, г. Кызыл, ул. Кочетова, д. 93
Наши электронные адреса:
WWW.AST.RU E-mail: astpub@aha.ru

ОАО «ЛЮКС»
396200, Воронежская обл., п.г.т. Анна, ул. К. Маркса, д. 9

Отпечатано с готовых диапозитивов
в ОАО «Книжная фабрика №1»
144003 г Электросталь, Московская область, ул. Тевосяна, д.25